D1753297

MEUSER*EKTEN*

MEUSER ARCHITEKTEN *BAUTEN UND PROJEKTE 1995 – 2010 / BUILDINGS AND PROJECTS 1995 – 2010*
INTERIOR DESIGN

A DOM publishers

Das primäre Element ist die Funktion. Aber Funktion ohne sinnlichen Beistrom bleibt Konstruktion.

The primary element is function. But function without a sensory adjunct is mere construction.

Erich Mendelsohn

–

Der rechte Winkel besitzt ein Vorrecht vor den anderen Winkeln. Er ist der einzige, er steht fest.

The right angle has priority over all other angles. It is unique, it stands firm.

Le Corbusier

–

Eine Architektur, die sich nicht in eine städtebauliche Pflicht nehmen lässt, ist eine schwache Architektur.

An architecture that refuses to acknowledge its urban context is a weak architecture.

Fritz Neumeyer

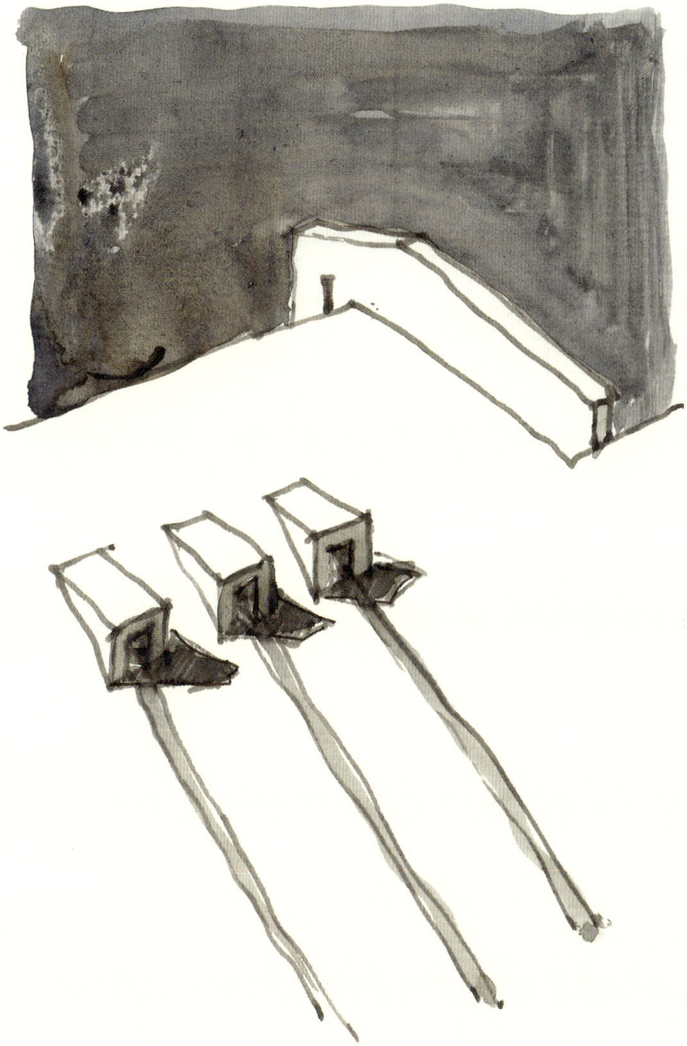

Commercial

Zwischen Raumkunst und Kitsch
Between Interior Design and Kitsch
Essay 12

Theater in der Spielbank
Casino Theatre
Berlin 20

ZDF Merchandising Shop
ZDF Merchandising Shop
Berlin 34

Verlagshaus Hachette Filipacchi Shkulev
Hachette Filipacchi Shkulev Media
Moskau/Russische Föderation 44

Hotelresidenz und Spa
Kühlungsborn Hotel Residence and Spa
Kühlungsborn 56

Corporate

Architektur und Marke
Branding Architecture
Essay 72

Schleich Shop Design
Schleich Shop Design
Weltweit 86

ABN AMRO, Consumer Banking
ABN AMRO, Consumer Banking
Aktau und Almaty/Kasachstan 94

ABN AMRO, Preferred Banking
ABN AMRO, Preferred Banking
Almaty/Kasachstan 102

Lufthansa City Center
Lufthansa City Center
Kasachstan/Kirgisistan 110

Residential

Fotografenwohnung
Photographer's Apartment
Berlin 120

Architektenwohnung
Architects' Apartment
Berlin 126

Schauspielerwohnung
Actors' Apartment
Berlin 134

Produzentenwohnung
TV Producer's Apartment
Berlin 142

Villa im Grunewald
Grunewald Residence
Berlin 150

Wohnung auf den Sperlingshügeln
Lenin Hills Apartment
Moskau/Russische Föderation 164

Villa an der Rubljowka
Rublyovka Residence
Moskau/Russische Föderation — 174

Penthouse an der Eremitage
Hermitage Penthouse
St. Petersburg/Russische Föderation — 182

Villa am Finnischen Meerbusen
Seaside Villa
St. Petersburg/Russische Föderation — 192

Villa im Golfresort
Zhailjau Golf Residence
Almaty/Kazakhstan — 202

Maisonette in Dongguan
Pearl River Maisonette
Dongguan/China — 214

Annex

Natascha Meuser
Curriculum — 226

Philipp Meuser
Curriculum — 228

Veröffentlichungen
Publications — 230

Projektverzeichnis
Chronology — 234

Mitarbeiter seit 1995
Staff — 238

Zwischen Raumkunst und Kitsch
Between Interior Design and Kitsch

Natascha Meuser

David Chipperfield:
Neues Museum in Berlin,
2009

*David Chipperfield:
Neues Museum in Berlin,
2009*

Innenarchitektur – ein Schuft, wer dabei an Behaglichkeit oder anheimelnd Wohnliches denkt. Innenarchitektur, das ist im landläufigen Verständnis nichts für Leute, die es, nun ja, gemütlich haben wollen. Und damit ist schon ein Problem benannt, mit dem sich der Berufsstand der professionellen Raumplaner herumzuschlagen hat. Denn seine Dienste werden zumindest im Privatbereich nur von einer verschwindend kleinen Minderheit in Anspruch genommen, die sich nicht nur als kulturell-ästhetische Elite versteht, sondern zunächst erst einmal über die Mittel verfügt, jemanden mit der Einrichtung der eigenen Wohnung zu beauftragen. Es ist außerdem eine gesellschaftliche Gruppe, die sich zu einem gewissen Repräsentationsbedürfnis bekennt und ihr privates Zuhause als Schnittstelle zwischen der eigenen öffentlichen Rolle und dem Privaten zu inszenieren gedenkt. Man könnte sie auch als Protagonisten des klassisch Bürgerlichen bezeichnen. Doch dass es sich dabei nur um eine kleine Gruppe handelt, gibt eigentlich zu denken. Denn im Prozess der allgemeinen Verbürgerlichung und der Demokratisierung des Wohlstands scheint die Innenarchitektur irgendwo auf der Strecke geblieben zu sein. Während andere, vormals bourgeoise Privilegien wie Reisen, Bildung oder kulturelle Zerstreuung heute selbstverständliches Allgemeingut sind, ist die von professioneller Hand vorgenommene Planung des Privatbereichs nach wie vor ein Luxus geblieben, den sich nur wenige Menschen leisten. Dieser Tatsache steht kompensatorisch ein unüberschaubares Angebot an höchst erfolgreichen Publikationen sowie Fernsehsendungen gegenüber, die nichts anderes als die stil- und geschmackvolle, individuelle und zeitgemäße Ausstattung und Veredelung der eigenen vier Wände zum Thema haben und zum beherzten Do-it-yourself auffordern. Doch Innenarchitektur ist weit mehr als nur die Gestaltung und Einrichtung von Wohnraum.

Interior design – more fool you if you associate this with comfy, snug living. That is the general consensus – that interior design is not for those who like, well, cosiness. And there we have the problem confronting professional interior designers. When it comes to private rather than public clients, their services are used by a dwindling minority of people who see themselves not only as a cultural and aesthetic elite, but who first and foremost have the financial means to hire a professional to vamp up their homes. They also belong to a social group with a certain self-confessed desire for visible status, who like to stage their own four walls as an interface between public role and private life. They could be described as protagonists of the classic bourgeois existence. But their modest number raises interesting questions. The growth of the middle class and the democratization of affluence appear to have left interior design by the wayside. While other once bourgeois privileges such as travel, education, and high culture have become prerogatives taken for granted by most of the population, hiring a professional to design your home is considered a luxury few can afford.

Serving as some compensation for this is the bewildering surfeit of highly popular magazines and TV shows devoted to nothing more than encouraging relentless DIY and tips on how to turn your four walls into a stylish, tasteful home with a personal and modern look. But there's much more to interior design than designing and furnishing living spaces.

In an age when personal fulfilment is the be-all and end-all and corporate identity can make or break a business, interior designers are the high priests of individuality. They design the sets of status, be they apartments, executive floors, hotel bars, museums, theatres, or churches.

Wohnungskunst. Vereinigt mit der Halbmonatszeitschrift Die Raumkunst. Illustrierte Monatshefte für Hausbau, Wohnungskunst, Kunstgewerbe und verwandte Gebiete, V. Jahrgang, 1913

Fritz August Breuhaus: *Neue Bauten und Räume,* Berlin 1941

In einem Zeitalter, dessen Maßstab die Selbstverwirklichung des Einzelnen ist, in dem »Corporate Identity« über den wirtschaftlichen Erfolg entscheidet, sind die Innenarchitekten so etwas wie Ministranten beim Hochamt des Einzigartigen. Sie schaffen die Bühnen der Repräsentation: ganz gleich, ob es sich dabei um Wohnungen, Vorstandsetagen, Hotelbars, Museen, Theater oder Kirchen handelt.
Durch Innenarchitektur werden die Qualitäten eines Gebäudes für seine Nutzer, Bewohner und Besucher sinnlich erfahrbar. Das, was dem klassischen Architekten Fassaden, Steine, Stützen und Grundrisse sind, sind für den Innenarchitekten Räume, Farben, Licht und Oberflächen. Deshalb gehört die Perspektive des Innenarchitekten eigentlich in den Entwurfsprozess. Eigentlich. Doch der Innenarchitektur wird mittlerweile nur mehr die Aufgabe zugestanden, korrigierend einzugreifen; als Nachbesserung für fahrlässig geplante Gebäude, deren defizitäre innere Beschaffenheit dann mittels anheimelnder Wandgestaltung oder extravaganter Möbel etwas kaschiert werden soll. Im schöpferischen Prozess des Bauens hat man der Innenarchitektur nolens volens eine nachgeordnete Rolle zugewiesen; an den Architekturfakultäten gilt nur der »richtige« Hochbau etwas, die Beschäftigung mit einem Wohnzimmer wird allenfalls zur Kenntnis genommen. Aber nicht als Architektur.

Interior design gives sensory expression to a building's qualities, which can then be enjoyed by its occupants, residents, and visitors. Space, colour, light, and surface are to an interior designer what façade, stone, supports, and layout are to an architect. Theoretically, an interior designer should be involved in the basic planning of a building. Theoretically.
But the interior designer is usually restricted to intervening in a corrective role: retouching clumsily designed buildings by disguising deficiencies in appearance and workmanship with attractive wallpaper or paintwork and show-stopping furniture. Whether they like it or not, interior designers have been fobbed off with a secondary role; all that matters at architecture school is the right structural design, while the look of a living room gets little more than an acknowledgment – but not as architecture.
The way that interior design concerns are disregarded and marginalized reflects the absence of design know-how in the lives of most members of society. But might interior designers have themselves contributed to making themselves redundant?
When interior design is discussed anywhere outside glossy specialist magazines – in the arts pages of newspapers, for example – the projects featured have nothing to do with the

Erich Elingius (Hg.): *Die Palmaille in Altona. Ein Kulturdokument des Klassizismus,* Hamburg 1938

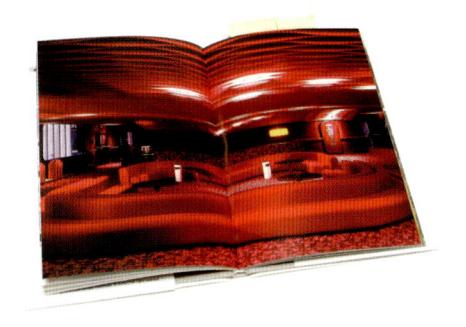

Élisabeth Védrenne: *Pierre Paulin,* New York 2004

Dieser Verdrängung und Geringschätzung innenarchitektonischer Fragestellungen entspricht auch die Abwesenheit gestalterischer Professionalität im Leben der gesellschaftlichen Mehrheit. Doch kann es sein, dass die Innenarchitekten selbst an ihrer Verzichtbarkeit mitgewirkt haben?
Wenn jenseits der bunten Einrichtungsmagazine von Innenarchitektur berichtet wird, beispielsweise im Feuilleton, werden immer Projekte präsentiert, die vor allem nichts mit der Lebenswirklichkeit der meisten Leser zu tun haben dürfen. Um Badewannen, die von juvenilen Interior Designern verwegen an das Kopfende einer Bettstatt montiert werden, entspinnt sich dann ein akademisch verstrahlter Diskurs, in dem es schnell mal um soziokulturelle Zukunftsszenarien und ästhetische Weichenstellungen geht. Doch die in solchen Foren (ohnehin selten) diskutierten Planungen haben mit der profanen Alltagsrealität nichts zu tun; ja, es scheint fast, als spalte sich die Welt in den erdfernen Orbit einer diskursiv veredelten Oberflächenästhetik und ein optisch verwahrlostes Flachland, in dem allenfalls die Kataloge der Einrichtungshäuser und Baumärkte als Sekundärliteratur benutzt werden. Über das Elend des Letzteren findet keine Debatte statt.
Ähnliches lässt sich allerdings auch für die Architektur konstatieren, bei der die spektakelhaften, mitunter verwechselbaren

reality of most readers' lives. Bathtubs daringly positioned at the head of a bed by juvenile interior designers may give rise to an academically contaminated discourse centred on socio-cultural visions of the future and aesthetic new departures.
But all this is far removed from the profane reality of everyday life. In fact, one might think there are two worlds, the one a distant universe of superficial aesthetics ennobled by elegant discourse, the other a wasteland of visual neglect in which the only aesthetic authorities are the catalogues of furniture and home improvement stores.
If this wretched wasteland is never discussed, there is a similar lack of debate about the architecture of the spectacular buildings designed by the ubiquitous Gehry-Hadid-Foster set. These have not only become pretty much interchangeable, they do not say anything significant about the current state of architecture in general, either. Nor do they make up for the predominantly ugly mediocrity of what is considered everyday architecture in family estates, business parks, and downtown districts.
This schizophrenia – on the one hand flagship projects by a small, unchanging coterie of celebrity architects, and on the other, unappreciated urban planning caught between

2001– Odyssee im Weltraum
Großbritannien, 1965–1968
Regie: Stanley Kubrick

"2001 – A Space Odyssey"
UK, 1965–1968
Director: Stanley Kubrick

Gebäude der ubiquitären Gehry-Hadid-Foster-Clique weder etwas über den Stand der allgemeinen Baukultur aussagen noch über die fast immer hässliche Durchschnittlichkeit der sogenannten Alltagsarchitektur hinweghelfen. Diese Schizophrenie – einerseits die Leuchtturm-Projekte einer kleinen, immergleichen Schar von Star-Architekten, andererseits das unbeachtete, zwischen Wirtschaftlichkeitsdiktat und ästhetischer Gewissenlosigkeit zerriebene Planungsgeschehen in Einfamilienhaussiedlungen, Gewerbegebieten oder Geschäftsvierteln der Städte – prägt das Verhältnis zwischen der Gesellschaft und ihrer gebauten Umwelt.

Wer sich in diesem Spannungsfeld auf sein architektonisches Credo beruft, hat es schwer. Das gilt vor allem für die Innenarchitektur. Sie ist anfälliger für Moden und Zeitgeist-Erscheinungen als die schwerfälligen, fundamentierten Strukturen

economic considerations and aesthetic unscrupulousness – defines the relationship between society and the built environment. Against this backdrop, anyone striving to uphold architectural principles has their work cut out for them, and interior designers in particular. Their work is more susceptible to the vagaries of fashion and the Zeitgeist than the stolid, grounded dictates of building construction; every year brings new trends, and styles change with the seasons. While primed walls and oak floorboards were last year's must-have look, exposed concrete and floor screed are this year's favourites.

The apparent willingness to adapt to such rapid changes in interior design fads reflects the inner insecurity not only of the general public who go along with them, it also proves that few interior designers can swim against such a strong current with their own ideas or any kind of personal idealism.

James Bond 007 – Man lebt nur zweimal
Großbritannien, 1966
Regie: Lewis Gilbert

"You only live twice"
UK, 1966
Director: Lewis Gilbert

des Hochbaus; jährlich werden neue Trends proklamiert, die Farben wechseln mit der Saison. Wo gestern gespachtelte Wände und Eichenholzdielen als »Must« galten, sind es heute Sichtbeton und Estrichboden. Die offene Bereitschaft, sich dieser raschen Abfolge von modischen Wohnkonzepten zu unterwerfen, spiegelt die innere Unsicherheit nicht nur der Bewohner und Benutzer dieser Räume wider. Es gibt auch nur wenig Planer, die sich der gewaltigen Unterströmung von Trendwellen mit Eigensinn oder einer Form von selbstbestimmtem Idealismus widersetzen. Aus Angst, als gestrig, überholt oder – ganz schlimm – konservativ zu gelten? Dabei geht es doch eigentlich nicht um Moden.
Es geht um Schönheit. Nicht mehr und nicht weniger.

Are they afraid of seeming passé, out-of-date or even, horror of horrors, conservative? But at the end of the day, fashion is not the point.
The point is aesthetics. Nothing more and nothing less.

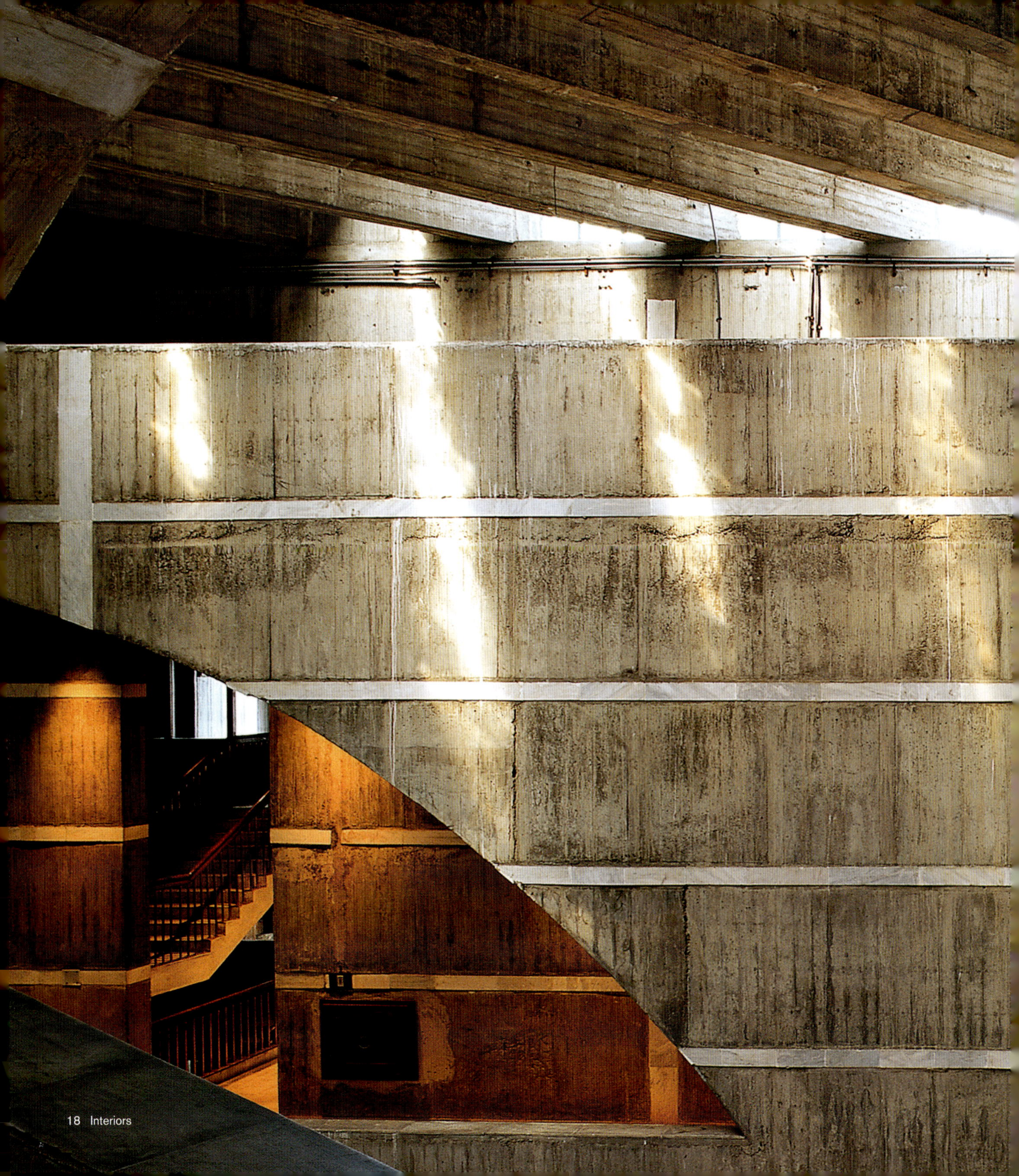

DAC

DHAKA DAS PARLAMENTS-GEBÄUDE VON LOUIS KAHN IN BANGLADESCH ZEICHNET SICH UNTER ANDEREM DURCH DIE LICHTGESTALTUNG IM INNENRAUM AUS.

DHAKA THE NATIONAL ASSEMBLY BUILDING OF BANGLADESH DESIGNED BY LOUIS KAHN IS REMARKABLE FOR THE WAY ITS INTERIORS ARE SHAPED BY LIGHT.

Theater in der Spielbank
Casino Theatre

Berlin

Bauherr
Spielbank Berlin Entertainment GmbH

Projektadresse
Marlene-Dietrich-Platz 1
Berlin

Zeitraum
2005–2006

Am Anfang war es nur ein ungelüfteter, düsterer Raum im zweiten Geschoss eines Spielcasinos, der nicht so aussah, als könne er in einen exklusiven Nachtclub mit Theaterbühne und eigenem Restaurantbetrieb verwandelt werden. Was zunächst wie eine Handvoll Nachteile wirkte, erwies sich jedoch als geradezu perfekte Ausgangsbedingung: Der lang gezogene, eher niedrige Raum, seine etwas versteckte Lage und die dämmrige Atmosphäre luden die Architekten ein, mit den Attributen des urbanen Nacht-Entertainments zu spielen und ein Ensemble zu entwickeln, das die unterschiedlichen, zum Teil konkurrierenden Anforderungen von Bühnengeschehen und Gastronomie räumlich verbindet. Satte, warme Farben und weiche, schmeichelnde Materialien verleihen dem 300 Gäste fassenden Saal eine von Tages- und Nachtzeiten unabhängige laszive Intimität; opulent geben sich Mobiliar, Einbauten und Accessoires. Die Sitzbänke und Klapptische sind ebenso wie die Kronleuchter und die Bar speziell entworfene Sonderanfertigungen.

A gloomy, stale room on the second floor of a casino would not strike anyone as ideal night-club material, but its disadvantages turned out to be blessings in disguise. The secretive, oblong space with its low ceiling challenged the architects to play with the attributes of urban entertainment and develop an ensemble that ideally reconciled the sometimes contradictory requirements of dazzling stage show and cordon-bleu catering. Rich colours and sumptuous materials evoke a sense of voluptuous intimacy at any time of day. Many of the opulent furnishings and exclusive accessoires were specially made, including the padded benches and collapsible tables, the chandeliers and the bar counter.

»Die Nacht der Stars«
Stern, Nr. 8/2009 vom
11. Februar 2009

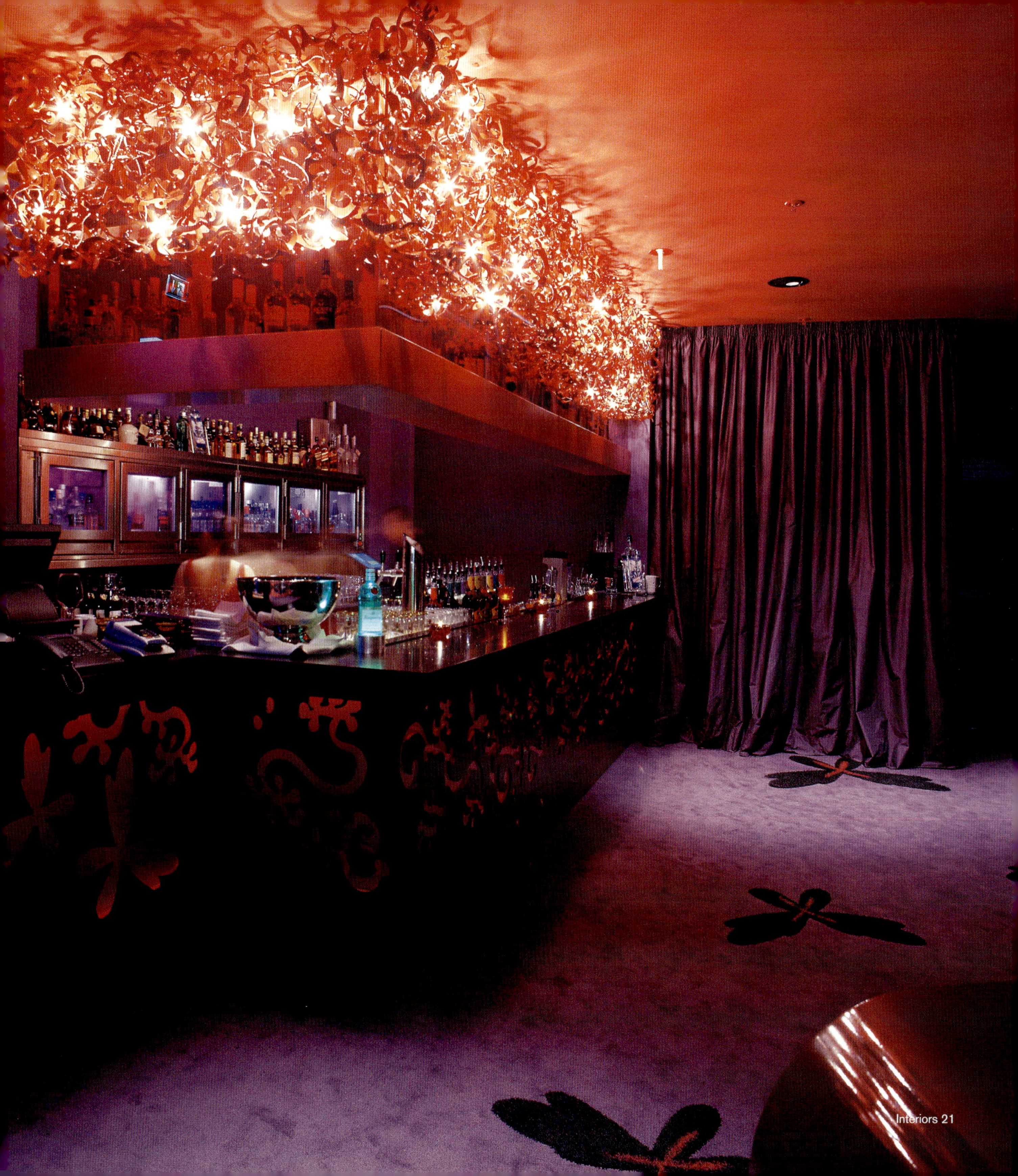

22 Interiors

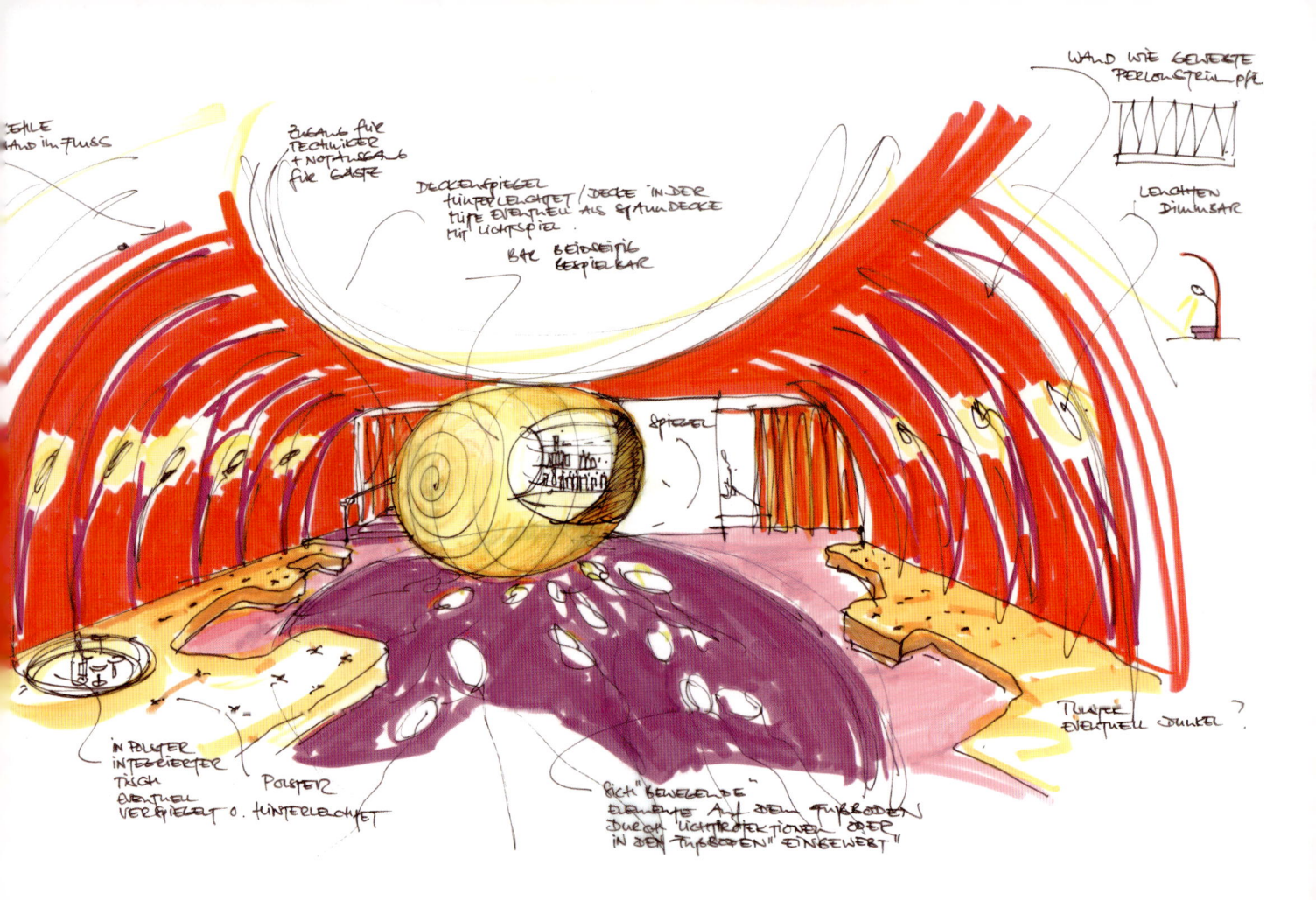

Interiors 23

24 Interiors

Interiors 25

26 Interiors

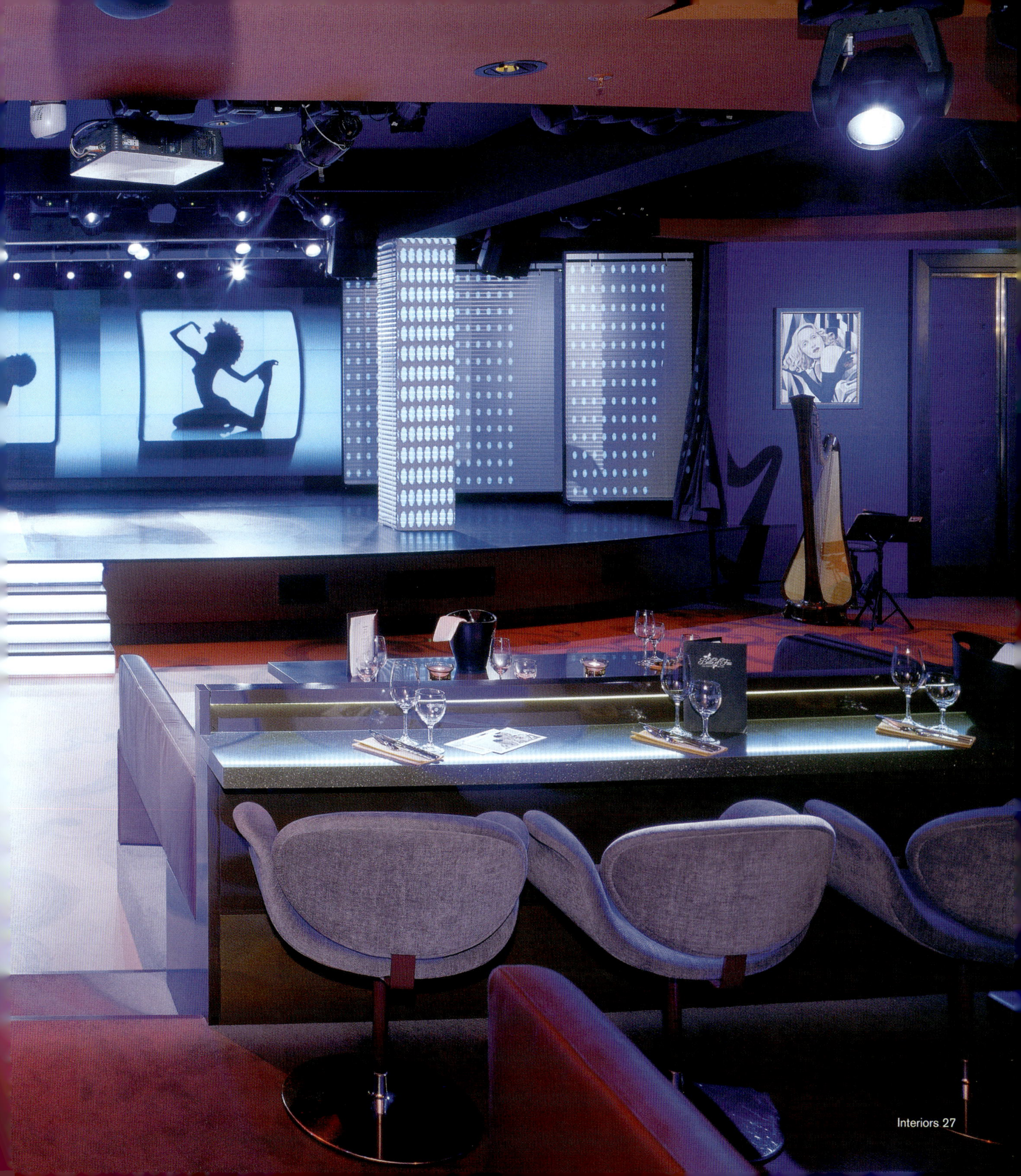

28 Interiors

Interiors 29

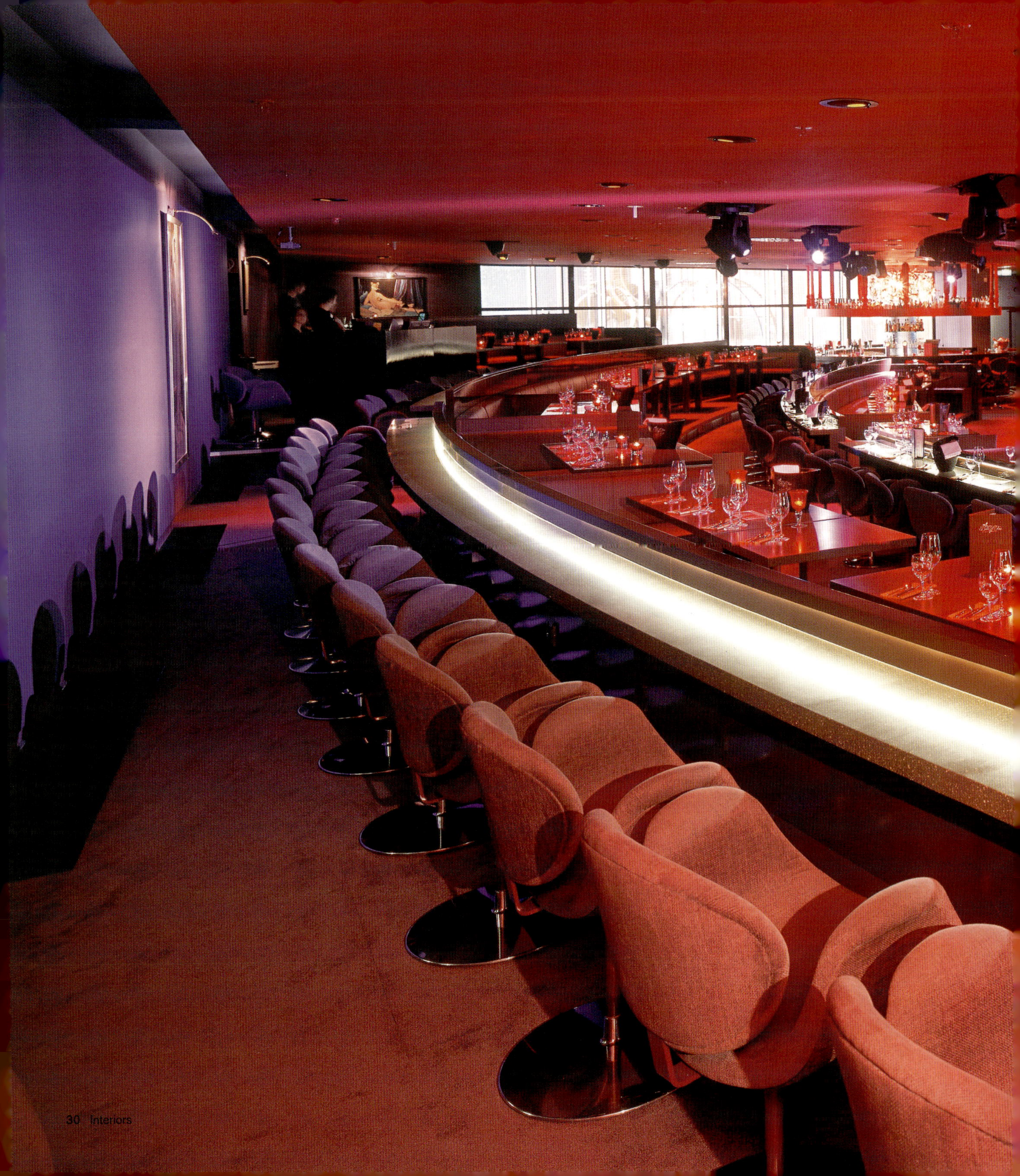

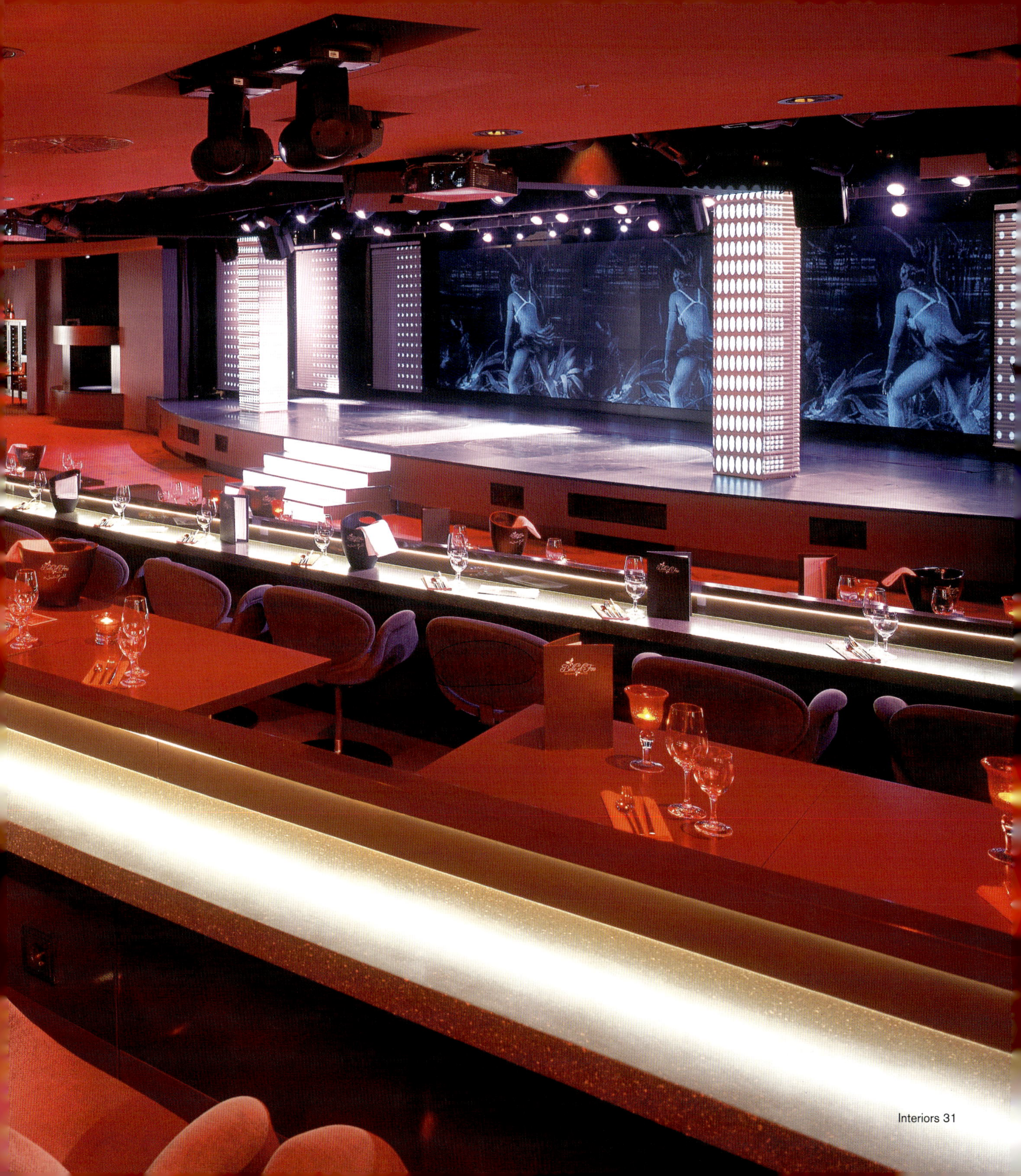

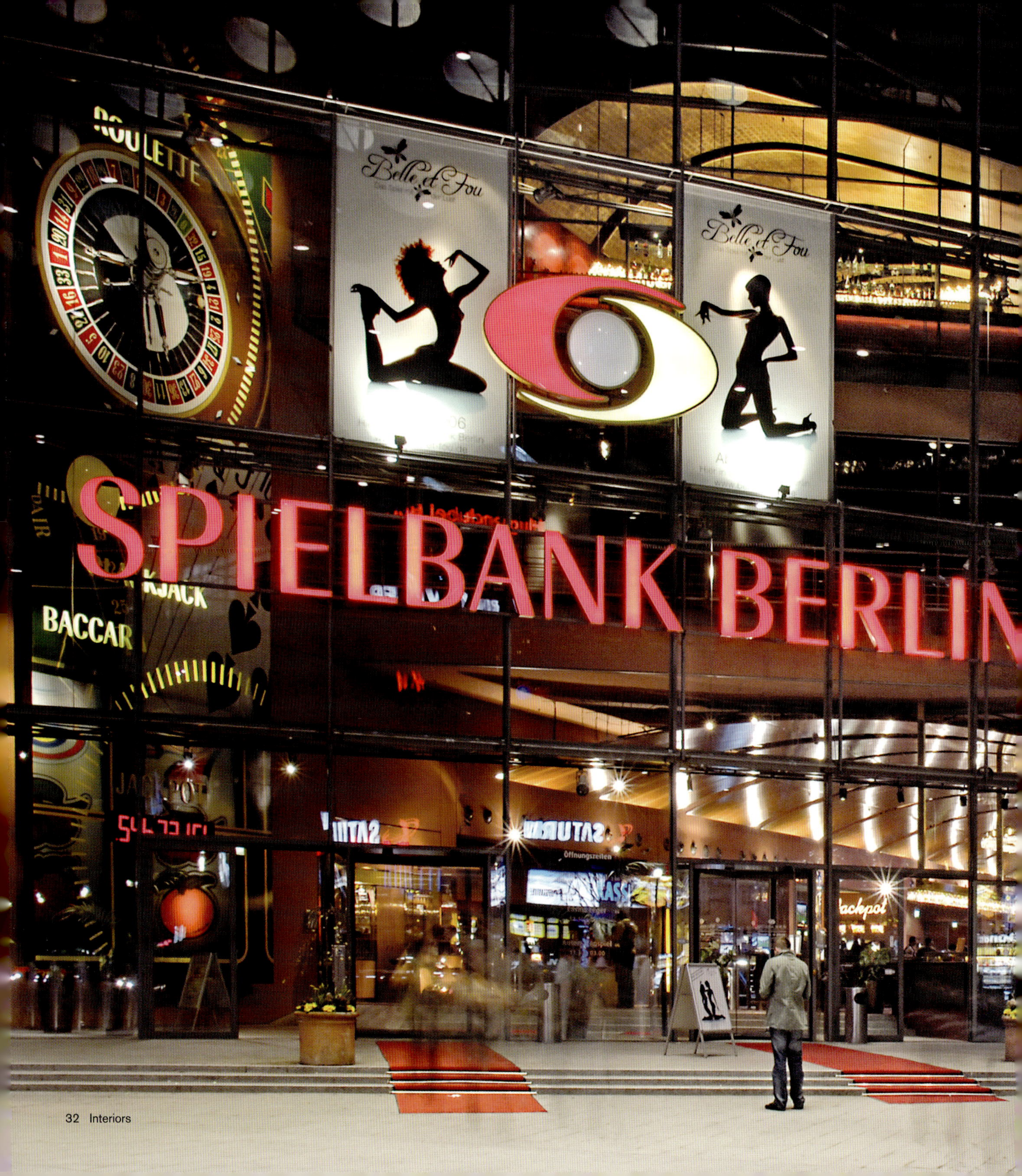
ROULETTE
SPIELBANK BERLIN
BACCAR
Öffnungszeiten

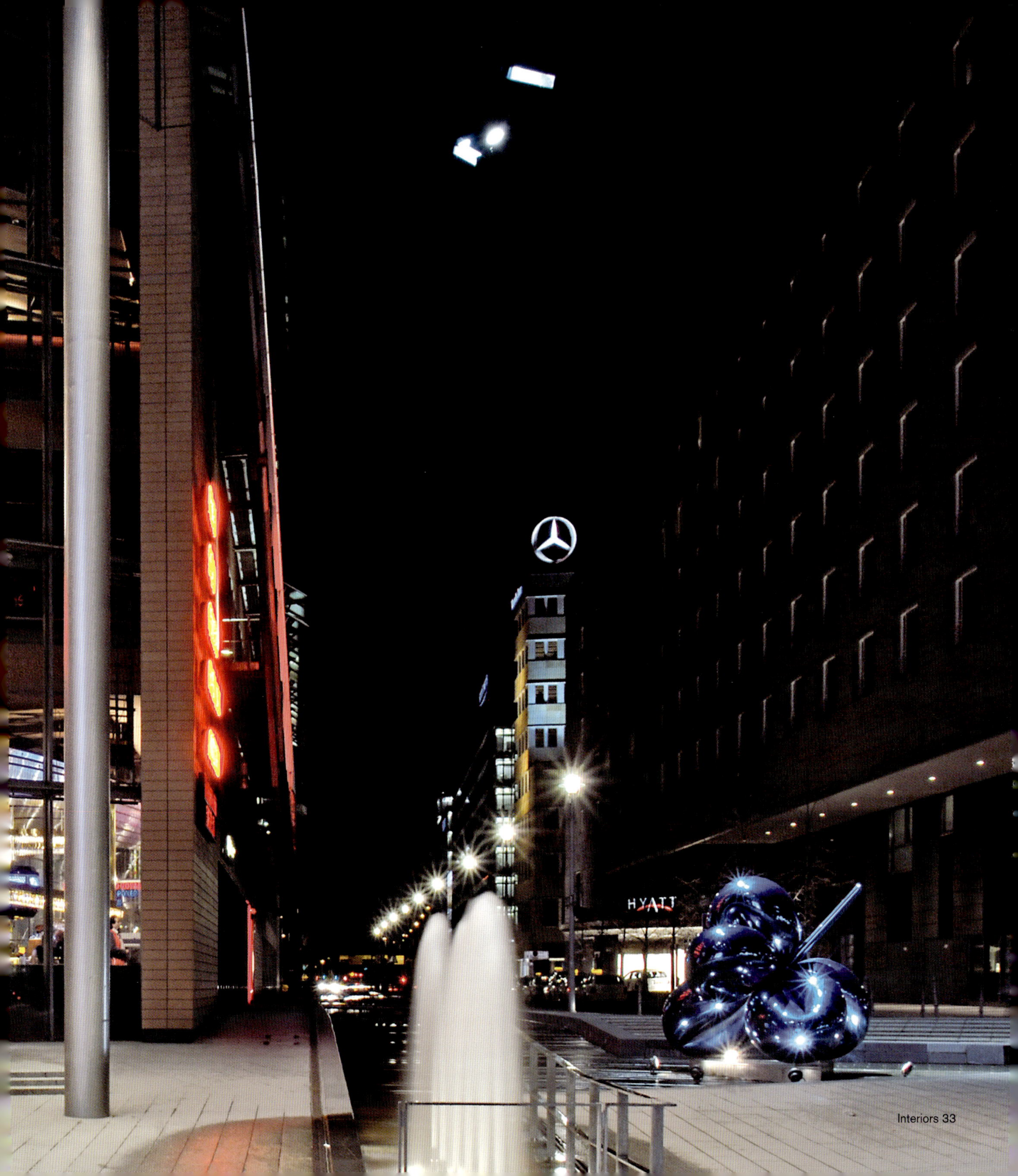
HYATT

ZDF Merchandising Shop
ZDF Merchandising Shop
Berlin

Bauherr
ZDF Enterprises GmbH

Projektadresse
Unter den Linden 36–38
Berlin

Zeitraum
2000–2001

Das Ladengeschäft im Zollernhof, einem wilhelminischen Prachtbau am Boulevard Unter den Linden in Berlin, diente neben der hier residierenden Fernsehanstalt auch drei anderen Nutzern aus dem Kulturbereich als Schaufenster. Daher standen die Architekten vor der Aufgabe, einen neutralen Raum zu entwickeln, der den unterschiedlichen Ansprüchen gerecht wird und den hier angebotenen Produkten und Dienstleistungen einen eleganten, dezenten Rahmen gibt sowie die präsentierten, mitunter bunten, kleinteiligen Waren vor dem Anschein billiger Beliebigkeit bewahrt. Die ästhetischen Parameter für das Gestaltungskonzept lieferte die repräsentative Umgebung praktisch frei Haus: Solide, hochwertige Materialien, Geradlinigkeit und Transparenz bestimmen die Atmosphäre. Die gebotene Zurückhaltung setzt sich auch im Entwurf der Einbauten fort, die sich perfekt den unverrückbaren baulichen Gegebenheiten fügen. Die Regale und Display-Möbel sind aus hellem Buchenholz und wurden eigens für den Laden entworfen und angefertigt. Der Boden wurde mit Anröchter Dolomit ausgelegt. Lichtbänder, die in die Möbel integriert wurden, sorgen bei Nacht für einen eleganten Schimmer.

The shop's interior design derives from the challenge of respecting the needs of four different users. Choice materials and clear lines characterize the elegant setting, which gives the often colourful array of merchandising items an aura of select exclusiveness. The aesthetic parameters were supplied by the location, a splendid period building on Berlin's Unter den Linden boulevard. The specially made shelves and display cases are made of unstained beech wood, the floor of Anroechter stone. The linear light fittings lend the room a distinctive nocturnal elegance.

Interiors 35

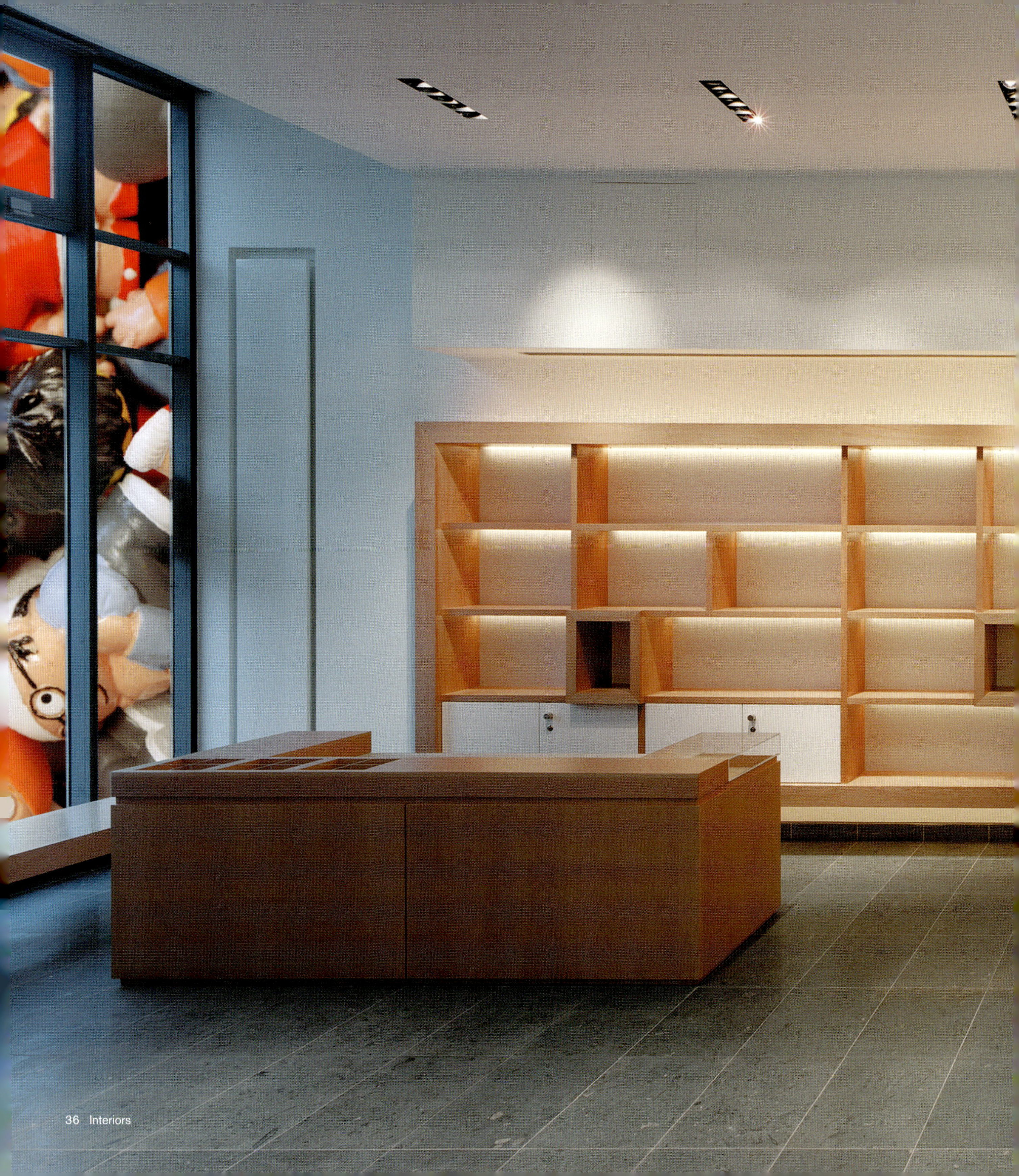

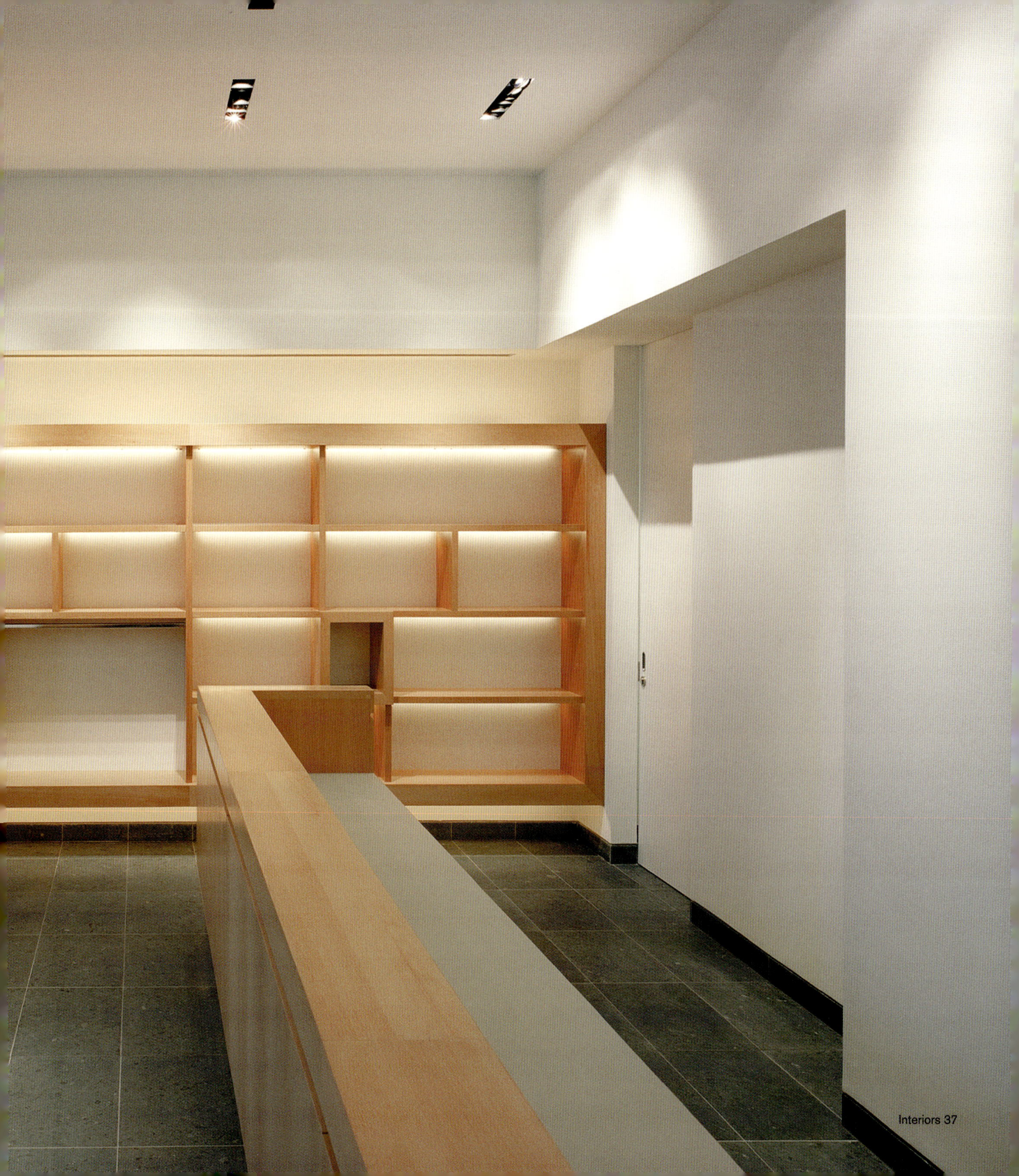

Anders ist normal.
18. Musik-Biennale Berlin
Internationales Fest für
zeitgenössische Musik
09.03.01 – 18.03.01
Konzerte Berlin
Berlin

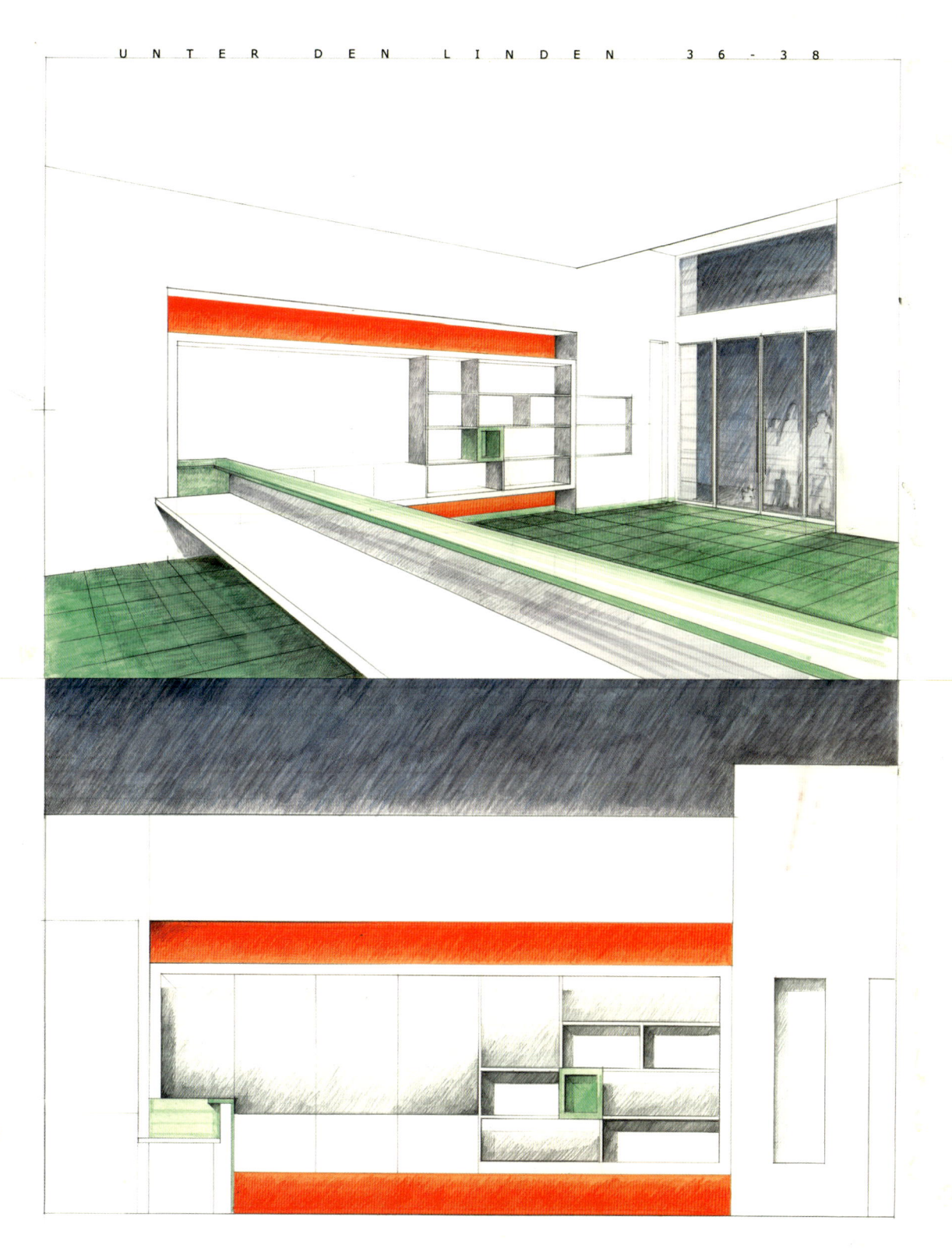

UNTER DEN LINDEN 36-38

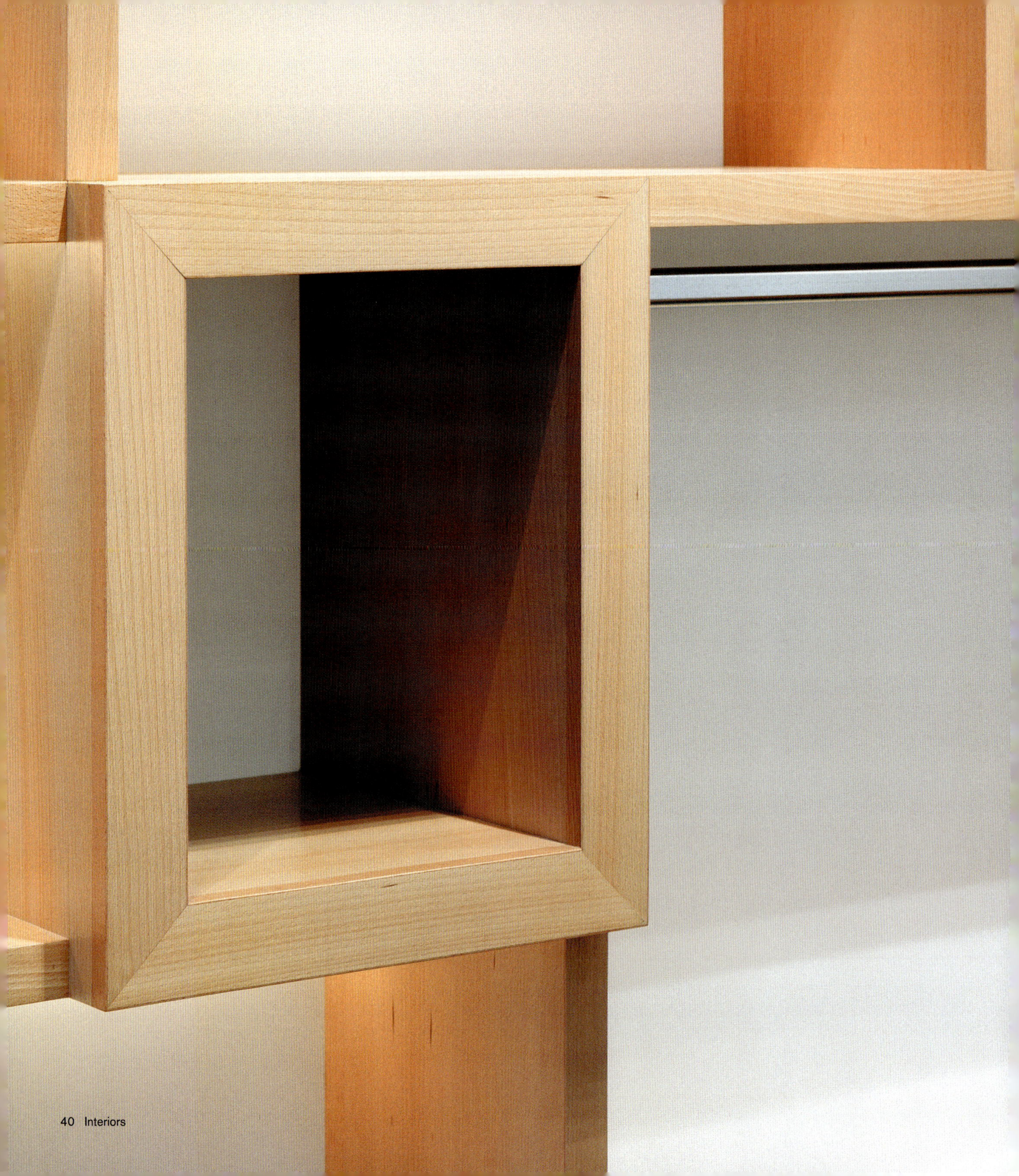

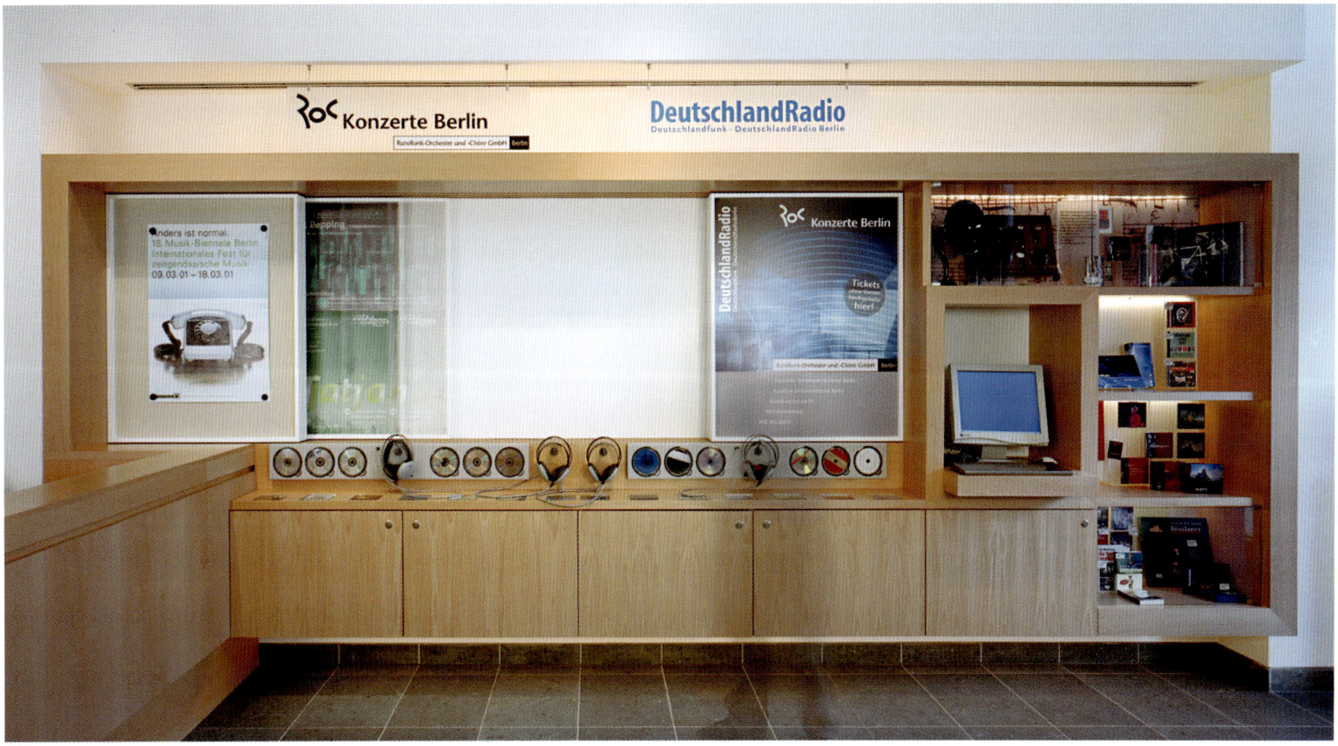
Konzerte Berlin
DeutschlandRadio
Deutschlandfunk · DeutschlandRadio Berlin
Anders ist normal.
18. Musik-Biennale Berlin
Internationales Fest für
zeitgenössische Musik
09.03.01 – 18.03.01
Konzerte Berlin
Tickets
hier!

LIFT

42 Interiors

Interiors 43

Verlagshaus Hachette Filipacchi Shkulev
Hachette Filipacchi Shkulev Media
Moskau

Bauherr
Hachette Filipacchi Shkulev und InterMediaGroup

Projektadresse
31b, ul. Schabolowka
Moskau

Zeitraum
2005–2007

Das Verlagshaus Hachette Filipacchi steht mit Hochglanz-Publikationen wie *ELLE* oder *Marie Claire* weltweit für Klasse und Stil. Dass es auch seinen Sitz in der russischen Hauptstadt nach den Maßgaben strikter Eleganz gestalten ließ, ist daher weniger überraschend. Was jedoch Erstaunen weckt, ist der Umstand, dass die Moskauer Mitarbeiter in einer umgebauten Kugellagerfabrik residieren, die mit Mut zum Experiment in eine repräsentative Büroadresse verwandelt wurde. Den Räumlichkeiten sollte man ihren Fabrikcharakter hier und da getrost ansehen; mitunter verstärken Details wie die schlichten Lampen diesen Eindruck zusätzlich. Dennoch dominiert eine von westlichen Designklassikern geprägte Ästhetik, die in den Büromöbeln von Walter Knoll ebenso wie in den Stühlen von Hermann Miller und der Enigma-Leuchte von Louis Poulsen wiederzufinden ist. Farbige Tapeten mögen ein Zugeständnis an den Zeitgeist sein; hier wirken sie in jedem Fall stimmungsaufhellend und fröhlich.

Glossy magazines such as ELLE and Marie Claire have given the publishing house Hachette Filipacchi a name for stylish chic. It is therefore something of a surprise that a former ball-bearing factory was chosen for the company's Moscow premises. A spirited, experimental design approach has produced elegant offices with a special industrial flair. The furnishings are mostly Western design classics, with office furniture by Walter Knoll, chairs by Hermann Miller, and Louis Poulsen's famous enigma lamp. Colourful wallpaper provides a bright and cheery contrast.

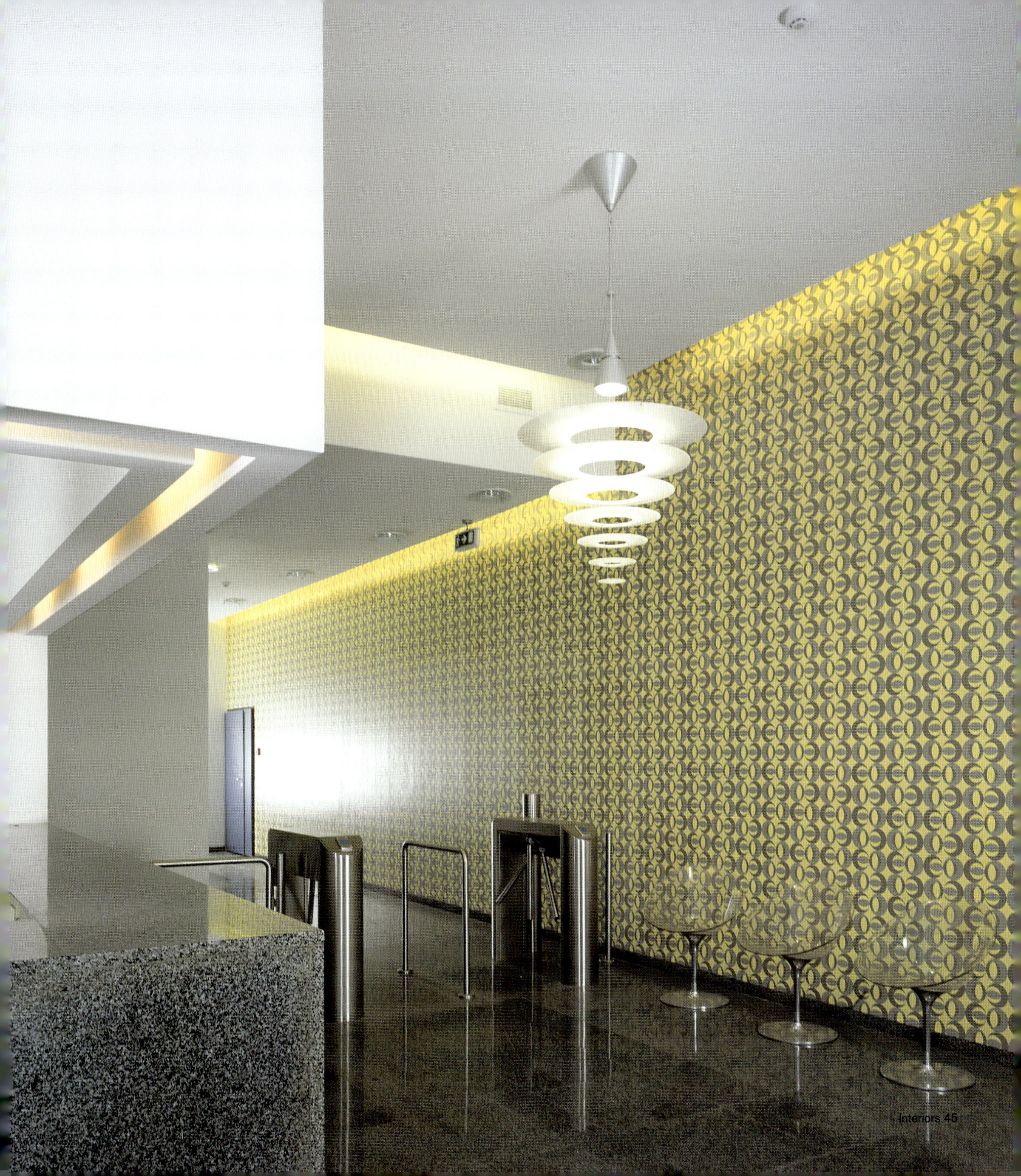

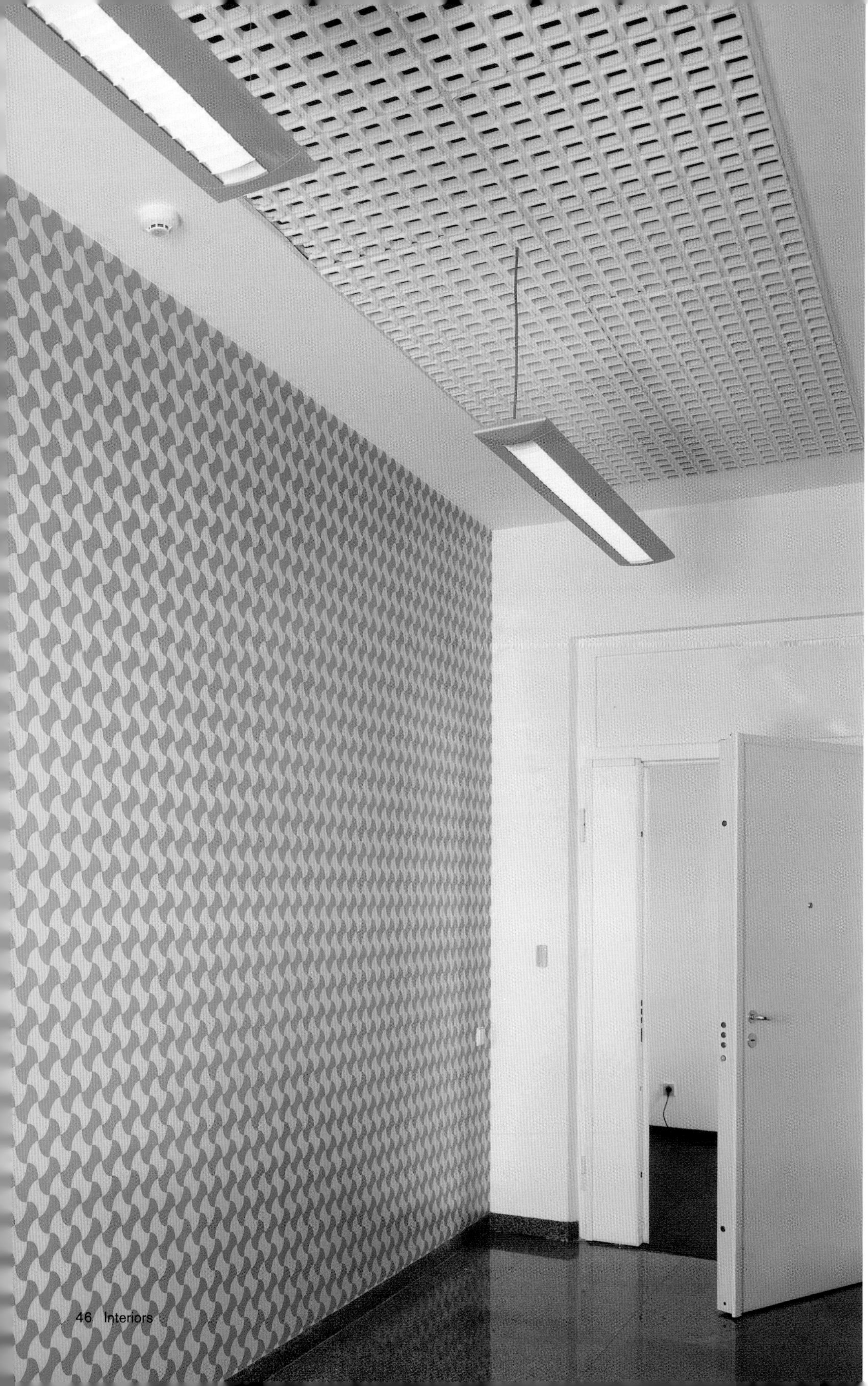

Interiors 47

48 Interiors

Interiors 49

Blick in den Konferenzraum
The conference room

Blick in das Verlegerbüro
The publisher's office

Interiors 51

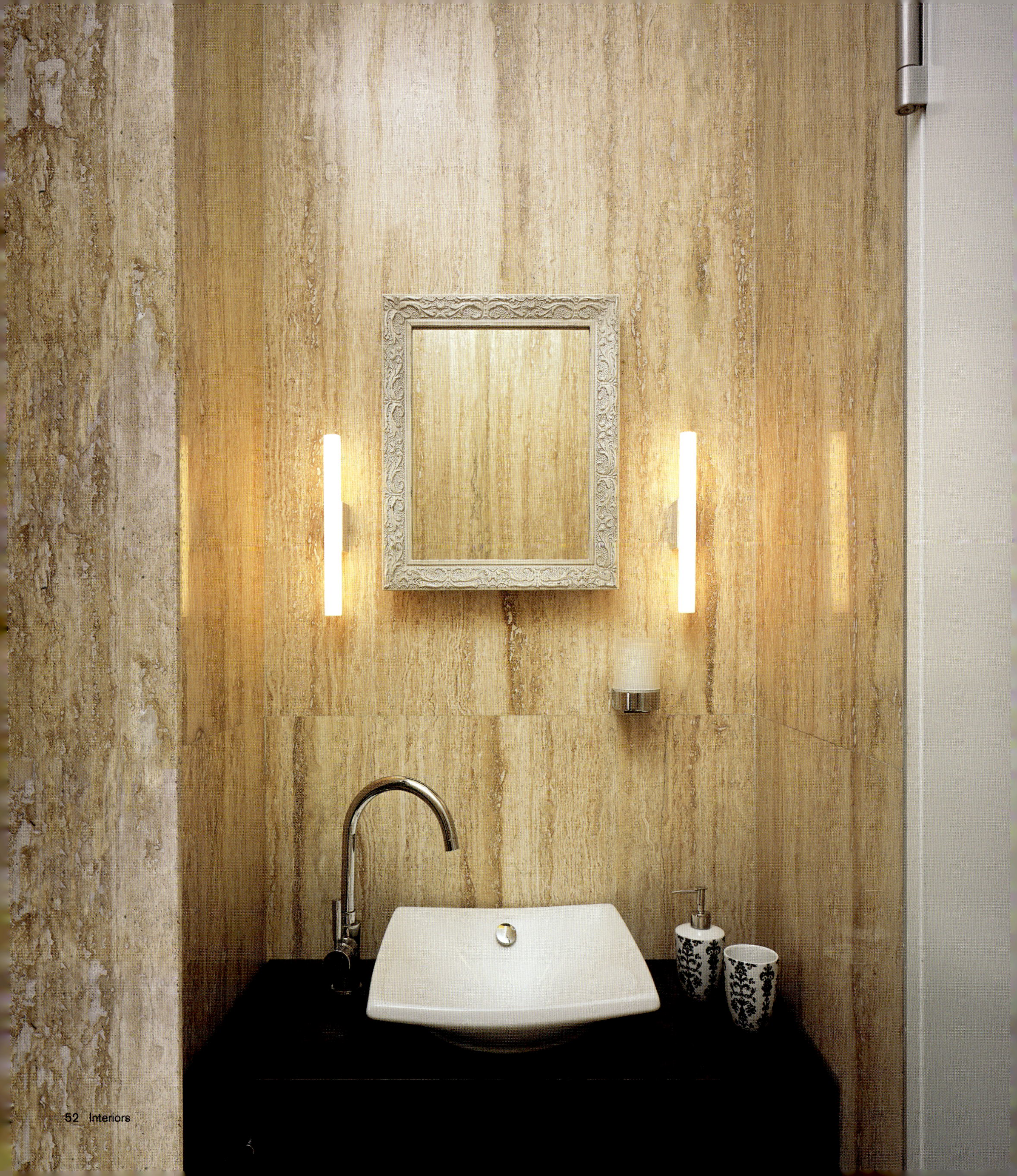

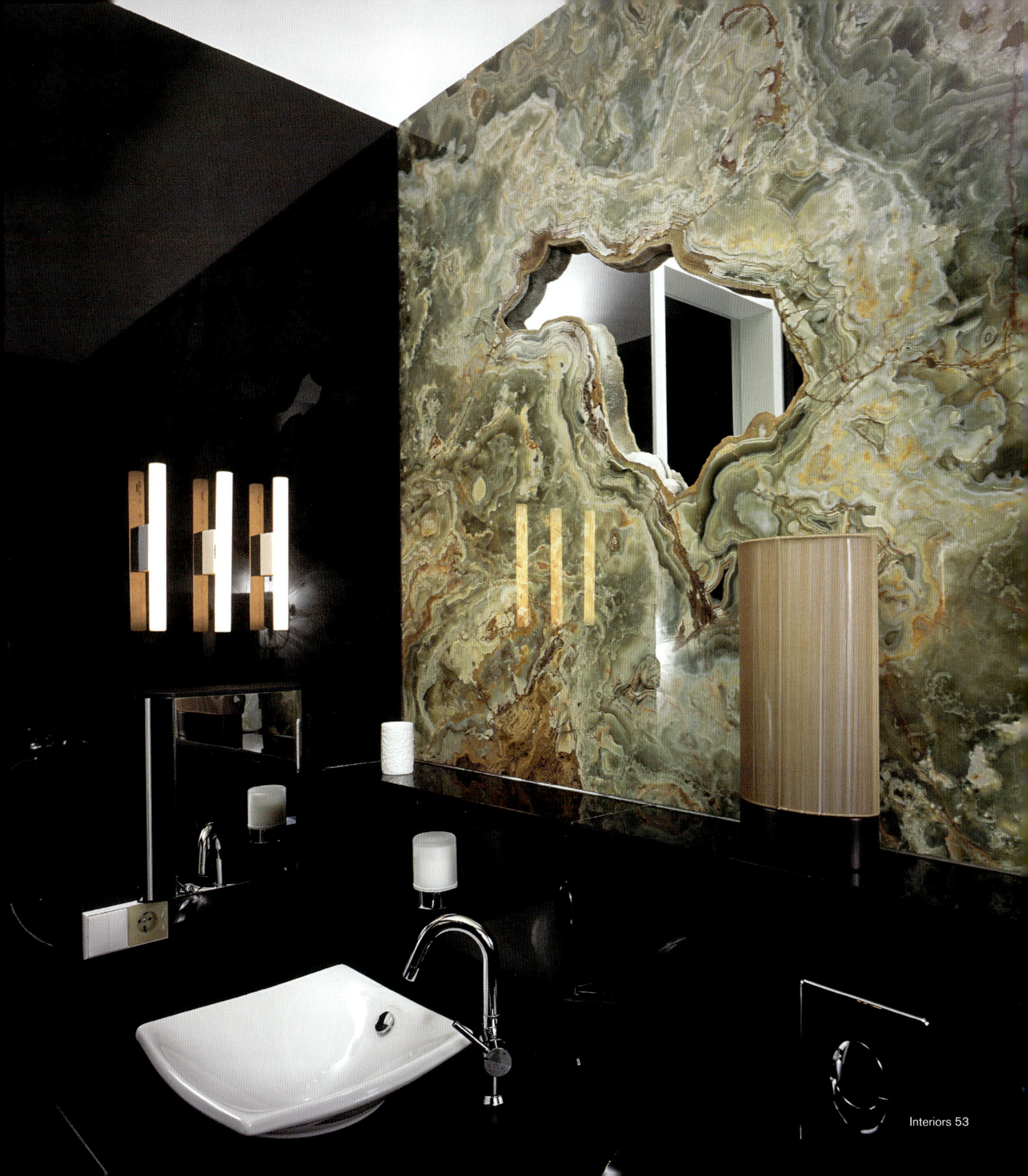

MOW

MOSKAU DER RADIOTURM WURDE 1922 NACH EINEM ENTWURF VON WLADIMIR SCHUCHOW ERRICHTET UND GILT ALS EIN WAHRZEICHEN MOSKAUS.

MOSCOW THE RADIO TOWER DESIGNED BY VLADIMIR SHUKHOV AND BUILT IN 1922 IS ONE OF MOSCOW'S MAJOR LANDMARKS.

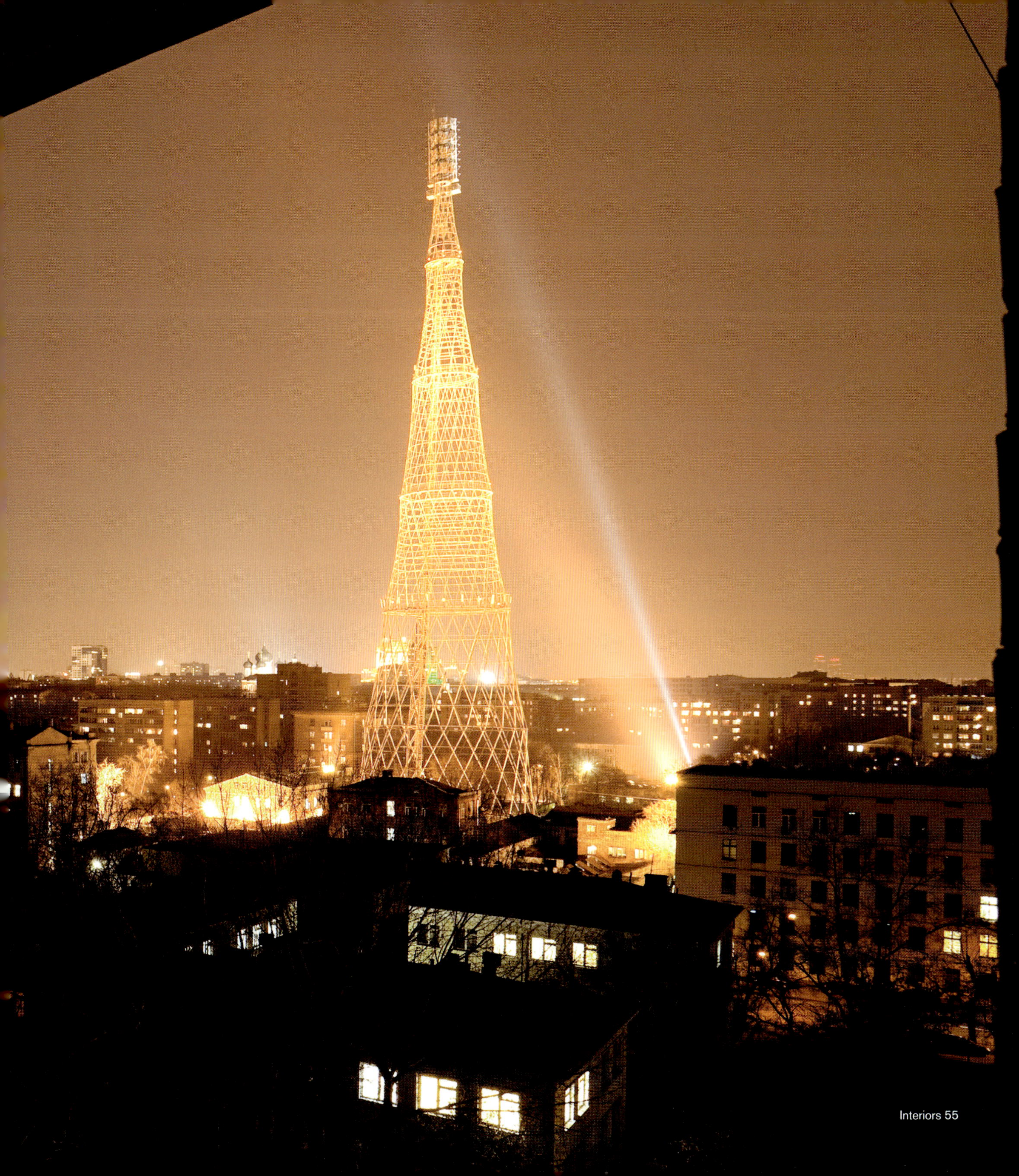

Hotelresidenz und Spa Kühlungsborn
Kühlungsborn Hotel Residence and Spa
Kühlungsborn

Bauherr
Hotel Kurhaus Kühlungsborn
GmbH & Co. KG

Betreiber
Upstalsboom Hotel + Freizeit
GmbH & Co. KG

Generalplaner
MPP Meding Plan + Projekt GmbH

Projektadresse
Ostseeallee 21
Kühlungsborn

Zeitraum
2009–2011

Die Zeiten, in denen Hotelbetreiber vor allem eine juvenile, unterhaltungsversessene Kundschaft im Blick hatten, sind vorbei. Denn als zahlungskräftig und – willig gilt inzwischen eher deren Elterngeneration, die viel Wert auf Qualität und Behaglichkeit legt. Mit dieser demografischen Entwicklung im Hinterkopf scheint es nur folgerichtig, dass ein Vier-Sterne-Superior-Hotel an der Ostsee den exquisiten Ansprüchen dieser wählerischen Klientel entsprechend umgestaltet werden soll. Die Zielgruppe: Singles und Paare ab 50, Golfspieler und Langzeitgäste auf der Suche nach einem ruhigen, erholsamen Aufenthalt am Meer. Den komplexen Bedürfnissen dieser Altersgruppe entsprechend wurde das gesamte Hotel mit weitläufigem Spa-Bereich und Schwimmbad entworfen. Maritime Motive, Farben und Materialien prägen die Gestaltung der bis ins Detail ausgearbeiteten, mit eigens entworfenen Möbeln ausgestatteten Räume.

The days when hotel operators mostly sought to attract young pleasure-seekers are definitely over. Instead, attention has shifted to well-heeled golden-agers willing to spend on quality and comfort. This four-star hotel on the Baltic coast has therefore based its thorough overhaul on the high standards of singles and couples aged 50+. Golfers and long-term guests looking for a quiet, relaxing stay at the seaside will find the entire hotel including extensive spa area and swimming pool designed to meet their needs. Maritime décor elements, colours, and materials characterize the interiors; the rooms are fitted with specially designed furniture.

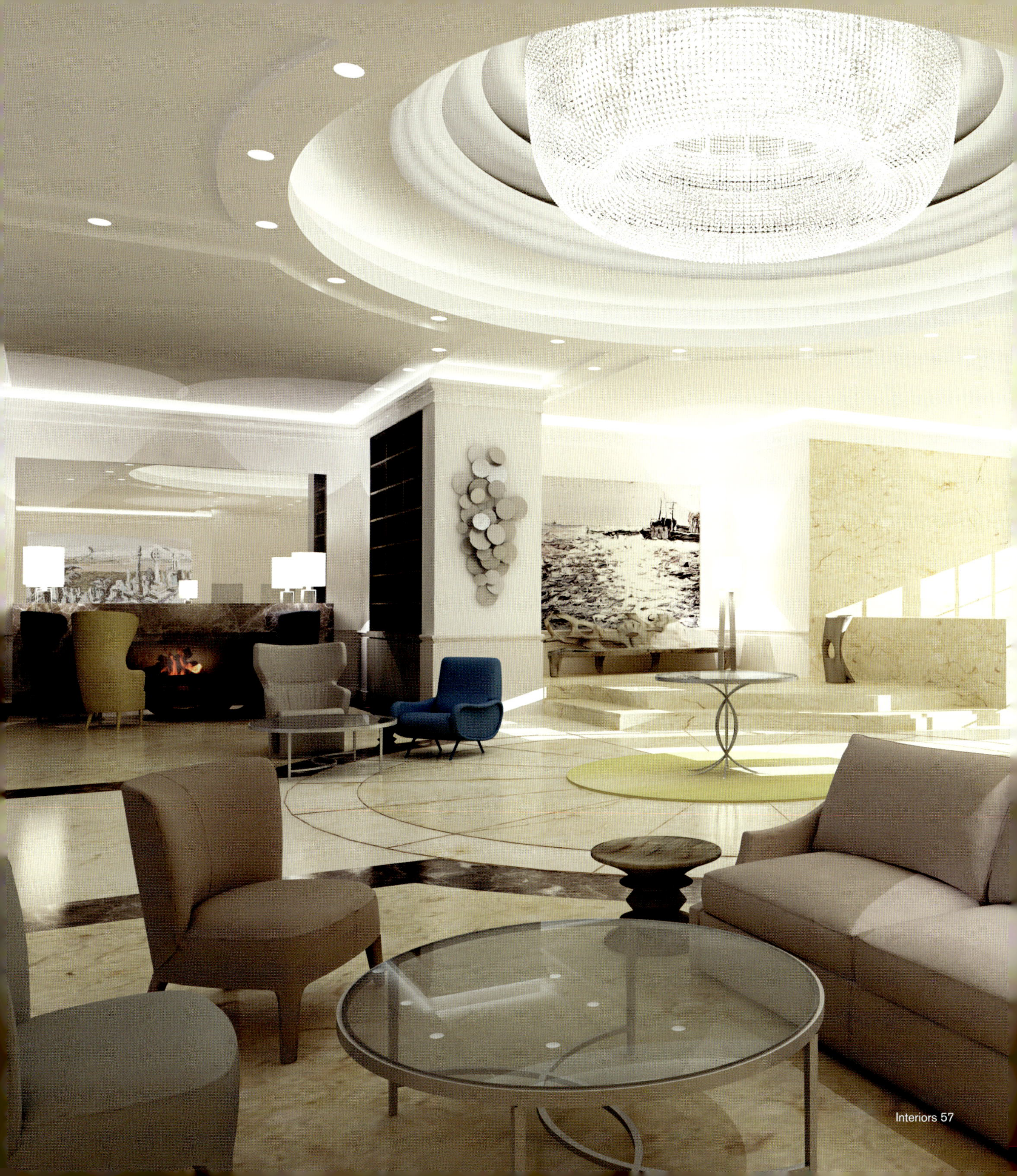

Doppelzimmer Deluxe
Double room Deluxe

Doppelzimmer Deluxe
Double room Deluxe

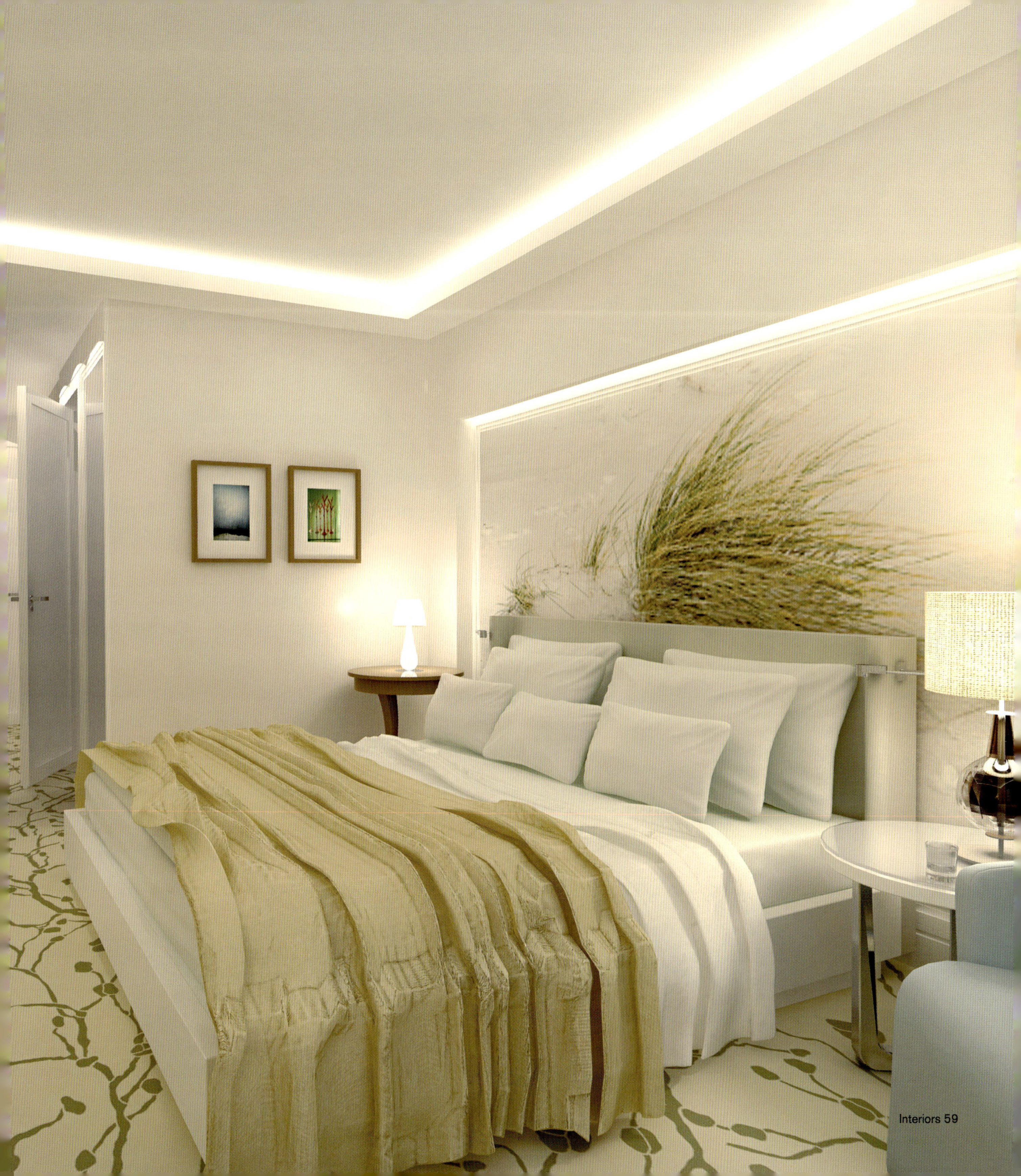

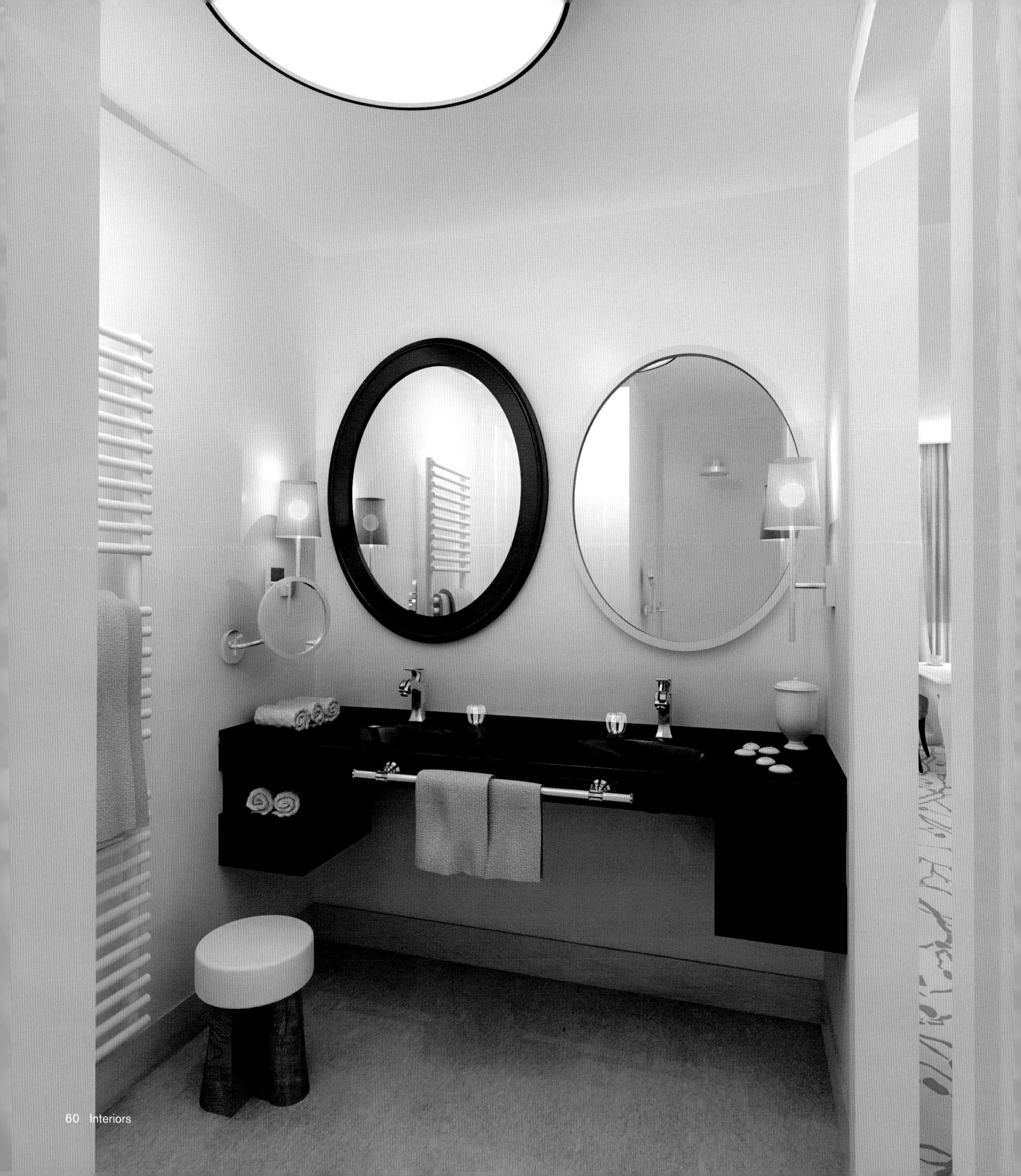

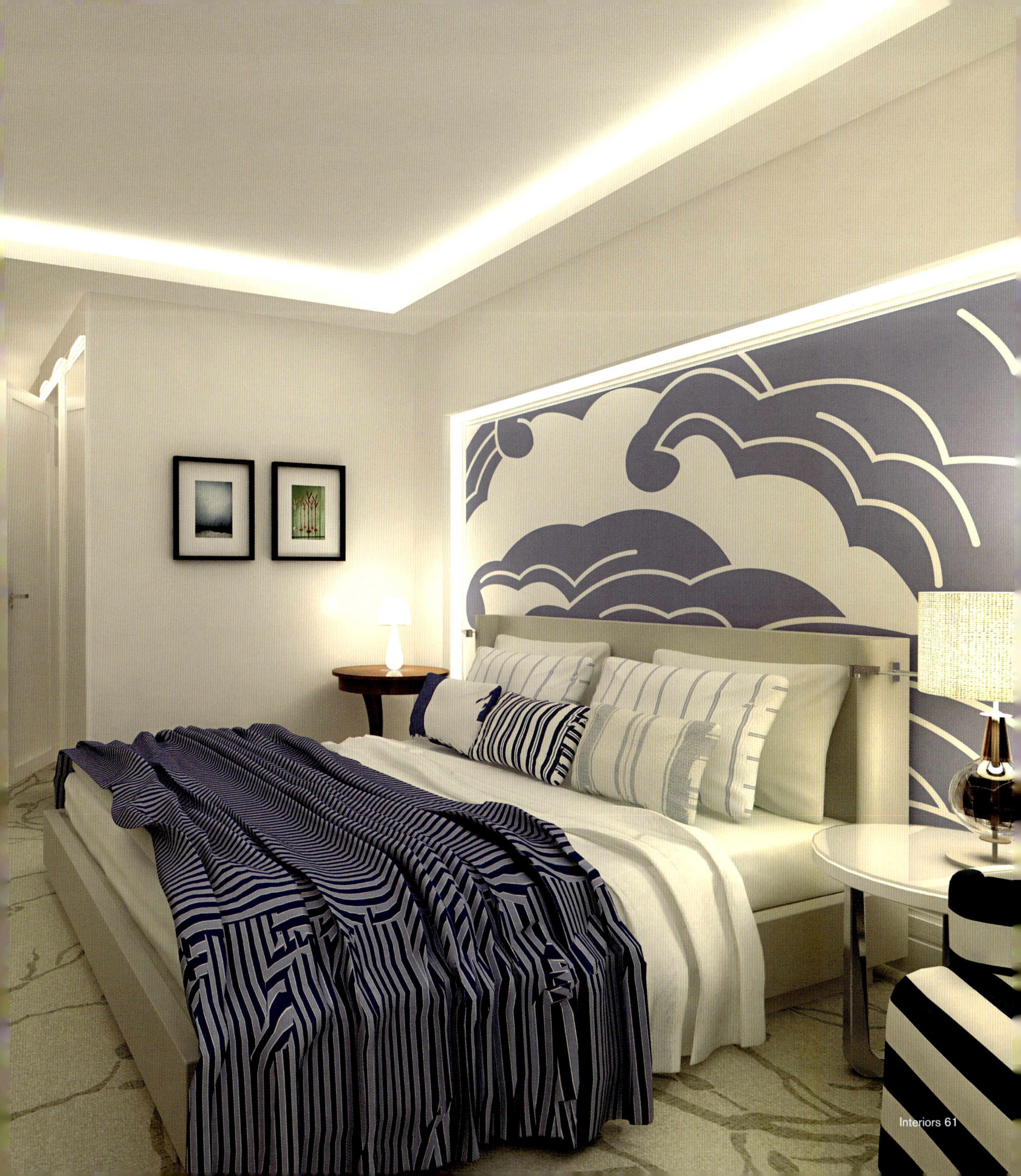

62 Interiors

Schwimmbad
Pool Area

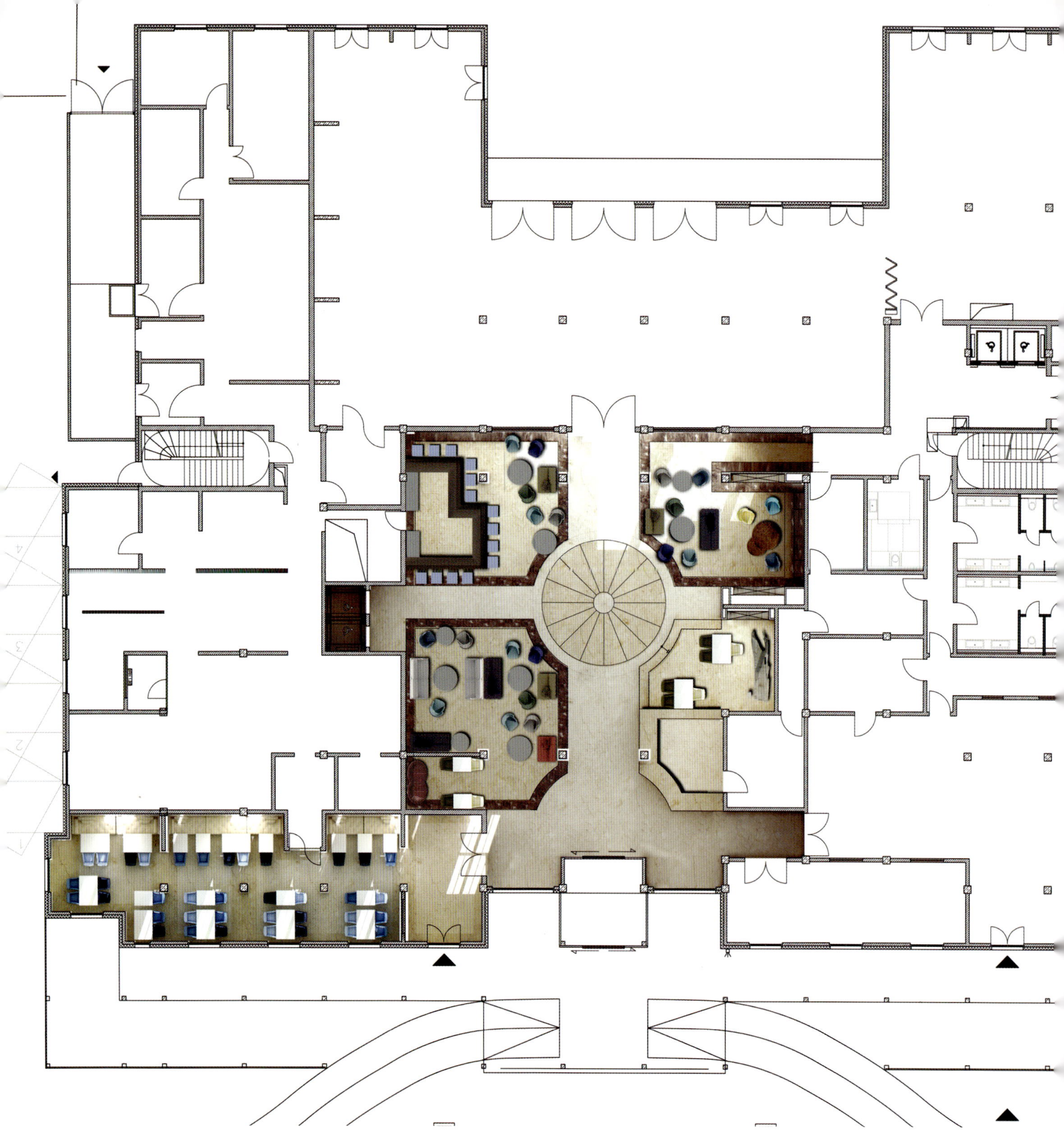

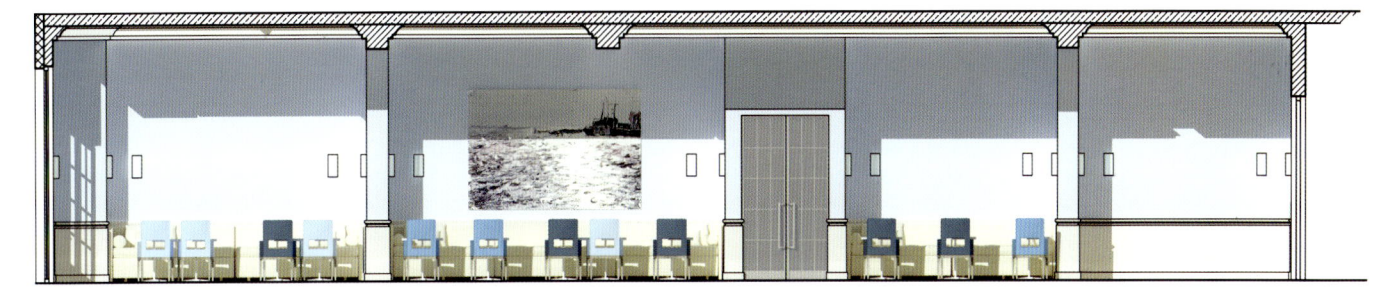

Restaurant

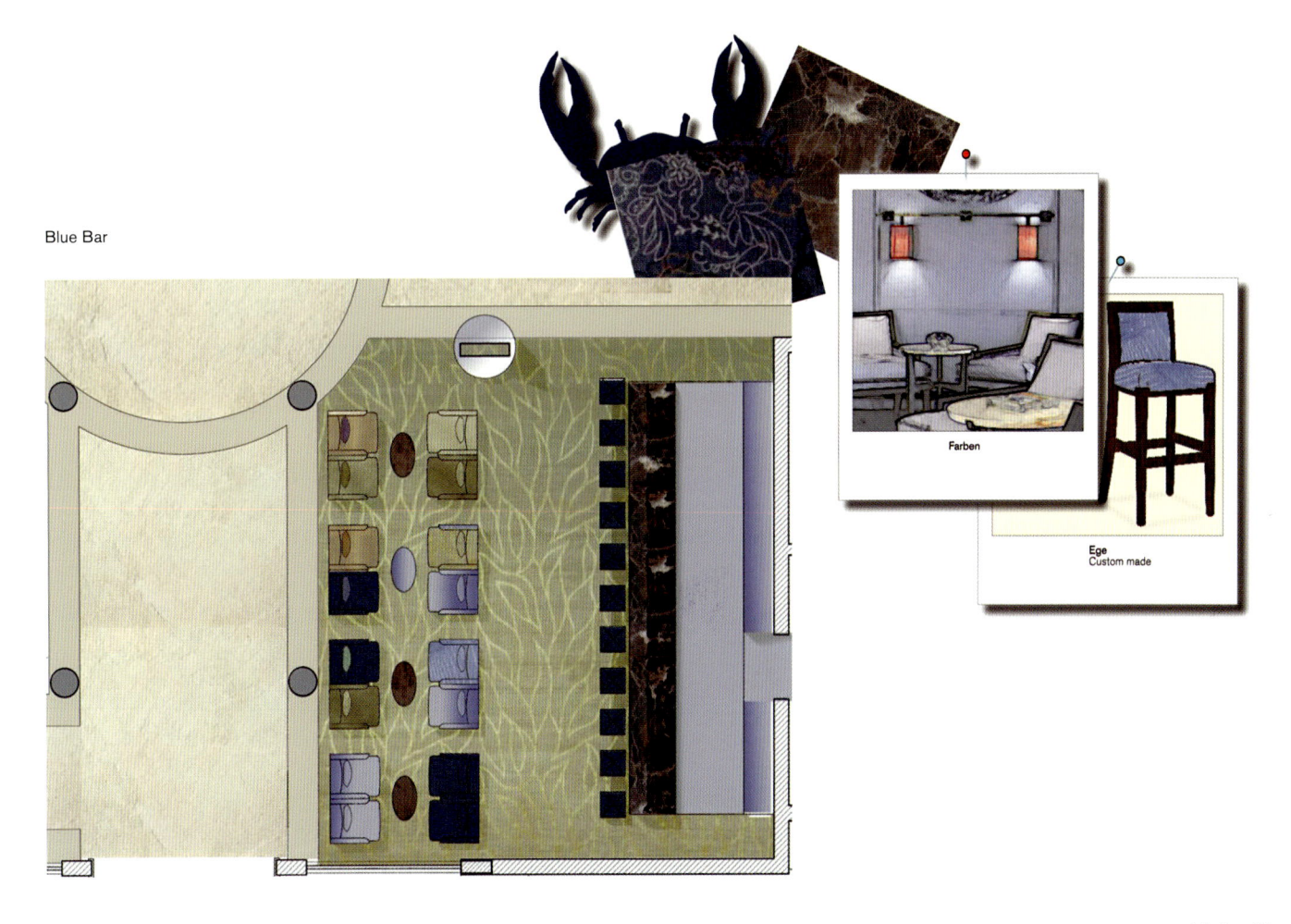

Blue Bar

Farben

Ege
Custom made

Interiors 65

NR.
- 6163 - 334   320cm/126
- 6163 - 172   083 dlo
- 7259 - 177   140cm/55
- 7259 - 151   060 dlo.

- 7189 - 176   140cm/55
- 7189 - 275   069 dlo
- 7189 - 184   -110.
- 7189 - 150

- 6470 - 479   125cm
- 6470 - 123   089
- 6470 - 156

- 104 - 277   140cm/5
- 04 - 376   059
- 04 - 772
- 04 - 152

- 10 - 377   085 140/5
- 12 - 476
- 10 - 153
- 10 - 252
- 10 - 138   140/5
- 5 - 274
- 25 - 175
- 5 - 290

- 3/09   075
- 3/10

- 1 - 271   140/5
- 1 - 180   062
- 1 - 156

- 176   300/118
- 275   075
- 259
- 150
- 102

Interiors 67

Rohbau im Mai 2010
Shell construction, May 2010

Richtfest im Mai 2010
Topping-out ceremony, May 2010

QTK

KÜHLUNGSBORN DAS OSTSEE-
BAD AN DER MECKLENBUR-
GISCHEN BUCHT HAT SICH
ZU EINEM GANZJÄHRIGEN
TOURISTENZIEL ENTWICKELT.

KÜHLUNGSBORN THE SEASIDE
RESORT ON THE MECKLEN-
BURG BIGHT ATTRACTS TOUR-
ISTS ALL THE YEAR ROUND.

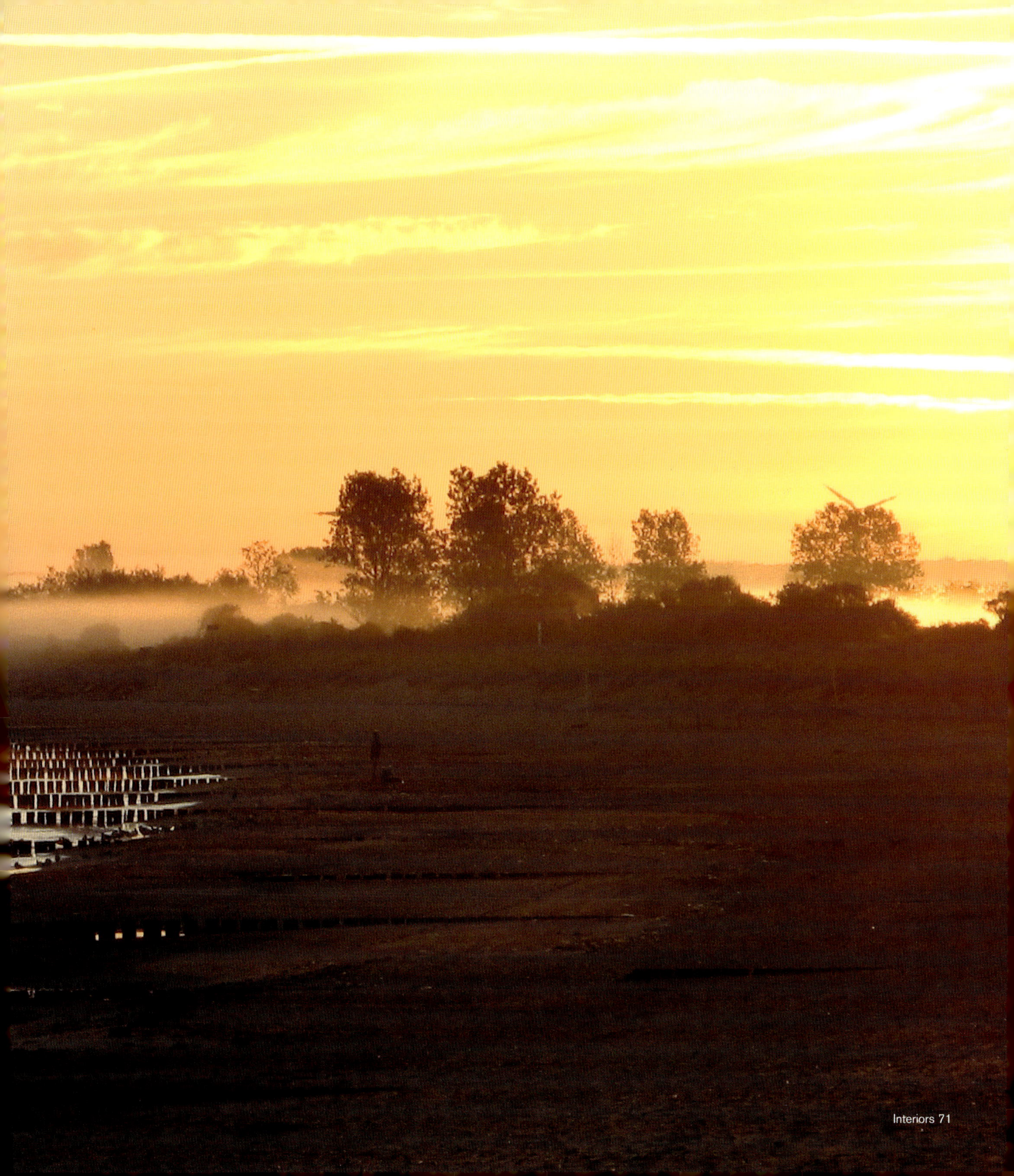

Architektur und Marke
Branding Architecture

Cornelia Dörries/Felix Stöckle

Frank O. Gehry:
Guggenheim-Museum in
Bilbao/Spanien, 1997

Frank O. Gehry:
Guggenheim Museum in
Bilbao/Spain, 1997

Sie hatten noch nie von Markeninszenierung gehört und Begriffe wie Branding, Image und Marketingstrategie dürften ihnen genauso fremd gewesen sein. Trotzdem sind den Baumeistern der ägyptischen Pharaos Markenprodukte gelungen. Ihre Pyramiden gehören wie der Eiffelturm in Paris, das Opernhaus in Sydney oder die Skyline von Manhattan zu jenen Bauwerken, in denen die Geschichte eines Ortes mit ihrer Architektur zu einer unverwechselbaren Landmarke verschmilzt; zu einem globalen Brand mit verlässlichem Wiedererkennungswert. Es sind ikonografische Bauwerke, die von Menschen auf der ganzen Welt in eins gesetzt werden mit dem Ort, an dem sie sich befinden. Noch jede Parfümverpackung, die mit einer Abbildung des Eiffelturms wirbt, verspricht den Kunden mehr als nur ein Duftwasser. Zur Angabe der virtuellen Produkteigenschaften – Luxus, Raffinesse und Savoir-vivre – reicht ein Verweis auf das stählerne Bauwerk von George Eiffel. Der bloße Anblick des Turms evoziert all das, was gemeinhin mit französischer Lebensart assoziiert wird; er erzeugt Erwartungen, Emotionen, Sehnsüchte. Er verheißt etwas: eine beglückende Erfahrung, etwas Besonderes, ein unalltägliches Erlebnis. Die Wirklichkeit dieses Turms, seine reale, materielle Existenz, ist hier vollkommen losgelöst von der Wirkungsmacht seines Abbilds.
Es sind beileibe nicht nur Parfümhersteller, die sich die Wirkung dieses Gebäudes auf die Fantasie der Kunden und Käufer zunutze machen, und der Eiffelturm ist auch nur ein wohlfeiles Beispiel für die ins Zeichenhafte transzendierte Funktion der Architektur. Und weil auch der moderne Tourismus ohne die idealistische Kanonisierung von Bauwerken undenkbar wäre, schätzt sich heute jede Stadt glücklich, die über Bauten mit kulturhistorisch beglaubigter Strahlkraft verfügt, zumal in einer Zeit, in der der Massentourismus einen globalen Wirtschaftsfaktor darstellt

They had never heard of brand profiling and were probably just as blissfully unaware of concepts such as branding, image, and marketing strategy. And yet the architects of ancient Egypt succeeded in creating brand-name products. The pyramids are buildings in which the history of a place melds with its architecture to create an unmistakable landmark, a global brand with infallible recognition value, like the Eiffel Tower in Paris, the Sydney Opera House, or the Manhattan skyline. They are iconographic structures that are associated all over the world with the places where they are located. The packaging of any bottle of scent that sports a picture of the Eiffel Tower is designed to suggest that what the customer is getting is more than just perfume. To communicate the virtual properties of the product – luxury, refinement, savoir vivre – all it takes is a picture of George Eiffel's steel tower, which evokes everything we usually associate with the French lifestyle and awakens expectations, emotions, and longings. It is a portent: a promise of a pleasant event, something special, an unusual experience. The reality of the tower – its actual, physical existence – has very little to do with the emotional impact of its image.
And the perfume industry is not the only place where the effect of the Eiffel Tower on the imagination of customers and consumers is put to good use. Indeed, the Eiffel Tower itself is only one common example of the transcendental, symbolic impact of architecture. The modern tourism industry, too, would be inconceivable without the idealistic canonization of buildings. Any modern city that is lucky enough to possess buildings which have a bona fide place in cultural history does well to count its blessings, especially in a time when mass tourism is a vital component of the global economy and the existence of worthwhile architectural sights not only determines the number of

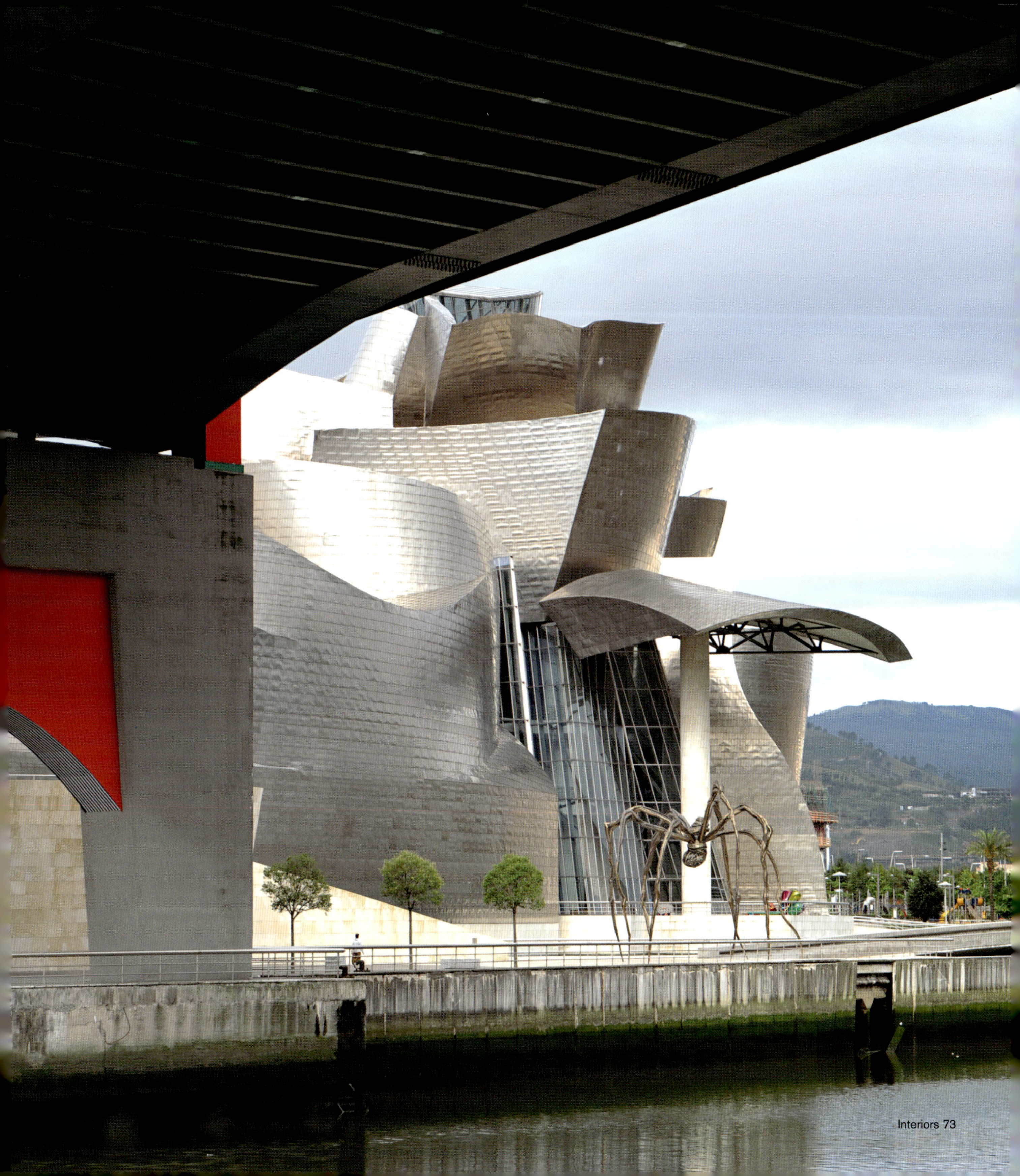

Santiago Calatrava:
Fußgängerbrücke in Bilbao/Spanien, 1997

*Santiago Calatrava:
Footbridge in Bilbao/Spain, 1997*

Norman Foster:
Metro-Zugang in Bilbao/Spanien, 1995

*Norman Foster:
Metro entrance in Bilbao/Spain, 1995*

und der Nachweis von derartigen Sehenswürdigkeiten mittlerweile nicht nur über die Menge der zahlenden Gäste entscheidet, sondern auch Einfluss auf die askriptive Attraktivität hat, also auf jene weichen Standortfaktoren, mit denen um die Ansiedlung von Unternehmen geworben wird. Dass ein einziges, aufsehenerregendes Bauwerk sogar die weltweite Wahrnehmung eines Ortes oder einer Region grundlegend verändern kann, bewies zuletzt eine heruntergekommene, verarmte Industriestadt im Norden Spaniens. Bilbao.

Architektur als Spektakel: Baukultur und Stadtmarketing

Wie die Gestaltung des Raumes Ausdruck der Kultur und der Werte seiner Bewohner ist, so vermag eben diese Gestaltung auch die Kultur und Werte ebendieser Bewohner direkt oder indirekt zu beeinflussen.

Felix Stöckle

Die Abwanderung der Industriebetriebe, der Niedergang des Schiffbaus und der Hüttenwerke hatten dem alten Hafen- und Stahlstandort im Baskenland schwer zugesetzt. Seit den Siebzigerjahren ging es mit Bilbao, der zehntgrößten Stadt Spaniens, bergab. Konstant hohe Arbeitslosenzahlen, keine

paying guests who come to visit, but also affects the ascriptive attractiveness of a location – those soft factors, in other words, that play a role in attracting businesses. A single sensational building can have a fundamental effect on how a place or a region is perceived by the rest of the world. This was demonstrated not long ago in a run-down, impoverished industrial city in northern Spain: a city called Bilbao.

Architecture as Spectacle: Building Culture and City Marketing

The design of a city is not only an expression of the culture and the values of its residents, it also has the power to influence, directly or indirectly, the culture and values of those same residents.

Felix Stöckle

The migration of business and the decline of the shipbuilding and iron and steel industries had dealt a severe blow to the old port city and centre of the steel industry in the Basque region of Spain. Bilbao, the tenth largest city of Spain, had been struggling since the 1970s. Consistently high unemployment rates, no hope of an economic upswing, and absolutely no prospects

Hoffnung auf eine ökonomische Kehrtwende und schon gar keine Aussicht, vom Tourismus zu profitieren, immerhin einer der stärksten Wirtschaftszweige in Spanien – es sah nicht gut aus für die graue Stadt an der Biscaya.

Zu Beginn der Neunzigerjahre setzten die Stadtväter der Agonie neue Pläne entgegen: Die zerklüftete, disparate Innenstadt sollte mit einer neuen Metrolinie verbunden werden, für deren Errichtung man den damals schon berühmten britischen Architekten Norman Foster gewann. Sein spanischer Kollege Santiago Calatrava plante eine Brücke über die Riá Bilbao und schließlich wurde der Amerikaner Frank O. Gehry für Planung und Bau einer Museumsfiliale der Solomon R. Guggenheim Foundation verpflichtet. Die Eröffnung des spektakulär aufgefächerten Konstrukts aus Titan, Glas und Stein im Jahr 1997 setzte eine für alle Beteiligten unerwartete Dynamik in Gang. Zuerst kam die internationale Presse und schon wenig später setzte sich ein stetig anschwellender Tross architektur- und kunstinteressierter Stadttouristen in Bewegung. Bilbao, das bislang jeder Reiseveranstalter auf der Suche nach neuen, interessanten Destinationen links liegen gelassen hatte, war plötzlich kein gesichtsloser, weiträumig zu umfahrender No-Name mehr, sondern ein Hotspot, der sich in den gleißenden Flanken des Gehry-Baus spiegelte. Der rasante Aufwertungsprozess bescherte der

for attracting tourism – one of the most important branches of the Spanish economy – meant that the outlook for the grey city on the Bay of Biscay was bleak indeed.
But in the early 1990s, the city fathers developed a new strategy for reviving their moribund home. A metro line was to improve cohesion within the disjointed, disparate inner city, and the British architect Norman Foster, already a famous figure at the time, was commissioned to design it. His Spanish colleague Santiago Calatrava designed a bridge across the Ría de Bilbao, while Frank O. Gehry was hired to design and build a museum for the Solomon R. Guggenheim Foundation. When the spectacular, fanned-out structure of titanium, glass, and stone was officially opened in 1997, events began to snowball in a way that took everyone by surprise. First came the international press. In its wake followed a steadily growing stream of architecture and art buffs who discovered Bilbao as a tourist destination. Suddenly the city – around which any tour operator in search of new and attractive destinations had previously made a wide detour – was no longer a faceless, nameless place that was best avoided, but a hot spot reflected in the gleaming flanks of Gehry's museum building. The city's meteoric rise to new fame brought fully booked hotels and a significant infusion of cash into the municipal treasury. A million visitors per year, almost two-thirds

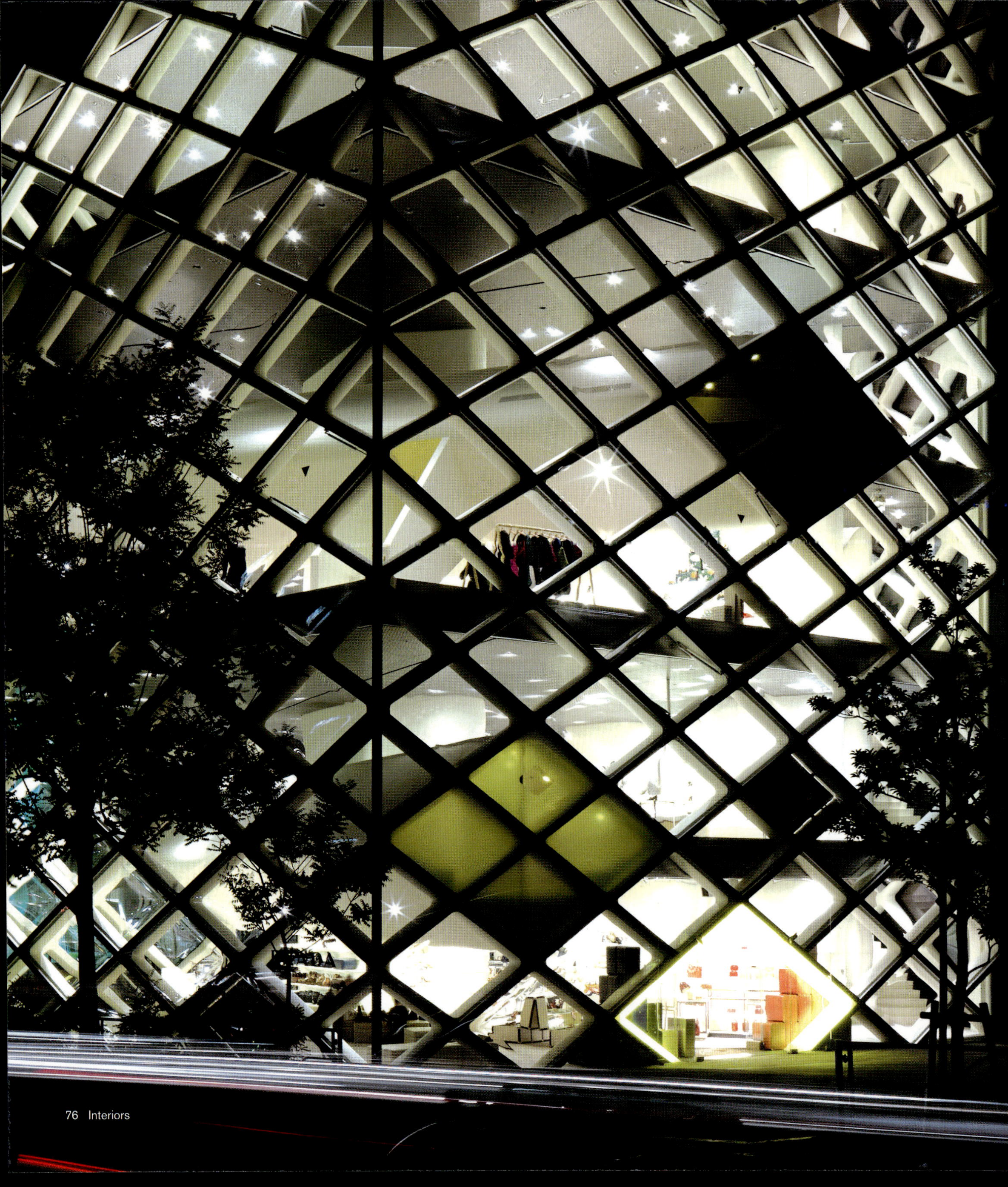

Herzog & de Meuron:
Prada Aoyama Epicenter
in Tokio/Japan, 2003

Herzog & de Meuron:
Prada Aoyama Epicenter
in Tokyo/Japan, 2003

Massimiliano Fuksas:
Armani-Café in Hongkong,
2004

Massimiliano Fuksas:
Armani Coffee Shop in Hong Kong,
2004

gebeutelten Stadt nicht nur gut gebuchte Hotels, sondern auch einen beträchtlichen Zuwachs in den kommunalen Kassen. Eine Million Besucher pro Jahr, knapp zwei Drittel davon ausländische Gäste, lassen gut 210 Millionen Euro in der Stadt und helfen, etwa 5.000 Arbeitsplätze zu sichern. Die 85 Millionen Euro für den Bau erscheinen bei einem Reingewinn von gut 29 Millionen Euro pro Jahr gut angelegt. Und darüber hinaus lassen sich mit solchen Zahlen auch neue Investoren locken.

Der sogenannte Bilbao-Effekt beflügelte in der Folge die Fantasien zahlreicher Kommunalpolitiker. Das Rezept erschien allzu einfach. Man nehme eine heruntergewirtschaftete Stadt, gewinne einen berühmten Architekten für die Errichtung eines großartigen und unbedingt spektakulären Neubaus – wahlweise Museum, Theater, Opernhaus – und warte dann getrost auf die Scharen von Touristen und Investoren, die sich, notabene: wie man selbst, im Glanz des Neuen sonnen wollen.

Die Architektur bekam in diesem Zusammenhang plötzlich eine neue Aufgabe zugewiesen. Sie sollte nun den Fremdenverkehr beleben, wirtschaftliche Impulse geben und einer Stadt oder Region ein neues Gesicht verleihen. Kurzum, Stadtmarketing-Experten, lokale Wirtschaftslenker und Kommunalpolitiker entdeckten die Architektur als ökonomisch relevanten Imagefaktor.

of whom come from abroad, spend over 210 million euros in the city and help to guarantee some 5,000 jobs. With a net profit of 29 million euros per year, the 85 million euros that went into the construction of the Guggenheim Museum was a sound investment, and the balance sheet is an incentive for new investors to come aboard.

The "Bilbao Effect" inspired politicians elsewhere, too, to attempt similar schemes. The recipe seemed a very simple one. Take a run-down city, commission a famous architect to erect a highly spectacular new building – a museum, theatre, or opera house will do nicely – and then sit back and wait for the hordes of tourists and investors eager (like the project's initiators) to bask in the glory of the new. Thus architecture suddenly found itself assigned a new task: That of stimulating tourism, providing economic impulses, and lending a new face to a city or an entire region. In other words: urban marketing experts, local business magnates, and city councillors had discovered architecture as an economically relevant image factor.

Interiors 77

Zaha Hadid:
Kulturzentrum *King Abdullah II* in
Amman/Jordanien,
Wettbewerb 2008

Zaha Hadid:
King Abdullah II House of Culture and
Art in Amman/Jordan,
Competition 2008

The Usual Suspects: Marken-Architekten

Architektur und Raum spielen in der Gestaltung und Führung von Marken eine stetig wachsende Rolle. Im Fokus steht dabei, ein in sich stimmiges und kongruentes Markenerlebnis für alle relevanten Bezugsgruppen zu erreichen.
Felix Stöckle

Im Zuge dieser Entwicklung kam den Architekten als Schöpfer dieser erträumten Bauwerke natürlich eine besondere Rolle zu. Denn allein gute Architektur reichte in diesem neuen Verständnis von der »dienenden Baukunst« nicht aus; erst Architektur von einem berühmten, namhaften, vielleicht sogar Pritzker-Preis-geadelten Architekten war das, was die nötige, nach Möglichkeit internationale mediale Aufmerksamkeit und in der Folge Touristen und Geld brachte. Dieses sich selbst verstärkende Spektakel erlebte im ersten Jahrzehnt des 21. Jahrhunderts seinen Höhepunkt. Architekten wie die Briten Norman Foster, das Schweizer Duo Jacques Herzog und Pierre de Meuron, der bereits erwähnte Frank O. Gehry oder sein Kollege Daniel Libeskind aus den Vereinigten Staaten – um nur einige zu nennen – avancierten mithilfe der restlos begeisterten Feuilletons und Designmagazine zu internationalen Stars. Von diesen Architekten errichtete

The Usual Suspects: Brand-Name Architects

Architecture and space are becoming increasingly important factors in brand design and brand management. The main purpose of architecture in brand management is to provide a consistent and coherent brand experience for all the relevant target groups.
Felix Stöckle

One result of this development was the special status architects came to enjoy as creators of these dream buildings. The new concept of architecture as a tool for brand promotion meant that simply having a good building was no longer good enough. What was needed was a building by a famous, big-name architect, preferably a Pritzker Prize winner, whose name would produce the kind of echo in the international media that would generate the required flows of tourists and revenue. This self-perpetuating spectacle reached its apex in the first decade of the twenty-first century. Architects like the Briton Norman Foster, the Swiss duo Jacques Herzog and Pierre de Meuron, and Frank O. Gehry and his colleague Daniel Libeskind from the United States were only a few of the multitude who were rocketed to international stardom by the unreserved enthusiasm of newspaper arts pages and design magazines. The buildings

UNStudio:
Mercedes-Benz-Museum in Stuttgart,
2007

UNStudio:
Mercedes Benz Museum in Stuttgart,
2007

Gebäude bildeten nun so etwas wie eine Leitwährung auf dem weltumspannenden, hart umkämpften Markt für Einzigartigkeiten. Bauherren schmückten sich fortan vorzugsweise mit einem echten Herzog & de Meuron, dem neuesten Modell von Zaha Hadid oder einem Stück aus dem intellektualistischen Œuvre von Rem Koolhaas: Bauwerke in Gestalt luxuriöser Markenprodukte, die sich freilich nur ausgewählte, ökonomisch potente Auftraggeber leisten konnten. Die Einzelstücke aus diesen Architekturbüros, die in ihrer neuen Umgebung oftmals so fremdartig wirkten wie zwischengelandete UFOs, verschafften ihren neuen Besitzern einen ungeheuren Zugewinn an Aufmerksamkeit, Glamour und Bedeutung.

Im gleichen Zuge etablierten sich die Architekten als eigene Marken. Nicht jedes Büro konnte auf ein Œuvre mit derartig hoher Wiedererkennbarkeit verweisen wie Daniel Libeskind mit seinen prismatisch verkanteten Entwürfen oder Zaha Hadid und ihre computergenerierten Betonstränge; doch es ging ja auch nicht mehr so sehr um die Architektur und ihre Qualität, geschweige denn ihre Kosten, sondern um den Architekten, der selbst als Marke wahrgenommen wurde. Sein guter Name, so der Trugschluss, stand in diesem Verständnis automatisch für Qualität und jenen auratischen Mehrwert, den früher allein die Architektur, also das Bauwerk selbst, hervorbringen musste.

they created came to represent a kind of reserve currency on the fiercely contested global market for uniqueness, in which brand owners were proud to display a genuine Herzog & de Meuron, the latest model by Zaha Hadid, or a gem from the intellectualist oeuvre of Rem Koolhaas. Buildings took on the character of luxurious brand-name products which only selected wealthy clients could hope to afford. The unique designs these firms created were often as alien a presence in their surroundings as newly landed UFOs and rewarded their proud owners with an incredible increase in public visibility, glamour, and status.
At the same time, the architects became established as brand names in their own right. Of course it was not every architecture firm that could boast a portfolio of projects with the high recognition value of Daniel Libeskind's canted prismatic designs, or Zaha Hadid's computer-generated strands of concrete.
But by this time the issue was no longer so much one of the quality of the architecture – and certainly not its cost – than of the architects themselves, who were perceived as brand names regardless of whether or not they desired this status. In a fallacy of reasoning, the architect's name was automatically equated with quality and with the unique aura that had previously been generated by architecture, i.e. the building, alone. It is therefore no surprise that these world-famous stars of

Rem Koolhaas/Ole Scheeren:
Zentrale des chinesischen Staats-
fernsehens CCTV in Peking/China,
2011

*Rem Koolhaas/Ole Scheeren:
CCTV Headquarters in Beijing,/China
2011*

Es ist deshalb auch nicht überraschend, dass diese Architekten-Weltstars ihre Arbeit auch auf andere Bereiche ausdehnten und sich in den Dienst von Modeproduzenten oder Automobilkonzernen nehmen ließen.

Branded Environments: Erlebniswelten vom Reißbrett

Die Seele einer Marke im Raum erlebbar zu machen, gilt für Retail-Welten wie Shops, Filialen, Flagshipstores oder Messestände ebenso wie auch für die Markenwelten von Verwaltungsgebäuden und Produktionsstätten. Während Erstere eher das Markenerlebnis aus Sicht des Kunden im Fokus haben, geht es bei Letzteren eher um die Vermittlung von Identität, Kultur und Werten nach innen.

Felix Stöckle

Dass Rem Koolhaas die Flagshipstores des Modelabels *Prada* gestaltet und sein Kollege Massimiliano Fuksas sich der Läden von *Armani* annimmt, lässt sich zum einen als normales Tagesgeschäft von Architekturbüros erklären, zum anderen auch mit dem Verweis auf die berühmten Synergie-Effekte. Denn in beiden Fällen stärkt eine Marke die andere. Allerdings kommt der Architektur eine eher dienende Funktion zu, die zunächst

architecture branched out into other spheres of activity and allowed themselves to be pressed into service by fashion designers and automobile corporations.

Branded Environments: A Designer Shopping Experience

Creating a spatial setting that makes the soul of a brand visible and tangible: that is the task of retail environments, from shops through franchises and flagship stores to exhibition stands, as well as the branded environments of administrative buildings and production facilities. While retail outlets are more strongly focused on the customer's brand experience, administrative and production premises are more concerned with communicating the identity, culture, and values of a corporation to its employees.

Felix Stöckle

When Rem Koolhaas designed the flagship stores for the Prada fashion label and his colleague Massimiliano Fuksas did the same for Armani, they were going about the normal, day-to-day business of architecture firms on one level and developing the famous synergic effects on another: in both cases, one brand was supporting the other. Architecture, however, here served a primarily ancillary function, ennobling something that is in itself

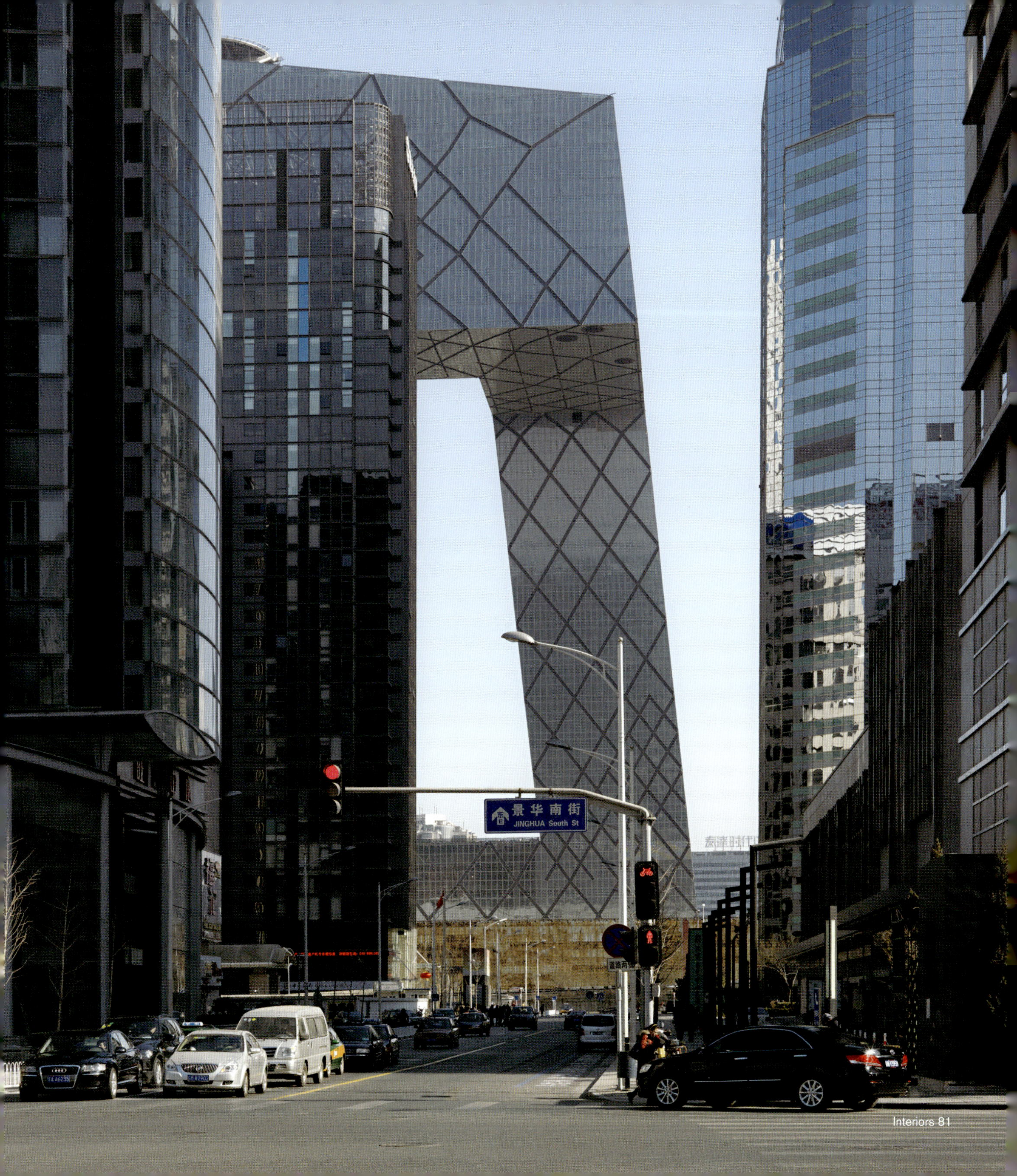
景华南街
JINGHUA South St

in der Nobilitierung einer relativ banalen Sache besteht: Aus einem schlichten Kaufvorgang soll ein Markenerlebnis werden. Es geht hier nicht mehr um den Erwerb eines Strickpullovers oder Herrenhemds, sondern vielmehr um die Inszenierung einer distinkten Welt, in der die Kunden eine Marke mit allen Sinnen erleben sollen.

Gerade der Einzelhandel bedarf der atmosphärischen Inszenierung, die den schnöden Akt des Geld-für-Ware-Tauschs vergessen lässt und mit Verheißungen spielt; zumal in Zeiten verschärfter Konkurrenz. Denn es geht um die auratische Aufwertung von zumeist industriell gefertigten Produkten, um das Wecken von Begehrlichkeiten und die Steigerung der Kauflust. Schaufenster spielen dabei eine ebenso große Rolle wie die Gestaltung und Dekoration der Läden im Inneren. Doch heute verfügen Kaufhäuser, von wenigen Ausnahmen wie dem *KaDeWe* in Berlin abgesehen, kaum noch über eigene Dekorationsabteilungen: zu teuer, betriebswirtschaftlich unsinnig. Die zahlreichen, mittlerweile von einer Handvoll Konzerne betriebenen Innenstadtkaufhäuser werden stattdessen von der jeweiligen Zentrale mit vorgefertigten, schlichten Passepartoutlösungen versorgt. Dekorateuren bleibt am Ende nur noch die Aufgabe, die gelieferten Banner, Displays oder Poster pünktlich zu installieren.

Die zeitgemäße, auf Trends und Moden fix reagierende Gestaltung ihrer rasch wechselnden Ladeneinrichtungen und Dekorationen lassen sich die großen Handelsunternehmen etwas kosten. Und sie greifen dabei gern auf die Dienste der Innenarchitekten zurück, die in der Sparte Ladenplanung und Ladenbau vor allem dann gefragt sind, wenn sie nicht nur Entwurf und Ausbau übernehmen können, sondern auch Expertise in solch artfremden Themen wie Markenkommunikation und Merchandising mitbringen. Doch der Kern ihrer Arbeit besteht letztlich in

relatively banal – turning a routine shopping trip into a brand experience. What is at stake is not the sale of a sweater or a shirt, but the creation of a distinct world in which customers can experience the brand on a number of different levels. The retail business in particular has a need for atmospheric brand staging to induce customers to forget the mundane act of exchanging money for goods and focus instead on the mystique of the brand. This is doubly true in times of fierce competition. Quite simply, the intended result is to add aura to products that are usually mass-produced – to awaken desires and put potential customers in the mood for a shopping spree. Shop windows are just as important here as the design and décor of the store's interior. But only few department stores, such as KaDeWe in Berlin, still have their own store decoration departments. Deemed too expensive and uneconomical, their customized designs have been replaced by the prefabricated, cut-out solutions distributed by the head offices of those few corporations which today own most of our inner-city department stores. All that remains to be done by the decorators in the stores is to ensure that the banners, displays, and posters are installed on schedule. At the same time, the major retail corporations are willing to spend large sums on up-to-date shop fittings and decorations, which are replaced in rapid succession to respond to trends and fashions. The designs are frequently entrusted to interior designers, who may count on being in particularly high demand if they can not only provide the designs and oversee the installation work, but also have skills in fields such as brand communication and merchandizing. The core of their work, however, is the creative implementation of the corporate identity specified by branding agencies and consulting companies.

Seiten 84/85:
Coop Himmelb(l)au:
BWM Welt in München (2007)

Pages 84/85:
Coop Himmelb(l)au:
BMW World in Munich (2007)

der kreativen Umsetzung der jeweiligen, von Markenagenturen und Consultingfirmen abgesegneten Corporate Identity. Aus Ladenbau wird Shopdesign. Doch nicht immer sind die dafür zur Verfügung stehenden Mittel so bescheiden wie in den eingangs beschriebenen Geschäften der hart kalkulierenden Akteure in Shoppingmalls. Der Düsseldorfer Karl Schwitzke gehört zu den erfolgreichsten Anbietern von Storekonzepten, die speziell auf die räumliche Situation in Einkaufszentren zugeschnitten sind. »Die konfektionierte Fläche eines Shoppingcenters ist an sich eine Herausforderung, wenn der Store anders als quadratisch und gleichwinkelig sein soll«, sagt Schwitzke über die Planungsbedingungen in diesen Gebäuden. Denn um spannende Raumbilder zu schaffen, braucht es auch individuelle Gegebenheiten auf der Fläche. Während in klassischen Ladenlokalen Vorsprünge, Nischen, Fenstersimse oder Balken schon vorhanden sind und natürlich Einfluss auf die Raumgestaltung haben, müssen solche strukturierenden Aspekte in den vorgegebenen Flächen der Center erst wieder neu geschaffen werden, damit Individualität entsteht. Auch klassische Hochbauarchitekten haben sich in den vergangenen Jahren der Ladenplanung zugewandt. Da war zum einen die Krise am Bau, von der etliche Planer zu Ausflügen in die Innenarchitektur gezwungen wurden; zum anderen begannen vor allem Luxusmarken, sich mit den Entwürfen namhafter Architekten eine neue Art von Distinktionsgewinn zu verschaffen. Solche Planer müssen sich nicht mit der nackten, pragmatischen Armutsarchitektur einer handelsüblichen Shoppingmall herumschlagen, sondern können mit Rosshaartapeten, Echtholz, Leder, Marmor und Kristall das zaubern, was man gemeinhin als Markenwelt bezeichnet. In diesem Fall darf tatsächlich von Techniken der Verführung die Rede sein; von Architekten als Magiern in der weitgehend entzauberten Warenwelt des 21. Jahrhunderts.

Interior decoration has been replaced by shop design. But the resources available for this purpose are not always as modest as those allotted by the cash-strapped retail outlets in shopping malls that we mentioned earlier on.
Karl Schwitzke of Düsseldorf is one of the most successful designers of store concepts specially geared towards the spatial conditions of shopping centres. "The pre-existing spaces of a shopping centre are a challenge in their own right if you want your store to have anything other than a square ground plan and a layout full of right angles," says Schwitzke about the conditions with which designers are obliged to work in these buildings. Creating a visually interesting design presupposes individual and unique elements on the floor plan. While traditional shops typically have projections, niches, window sills, and beams that affect the design of the interior and create an individual character, these structural elements have to be recreated from scratch in the pre-designed spaces of the shopping centre.
Conventional architects, too, have branched out into shop fitting in recent years, some forced to turn to interior design by the crisis in the construction sector, others commissioned by luxury brands who sought to gain a new level of distinctiveness by hiring famous architects to design their stores. Of course, designers at this level are not obliged to wrestle with the bare, pragmatic, impoverished architecture of a typical shopping mall. Luxury items such as horsehair wallpaper, solid wood, leather, marble, and crystal are the ingredients they use in creating the magic that we associate with the world of a brand name. This is where interior design emerges as an art – the art of seduction – and architects as magicians – the magicians of the largely enchantment-free world of twenty-first century commerce.

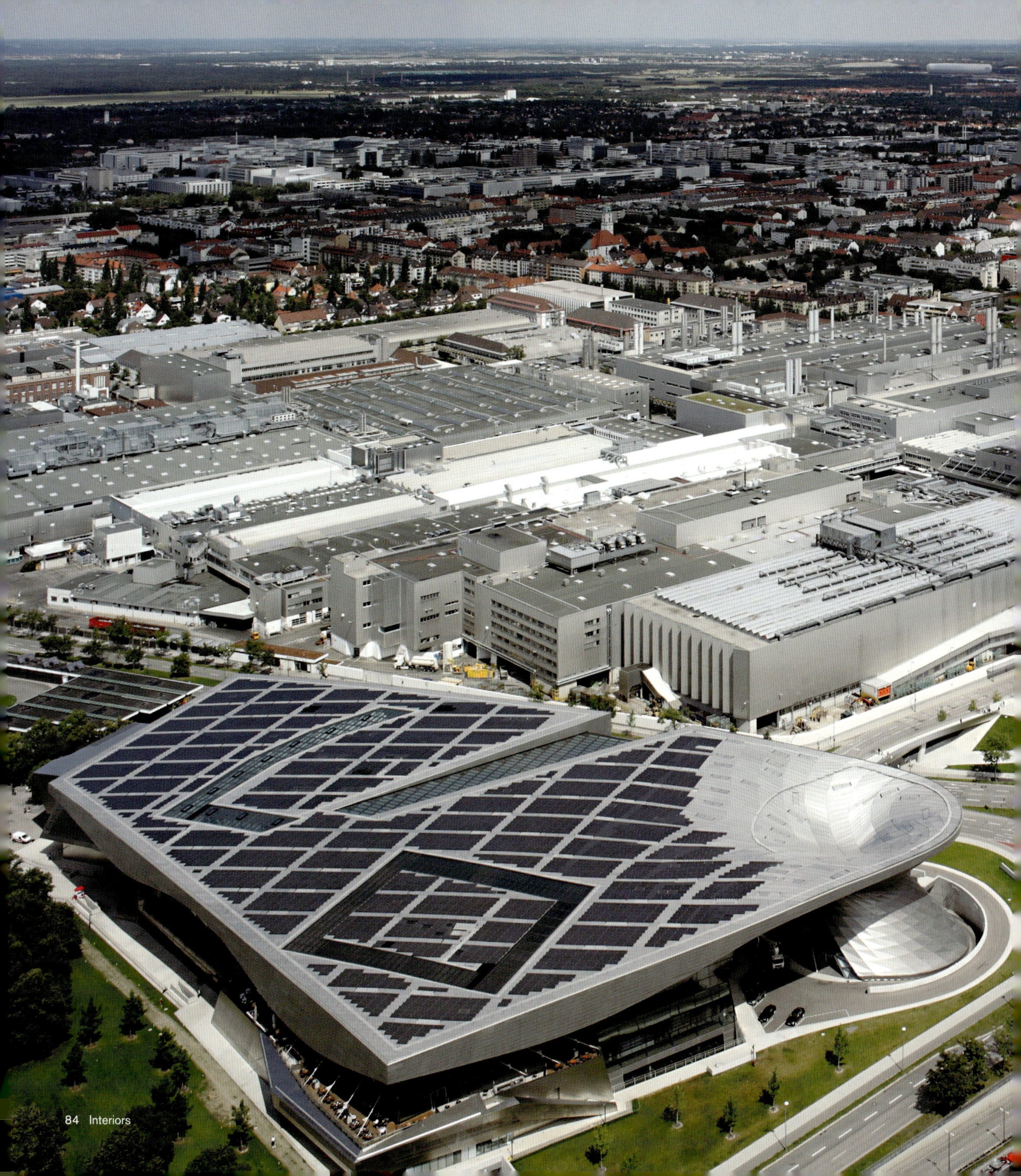

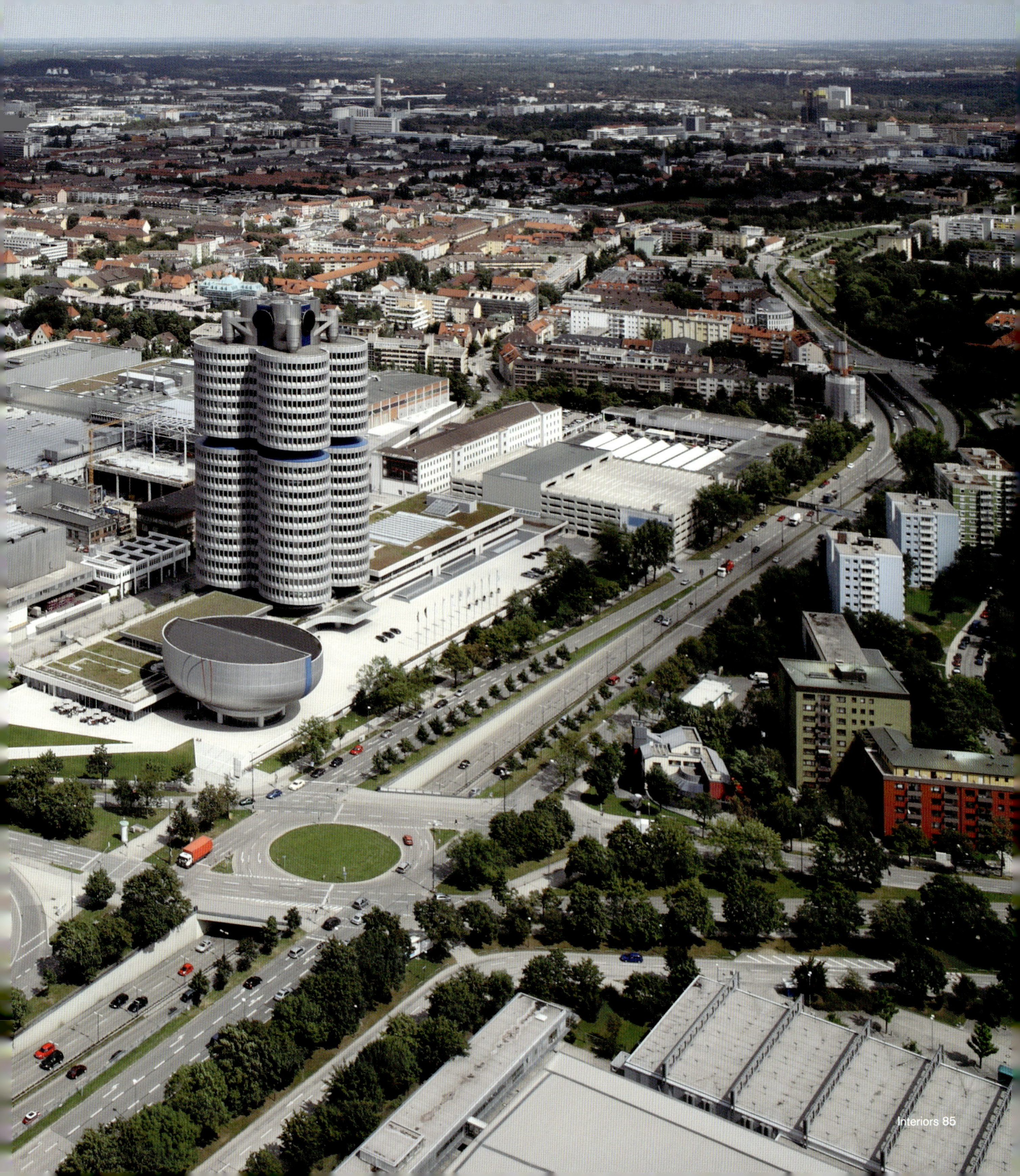

Schleich Shop Design
Schleich Shop Design
weltweit

Auftraggeber
Schleich GmbH

Corporate Branding
Landor Associates

Hersteller POS-System
decor metall GmbH & Co. KG

Zeitraum
seit 2008

Winzigkeiten haben es in einer überreizten Warenwelt nicht leicht; schon gar nicht, wenn es sich dabei um Spielzeug handelt, das in seiner fast altmodischen Zurückhaltung neben den üblicherweise kreischbunten, lauten Erzeugnissen der Branche bestehen muss. So gesehen war die Entwicklung eines modularen Shop-Designs für den Verkauf von Tier-Miniaturen in gewisser Weise ein Beitrag zur Stärkung des Selbstbewusstseins fingergroßer Elefanten. Dem rosa Rummel einer Spielwarenabteilung wurden hier, am sogenannten Point of Sale (POS) ruhige, schlicht gehaltene Inseln entgegengesetzt, bestückt mit einfachen Regaldisplays, auf denen die Produkte platziert werden. Diese POS-Elemente sind als Module entwickelt worden, die sich je nach Raumsituation kombinieren lassen und zahlreiche Erweiterungsmöglichkeiten bieten. Die gestalterischen Mittel beschränken sich auf grafische Elemente, die zugleich einen unverkennbaren Bezug zu den präsentierten Produkten haben. Das neue Shop-Design ist inzwischen weltweit im Einsatz und hat sich an verschiedenen Standorten bewährt.

Little things mean a lot. In a world where hype and consumerism rule, this is easy to forget, and it may be seen as a move to help little things assert their worth that toy manufacturer Schleich adopted a new display system for their miniature toy animals. The modular system consists of simply designed points of sale with unfussy display shelves on which the toy animals are arranged. Graphic elements clearly highlight the product. The modules can be combined freely to adapt to any spatial situation. Since its introduction the new system has proved successful in shops all over the world.

Interiors 87

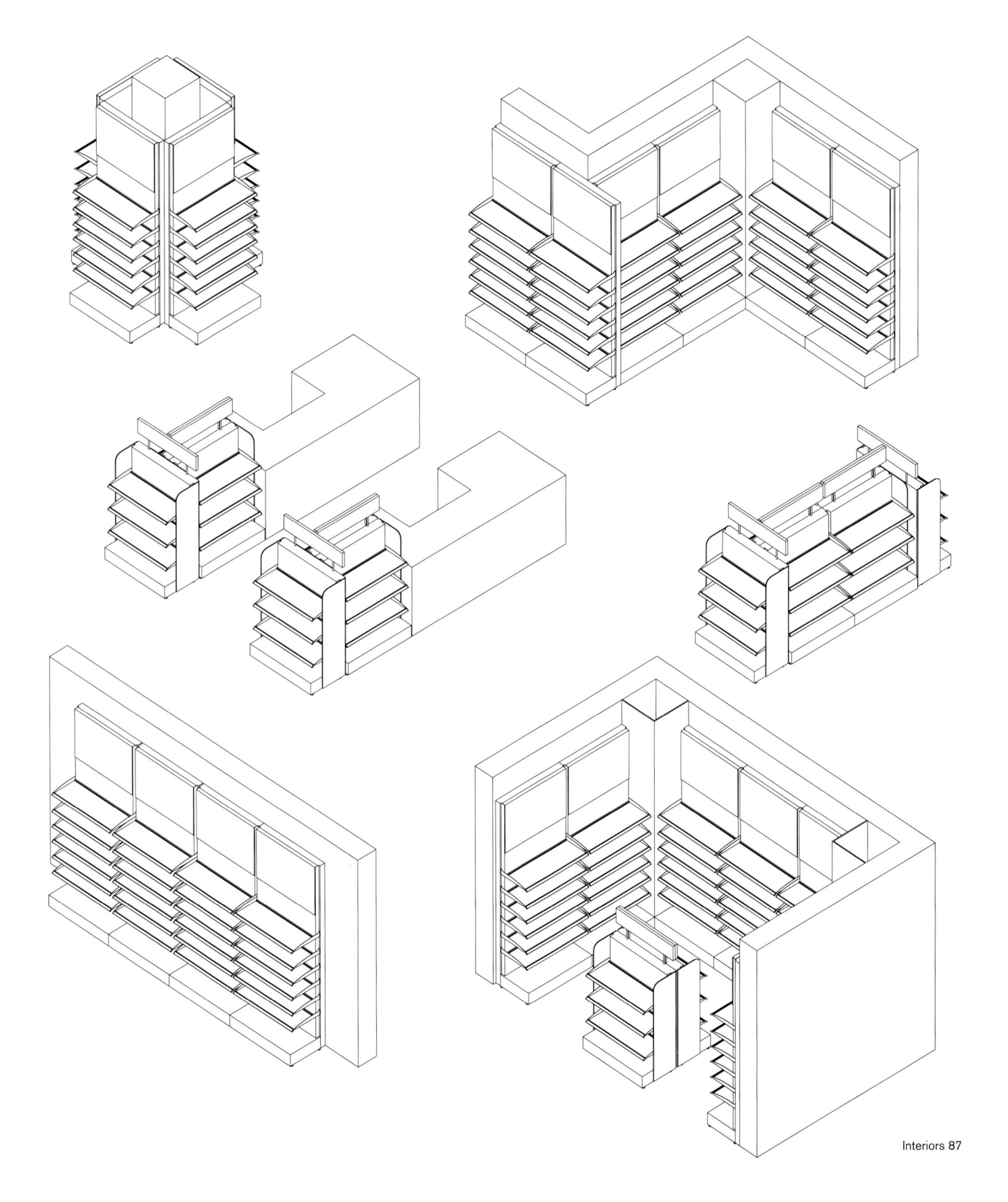

88 Interiors

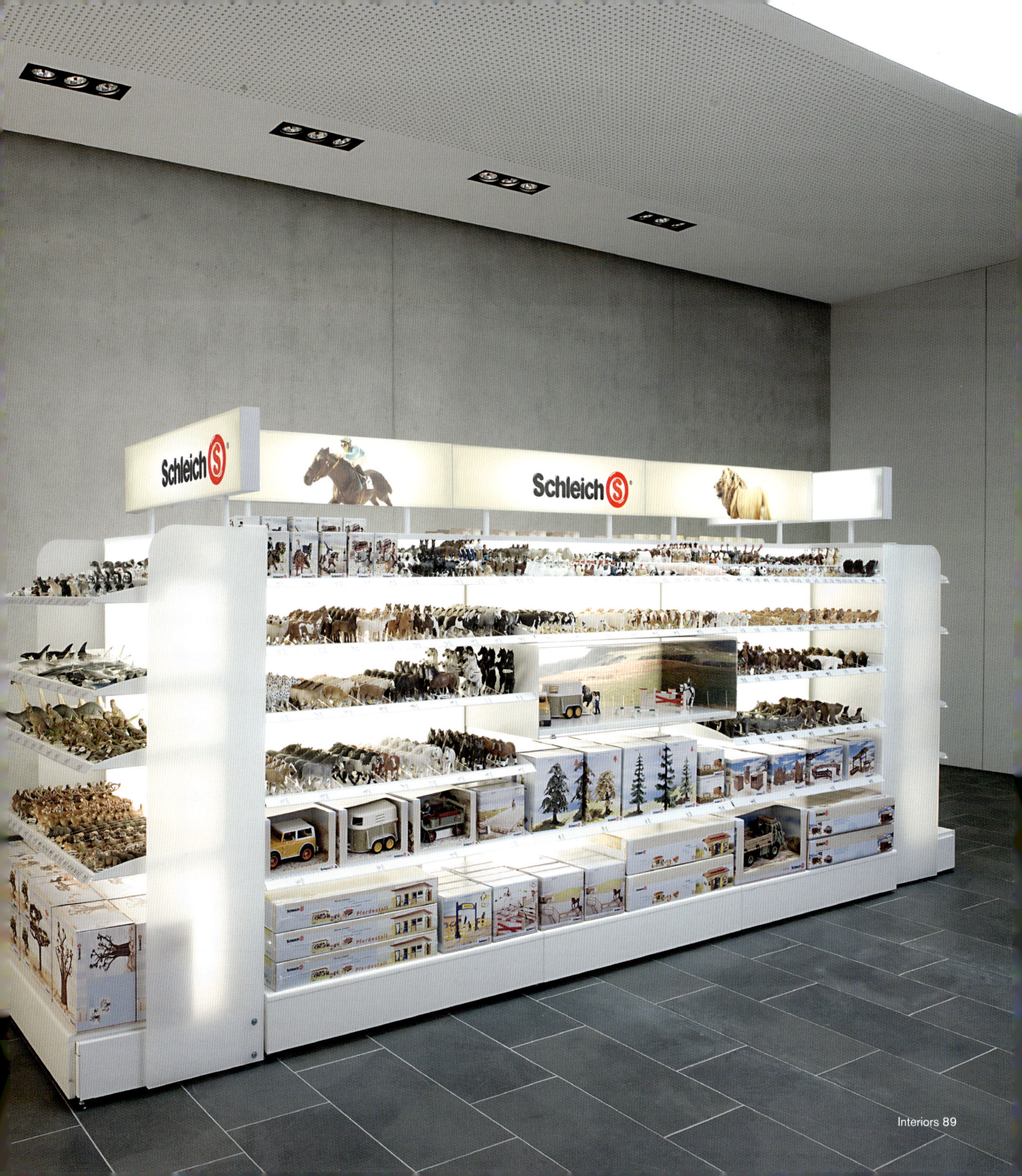
Schleich
Schleich

90 Interiors

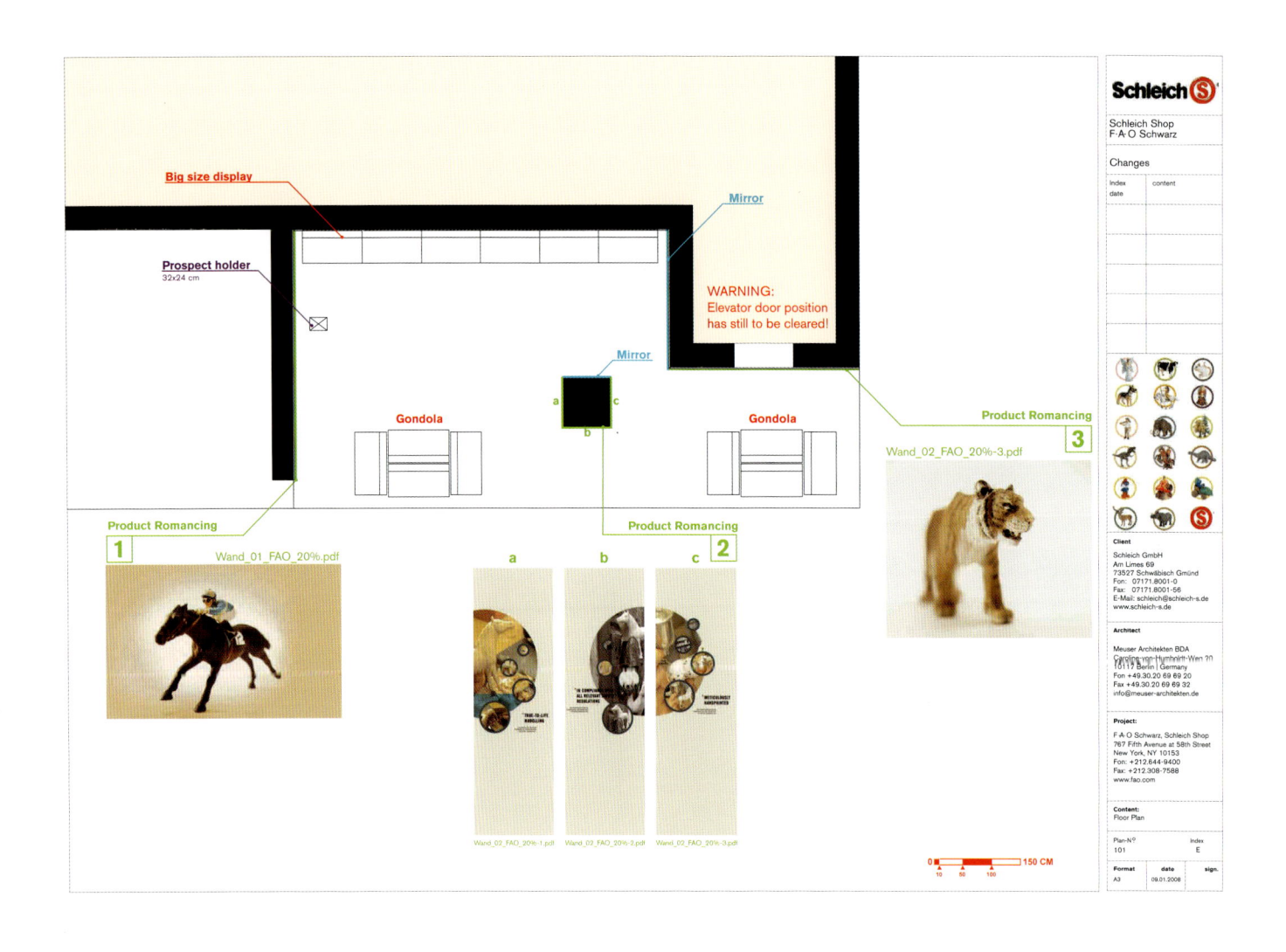

Spielfigur *Arelan*
Arelan character

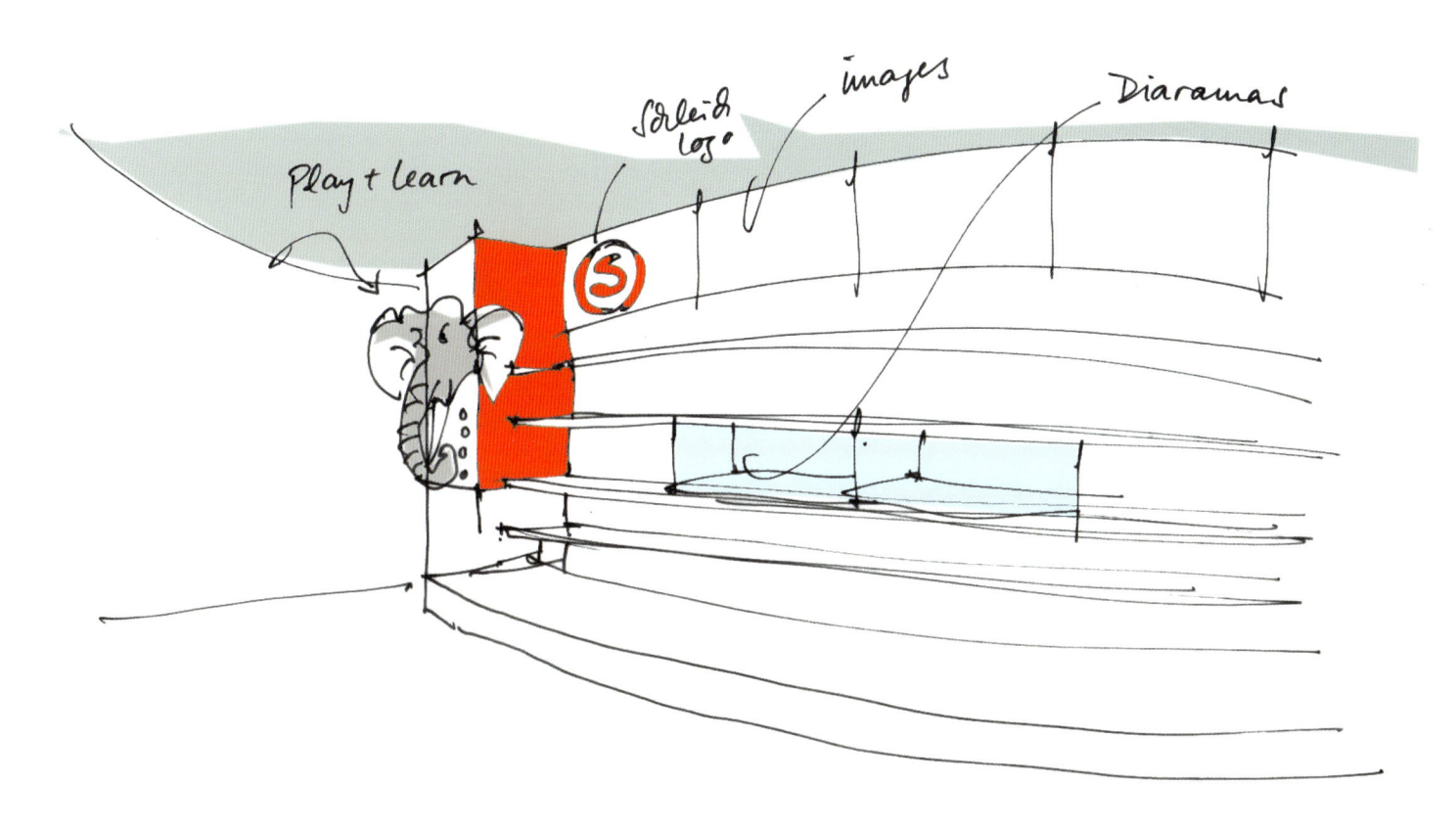

Interiors 91

92 Interiors

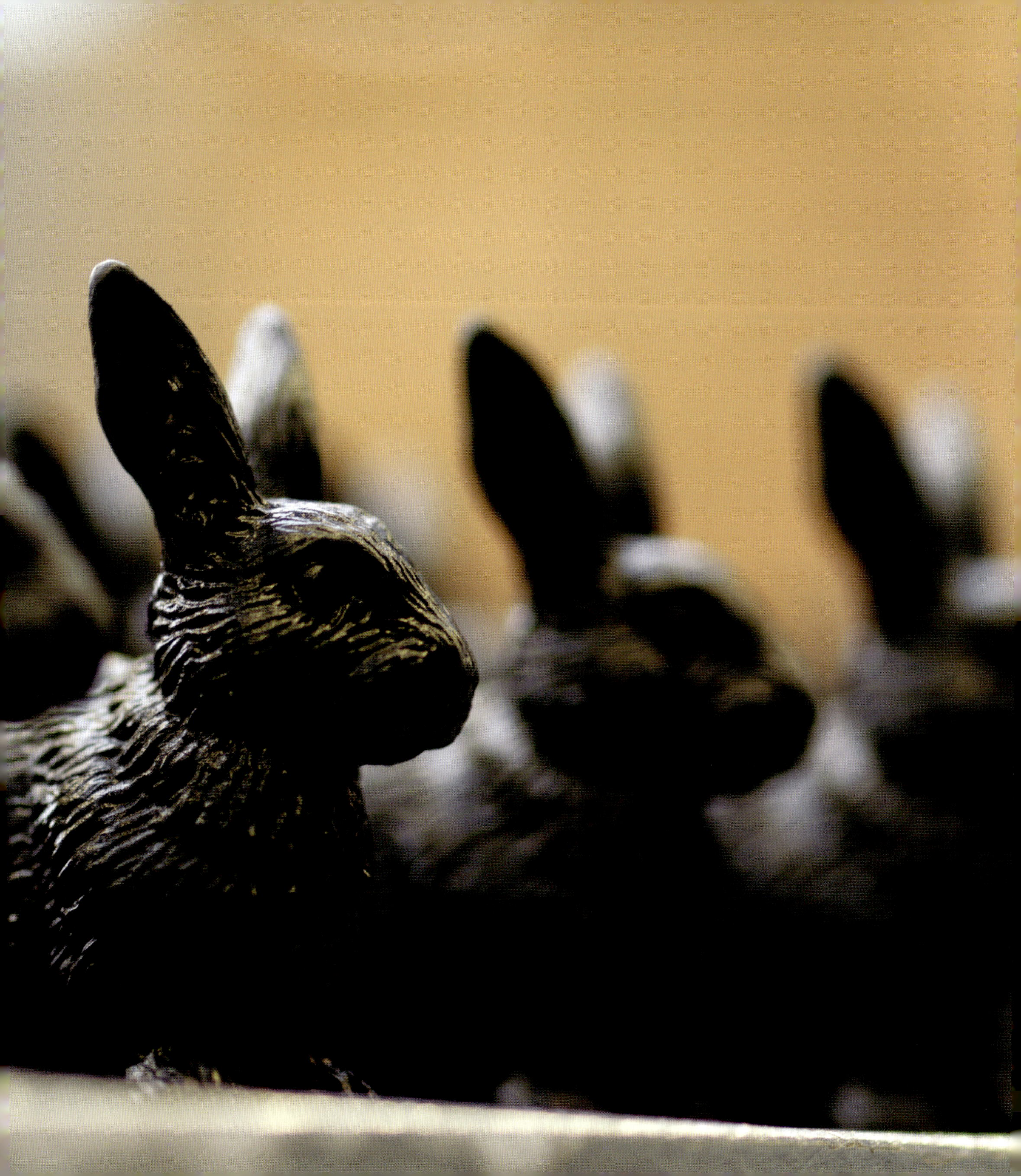

ABN AMRO Consumer Banking
ABN AMRO Consumer Banking
Aktau / Almaty

Bauherr
ABN AMRO Bank Kazakhstan/
Royal Bank of Scotland

Projektadressen
Renaissance Aktau Hotel
Microdistrict 9
Aktau/Kasachstan

75/81, ul. Panfilow
Almaty/Kasachstan

Zeitraum
2007–2008

Die weltweit operierende Bank gehört zu den ersten westlichen Finanzinstituten, die sich nach dem Ende des Kalten Kriegs in den neu entstandenen Nationalstaaten östlich des Urals engagiert haben. Das wirtschaftlich aufstrebende, rohstoffreiche Kasachstan spielt in der Expansionsstrategie des Unternehmens eine besondere Rolle. Und deshalb wurde am Beispiel der Filiale in der einstigen sowjetischen Musterstadt Schewtschenko, dem heutigen Aktau, das neue Corporate Design erstmals umgesetzt. Aktau, vormals ein bedeutender Standort der Uran-Gewinnung, setzt für seine Zukunft auf die hiesigen Ölvorräte und entwickelt sich zu einem modernen Geschäftszentrum. Trotzdem sind die Bedingungen für Banken nicht vergleichbar mit westlichen Wirtschaftsstandorten. Kundenfilialen europäischer Prägung sind dort noch nicht etabliert. Dies galt es auch beim Ausbau der neuen Filiale zu beachten. Sie wurde nach den strengen Design-Vorgaben des niederländischen Büros SINOT gestaltet, die nicht nur die Materialien und Farben, sondern auch die Art der Displays, Möbel und Einbauten festlegen.

One of the first Western financial institutes to establish itself in the post-Soviet countries east of the Urals, the international bank concentrates its expansion strategy on Kazakhstan, where abundant natural resources promise continued economic success. Accordingly, the bank's branch in Aktau is the first to feature the new corporate design developed by the Dutch company SINOT. Beyond materials and colours, it also specifies exactly which display types and furnishings are to be used.

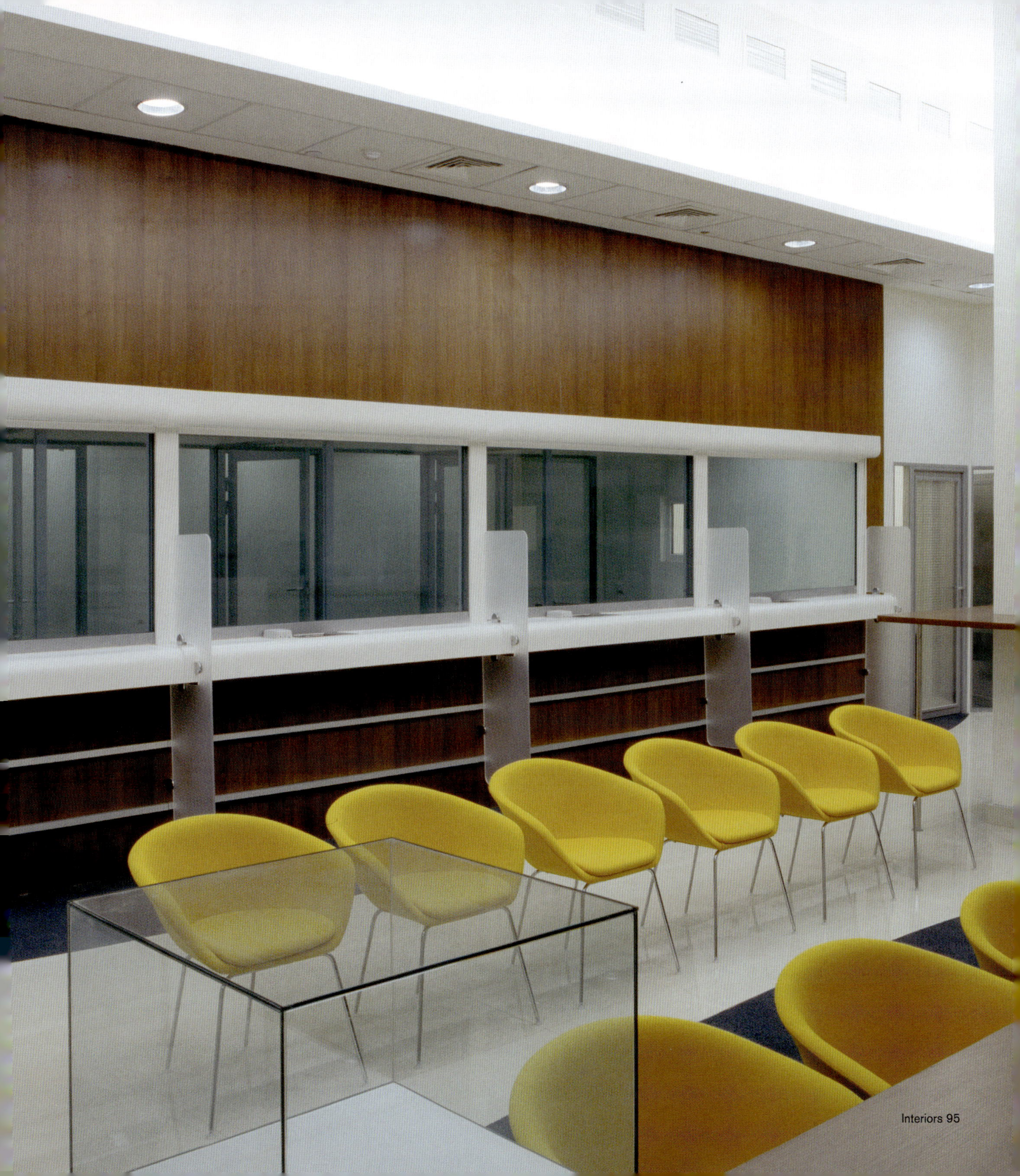

Filiale Aktau
Aktau branch

Filiale Atyrau
Atyrau branch

96 Interiors

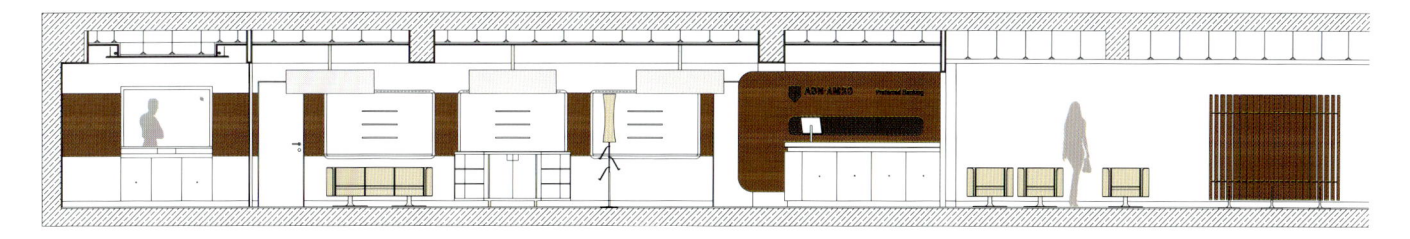

Filiale Almaty
Almaty branch

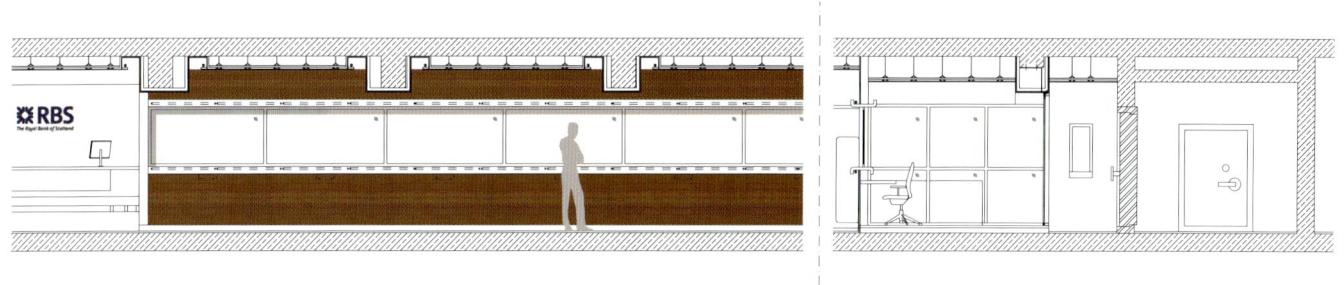

Filiale Almaty III
Almaty III branch

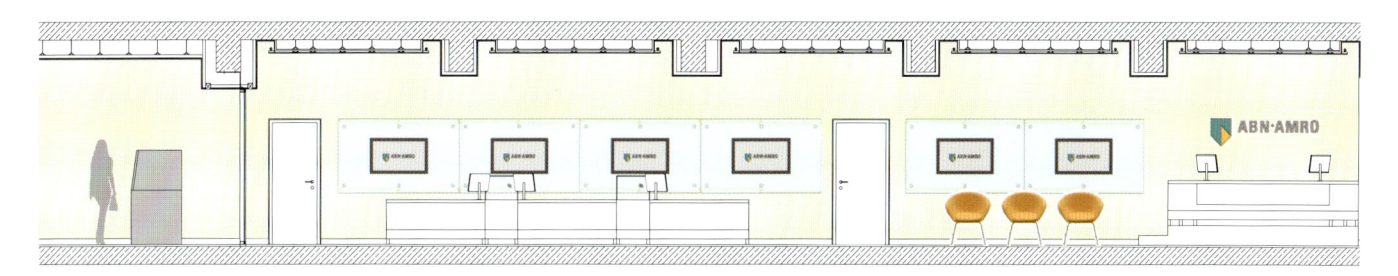

Filiale Almaty III
Almaty III branch

98 Interiors

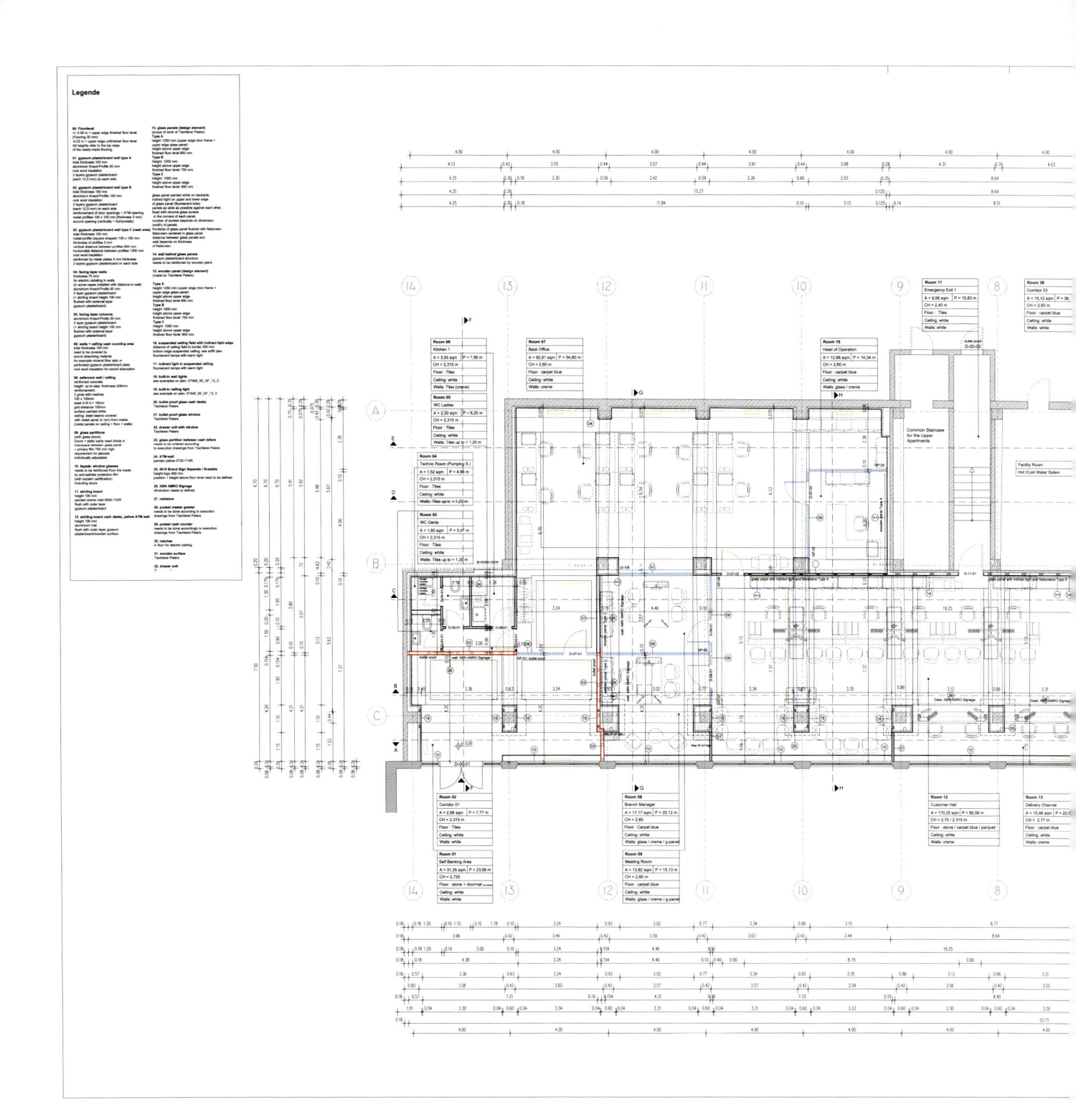

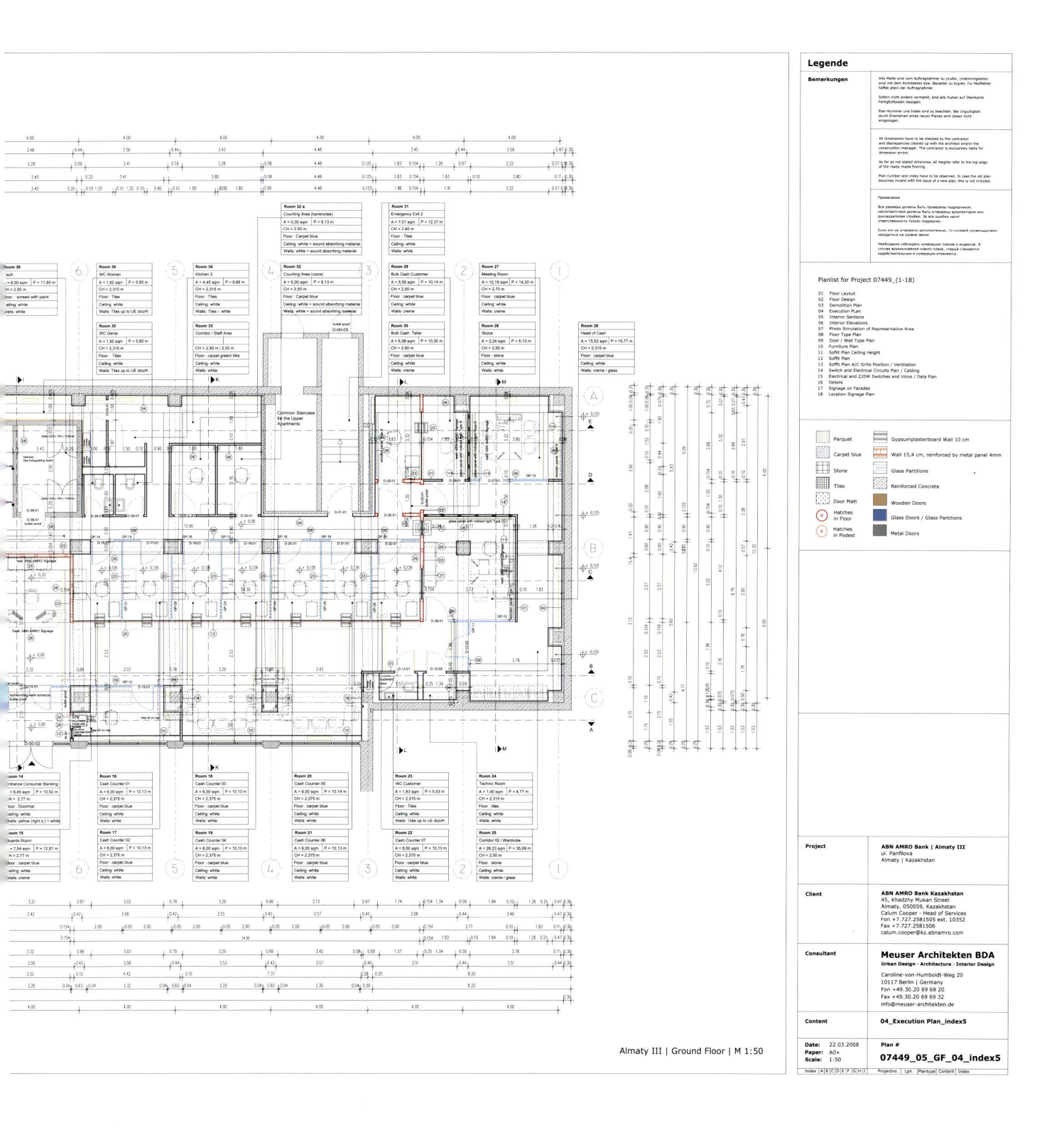

Almaty III | Ground Floor | M 1:50

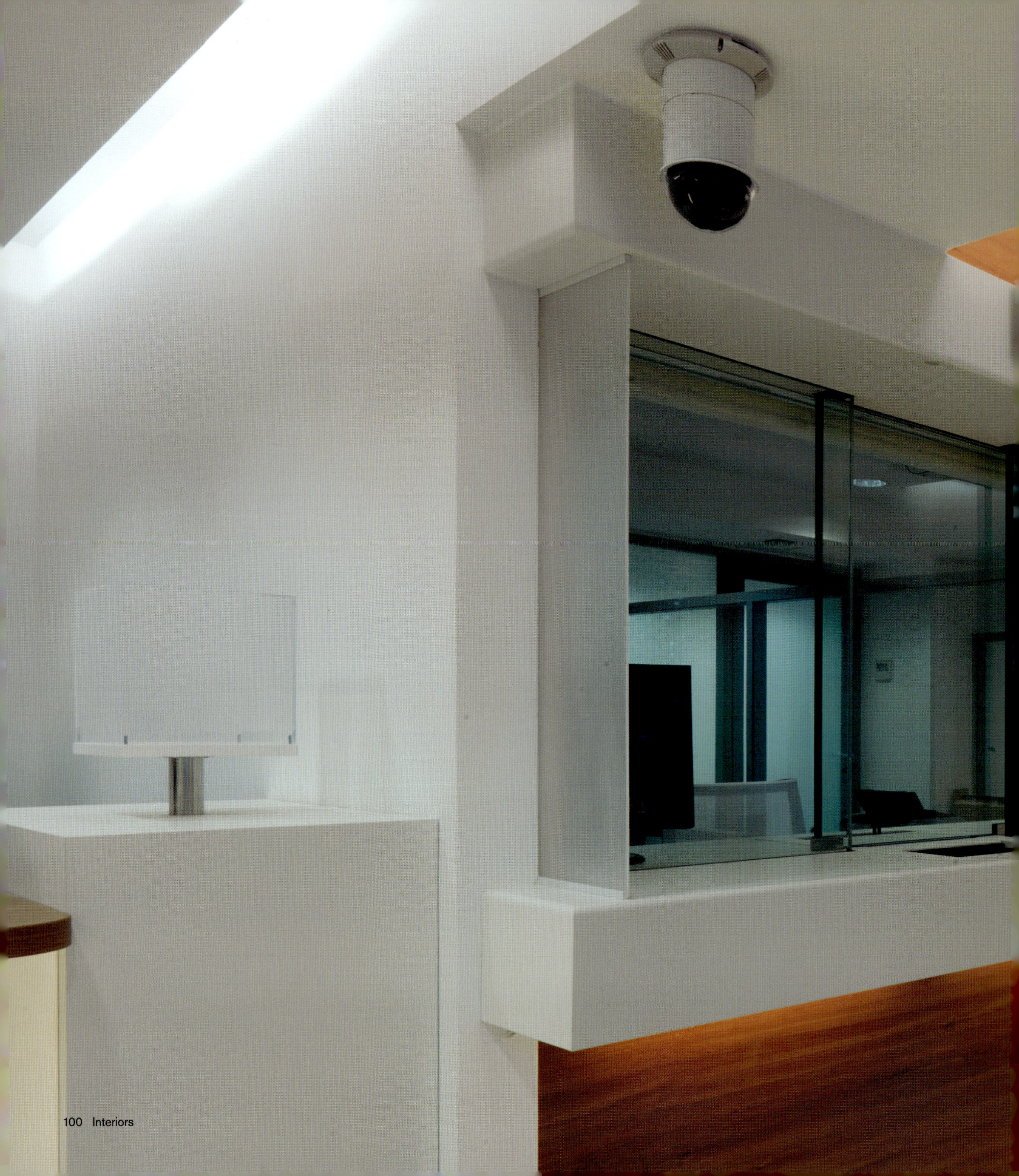

Interiors 101

ABN AMRO Preferred Banking
ABN AMRO Preferred Banking
Almaty

Bauherr
ABN AMRO Bank Kazakhstan

Corporate Branding
SINOT Design Associates
Laren/Niederlande

Projektadresse
45, ul. Kazhymukan
Almaty/Kasachstan

Zeitraum
2007–2008

Dass in der ehemals kommunistischen Republikhauptstadt Almaty Einrichtungen wie eine Privatbank für wohlhabende Kunden keine lange Tradition haben, kann man sich denken. Umso größer war die Herausforderung, hier eine solche, im ureigensten Sinn kapitalistische Institution aufzubauen. Denn schließlich verspricht die Stadt am Fuße des Tienschan-Gebirges dank ihrer strategischen Lage und der rasch wachsenden Wirtschaft auch internationalen Banken ein gutes Geschäft. Bei der Herrichtung der Räume galt es, die Vorgaben des Design-Manuals sowohl mit den Ansprüchen an ein gehobenes Finanzinstitut als auch mit den besonderen Sicherheitsstandards des *Private Banking* zu verbinden. Eine Atmosphäre von Exklusivität kennzeichnet sämtliche Beratungs- und Wartebereiche; die verwendeten Materialien – Naturstein, Holz und Glas – tragen das Versprechen von solider Verlässlichkeit, die auch die Bank für sich reklamiert. Die Entwurfs- und Planungsleistungen umfassten neben den gestalterischen Aspekten auch ein umfängliches, technisch hochbewährtes Sicherheitskonzept.

Thanks to its advantageous location and booming economy, Almaty is attracting many international businesses. Establishing a private bank for wealthy clients in this capital of a former Soviet republic posed an exciting challenge in terms of design, too. Strict security standards based on the latest technologies had to be reconciled with the corporate design manual as well as the aura of exclusiveness expected in a private bank. The materials used – stone, wood, and glass – suggest a reassuringly solid reliability.

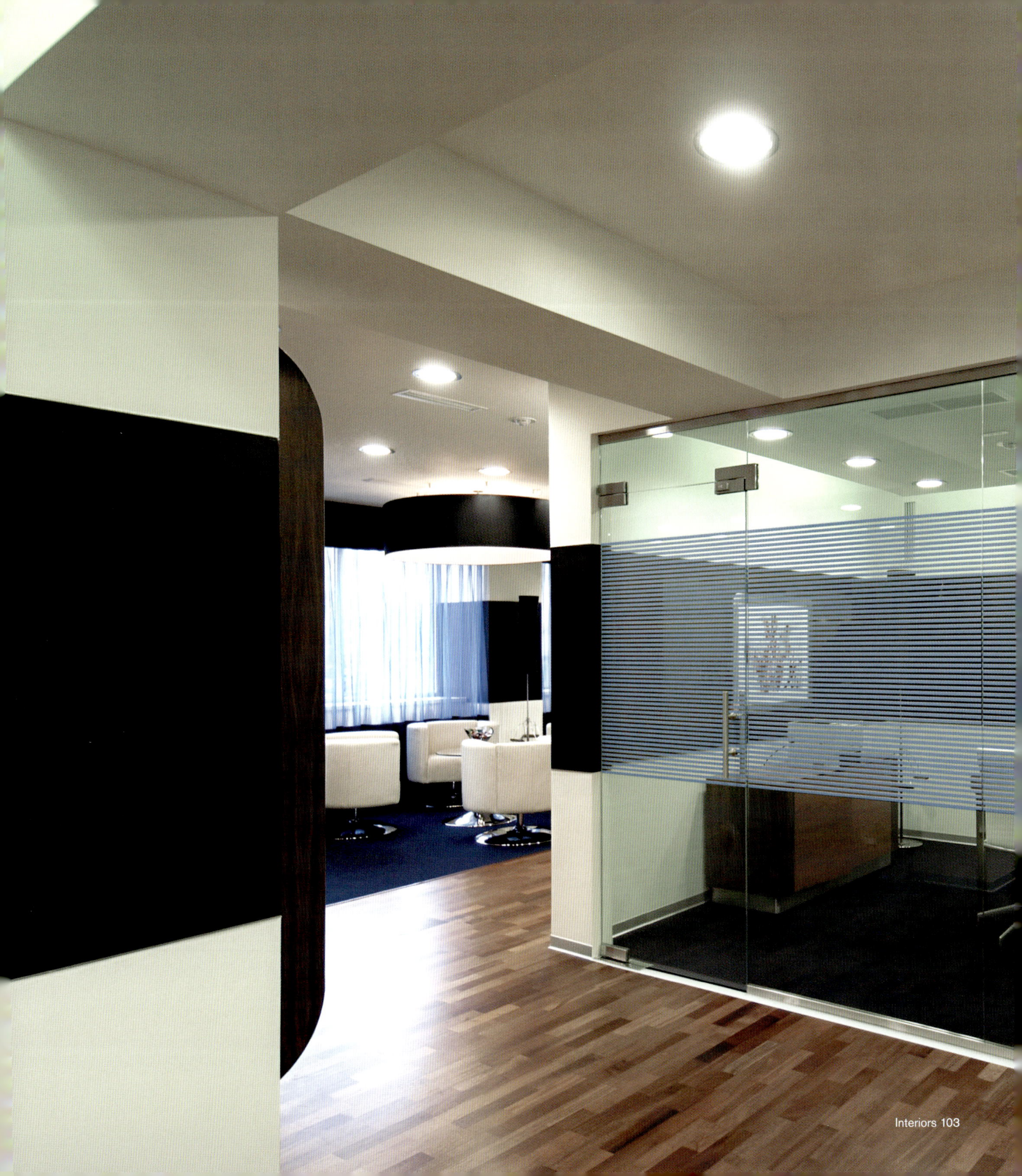

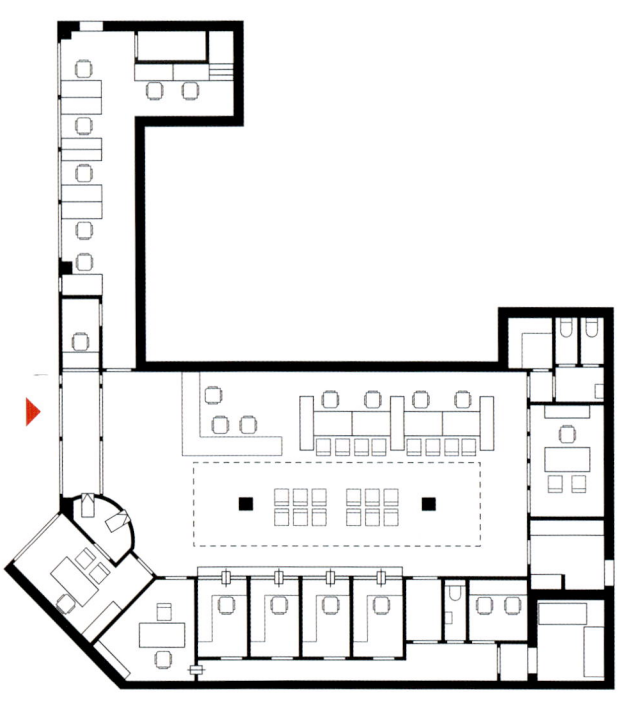

Filiale Aktau
Aktau branch

Filiale Astana
Astana branch

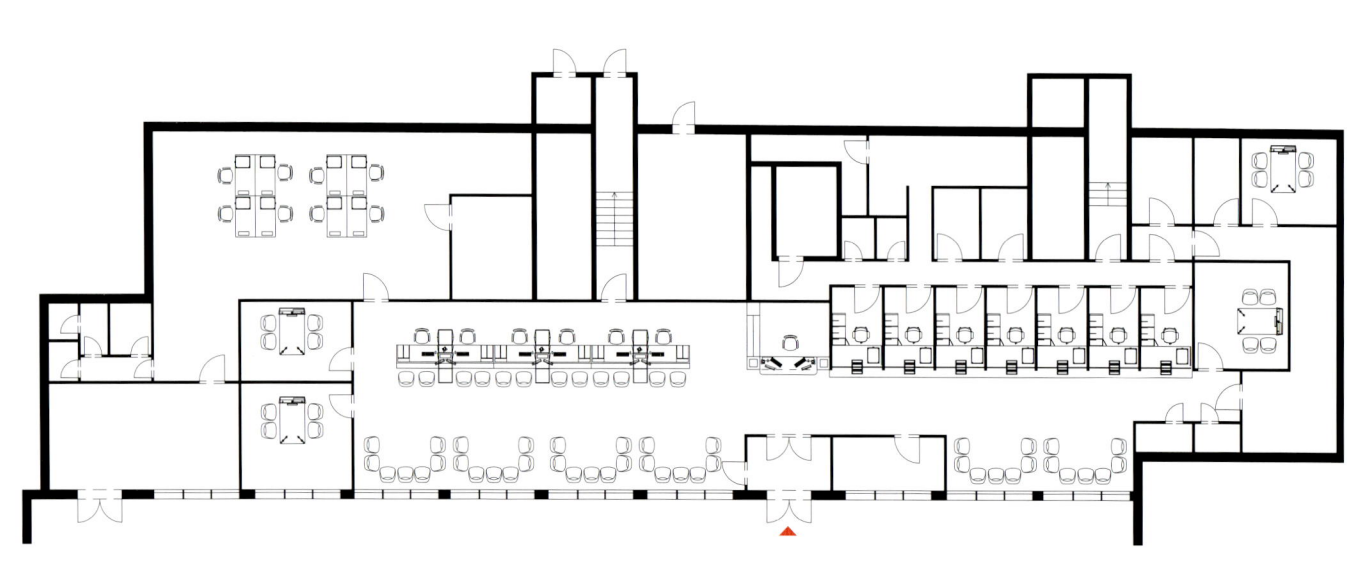

Filiale Almaty
Almaty branch

ABN·AMRO

106 Interiors

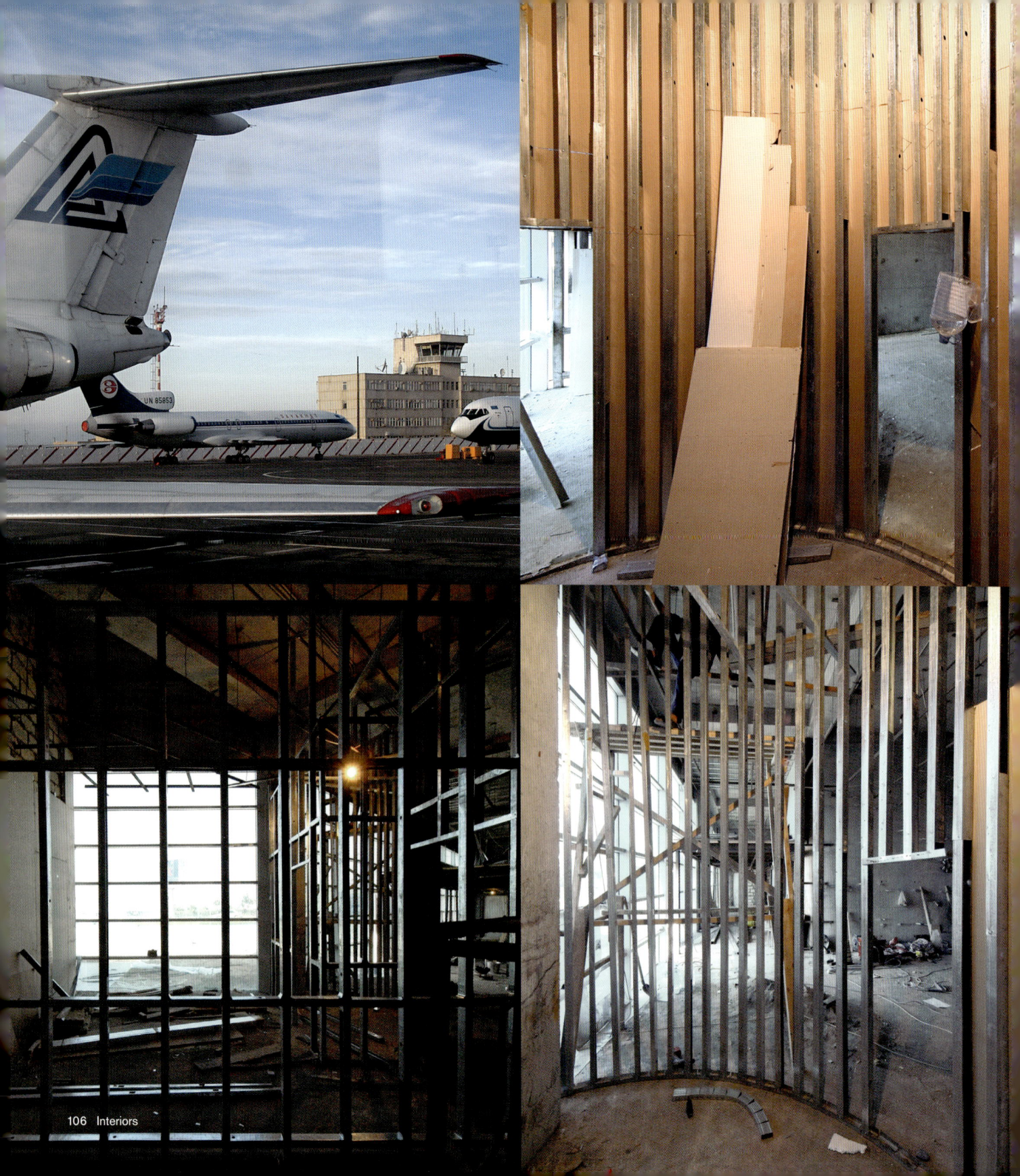

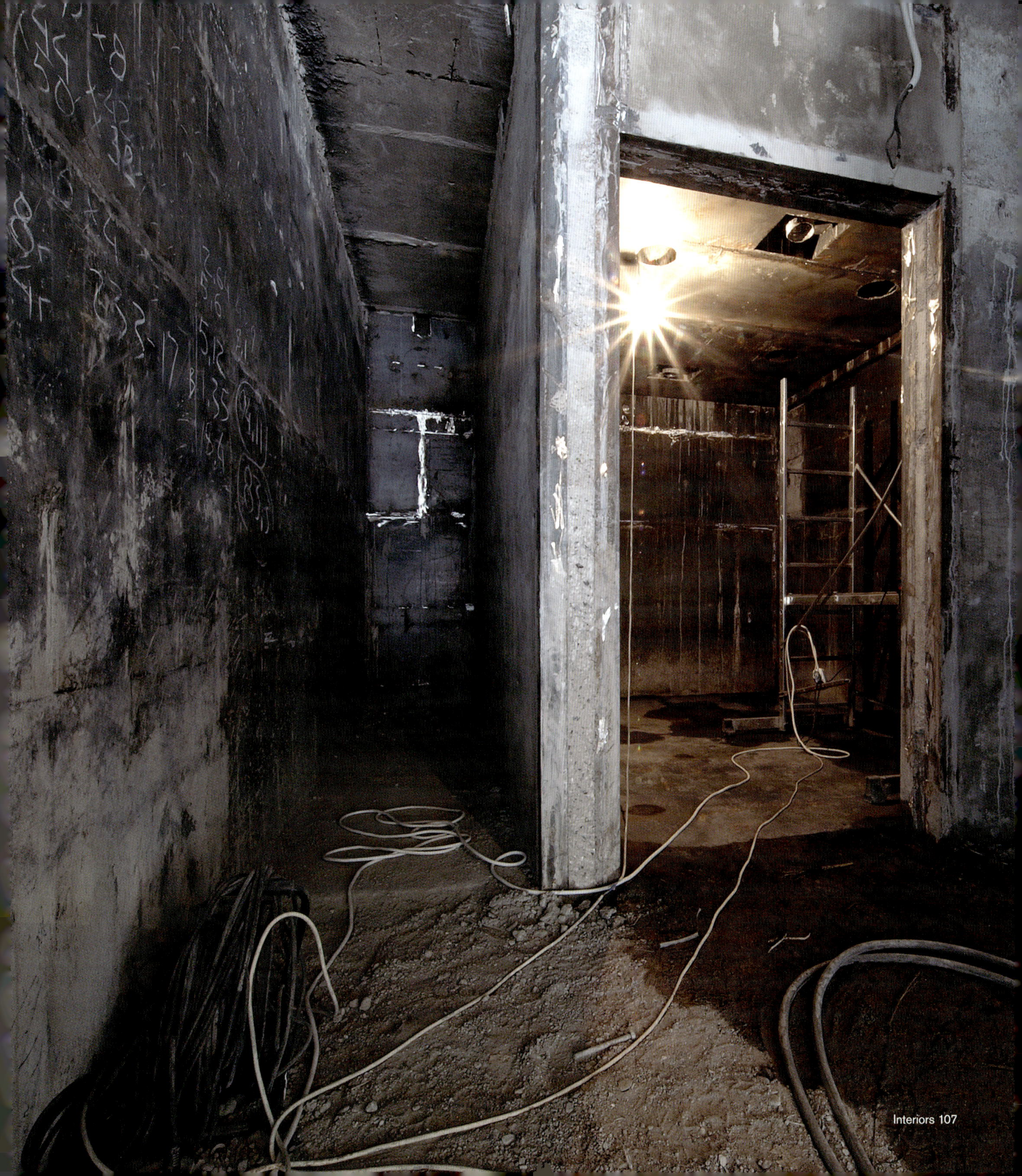

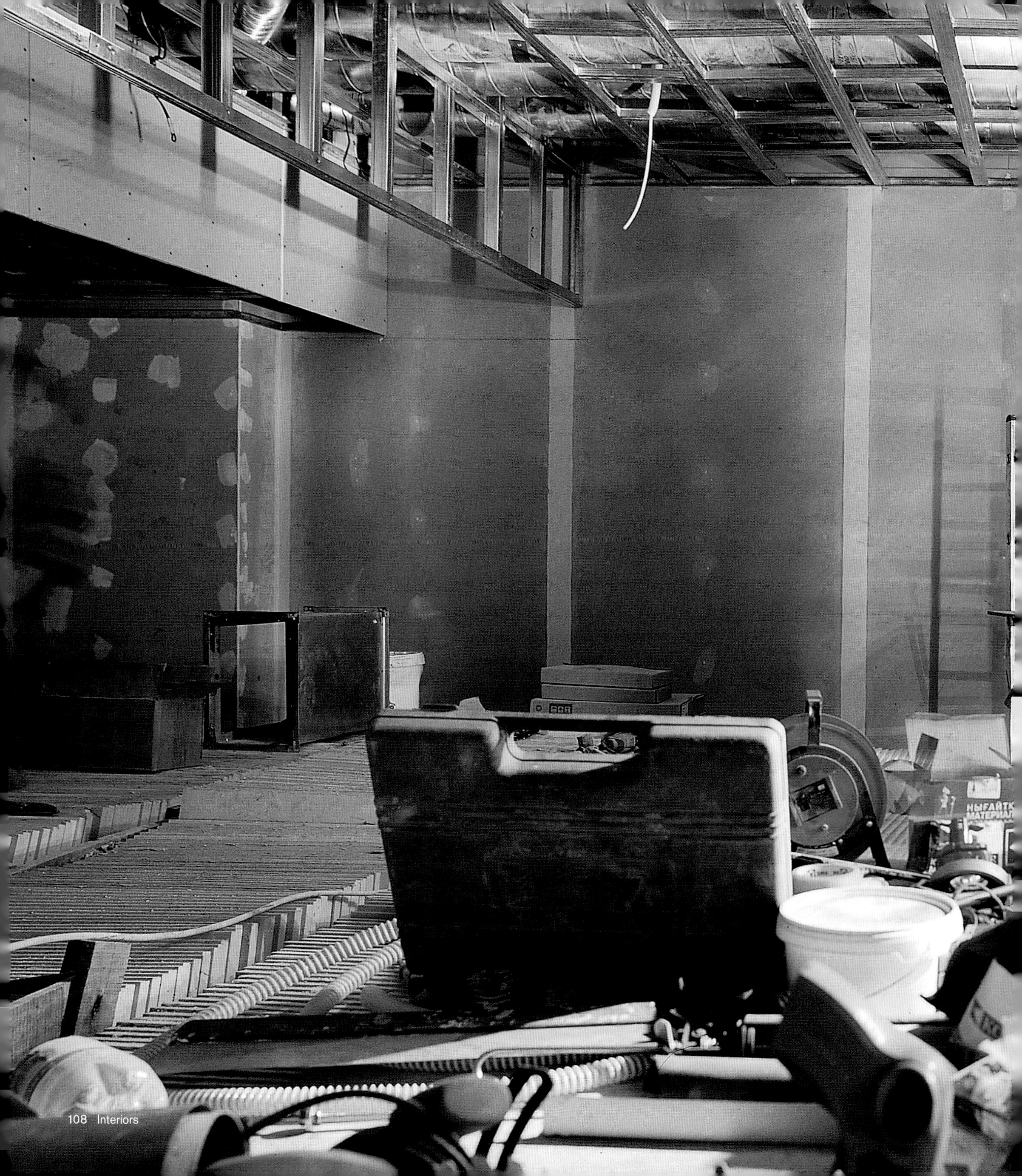

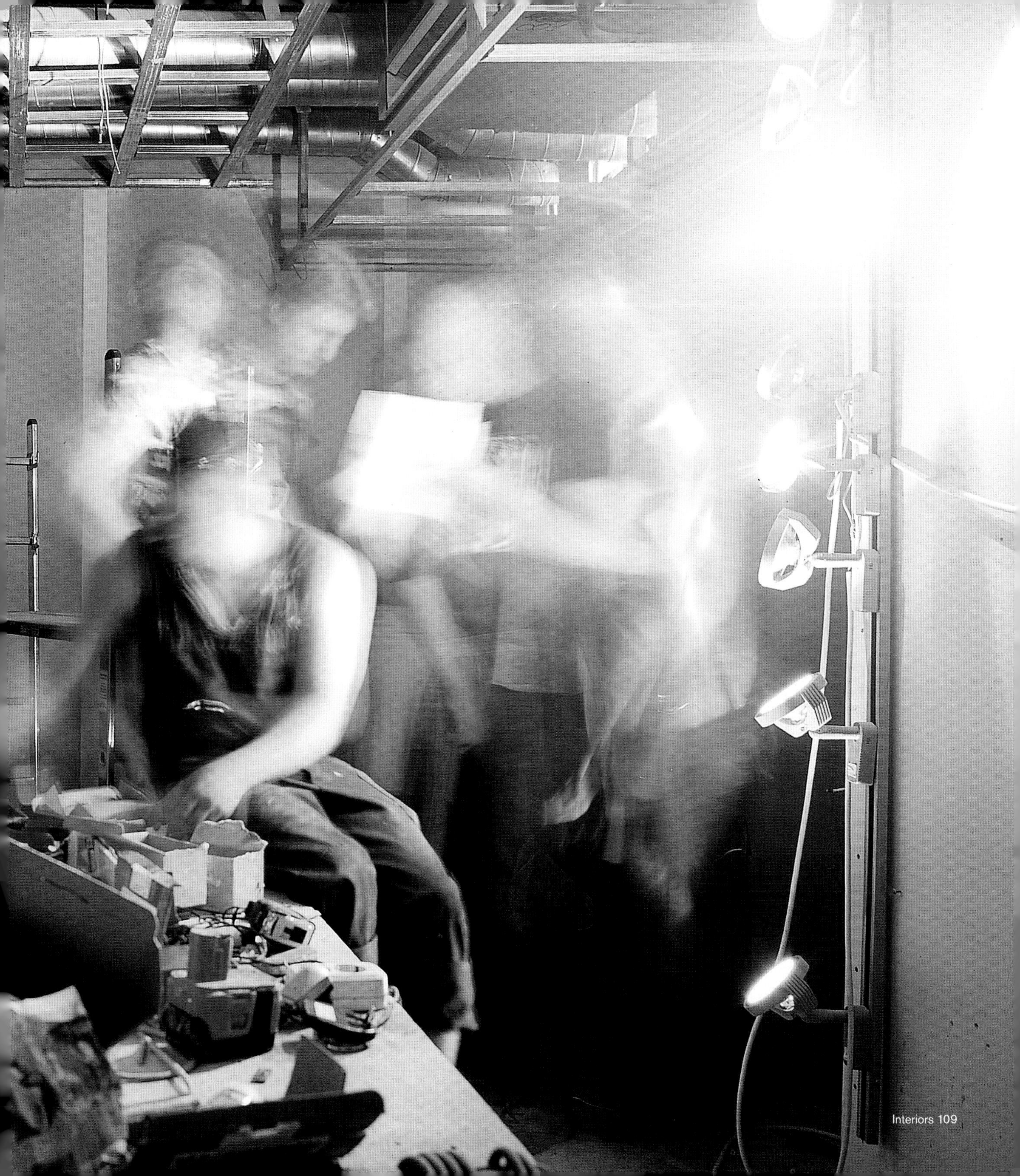

Lufthansa City Center
Lufthansa City Center
Kasachstan/Kirgisistan

Auftraggeber
Central Asia Tourism Corporation
Almaty

OOO Kyrgyz Concept
Bischkek

Corporate Branding
Emde + Jasiak GmbH
Architecture Solutions

Zeitraum
2006–2008

Für die deutsche Airline ist Kasachstan ein wichtiger Standort. Zwar hält sich das Passagieraufkommen noch in Grenzen, doch das Land hat sich aufgrund seiner geografischen Lage zu einem der bedeutendsten Cargo-Standorte für die Lufthansa entwickelt und diente bis zur Verlagerung der Aktivitäten in das russische Nowosibirsk in Sachen Lagerkapazität und Logistik als unverzichtbarer Zwischenstopp für Warentransporte von und nach Fernost. Die gewachsene Verbindung sollte im Rahmen des Projekts weiter ausgebaut werden. Denn längst geht es nicht nur um Güter, sondern auch um neue Kunden. An sieben Standorten ist die Lufthansa nun mit einem *City Center* präsent: Kasachische Franchisenehmer offerieren hier die Dienstleistungen und Angebote des Unternehmens. Für diese *City Center* wurde ein dem Corporate Design entsprechendes Möbelsortiment entwickelt, das den örtlichen Gegebenheiten gemäß vorrangig in kleinen bis mittelgroßen Räumlichkeiten Verwendung findet. Die Module wurden so geplant, dass sie sich den unterschiedlichsten Bedingungen anpassen lassen – eben dort, wo sich findige kasachische Unternehmer mit ihren Geschäftsideen niederlassen. Und sei es in einer erdgeschossigen Plattenbauwohnung.

Thanks to its geographic situation, Kazakhstan was an important transhipment node for Lufthansa until storage and logistic facilities were recently relocated to Novosibirsk. The challenge now was to build on the goods connection to expand into passenger transport, with new Lufthansa City Centers opened in seven locations. Since these are run by local franchise holders, often in small or unusual premises – one is on the ground floor of a prefab panel building – designing a versatile line of furniture was clearly the best way of establishing the corporate design in Kazakhstan.

Lufthansa

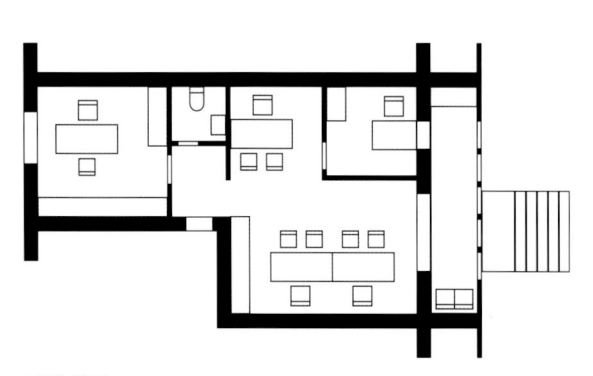

LCC Aktöbe

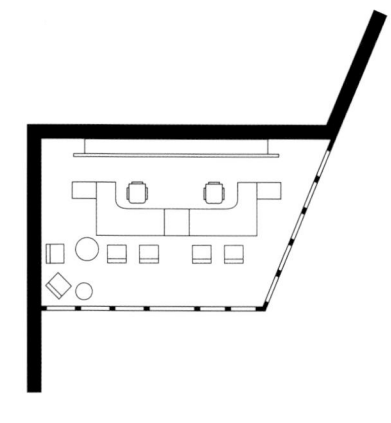

LH Airport Office Astana

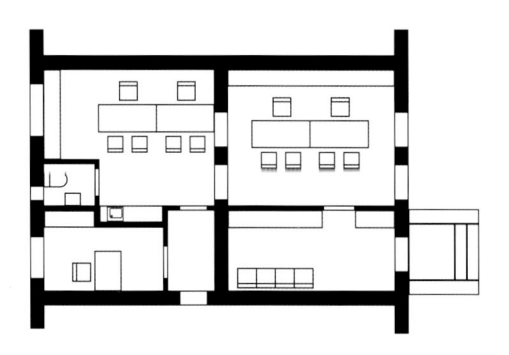

LCC Atyrau

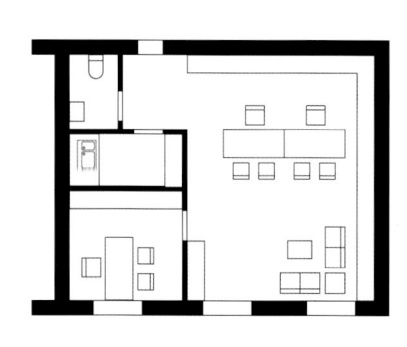

LCC Ust-Kamenogorsk

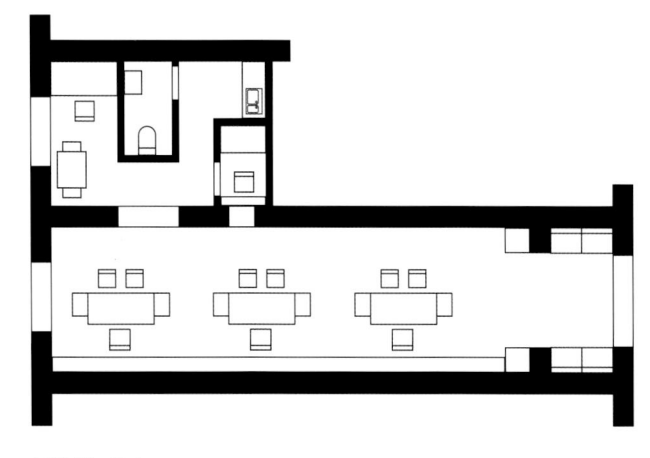

LCC Bischkek

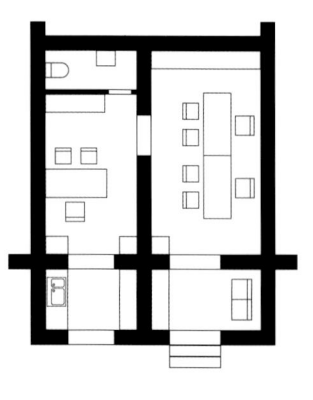

LCC Schymkent

112 Interiors

Interiors 113

114 Interiors

Interiors 115

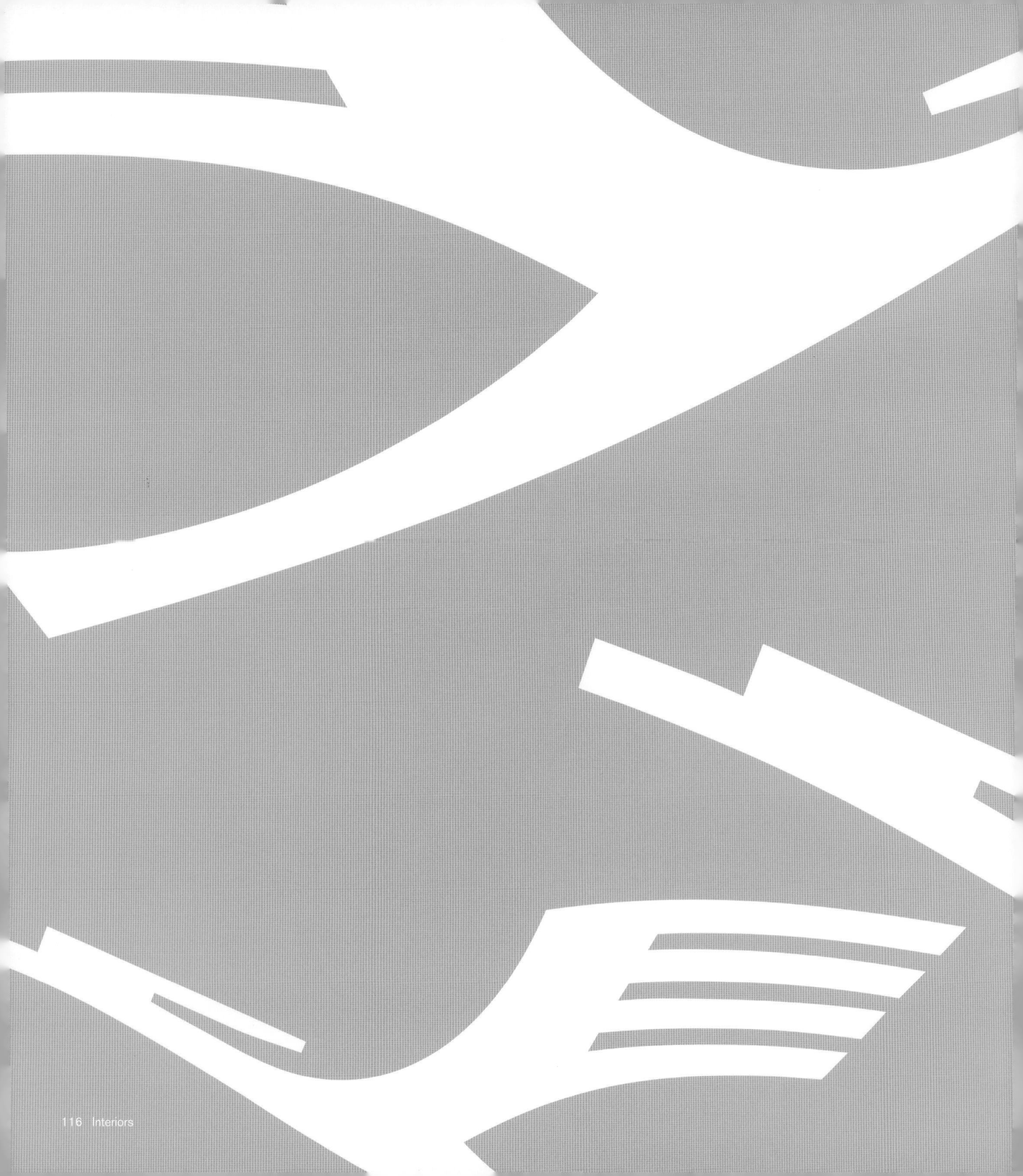

Interiors 117

BER

BERLIN SEIT 1990 HAT SICH DIE EINWOHNERZAHL KAUM VERÄNDERT, ABER 50 PROZENT DER BEVÖLKERUNG SIND ZU- ODER WEGGEZOGEN.

BERLIN THE TOTAL NUMBER OF INHABITANTS HAS HARDLY CHANGED SINCE 1990, EVEN THOUGH 50 PERCENT OF THE POPULATION MOVED TO OR AWAY FROM BERLIN DURING THAT TIME.

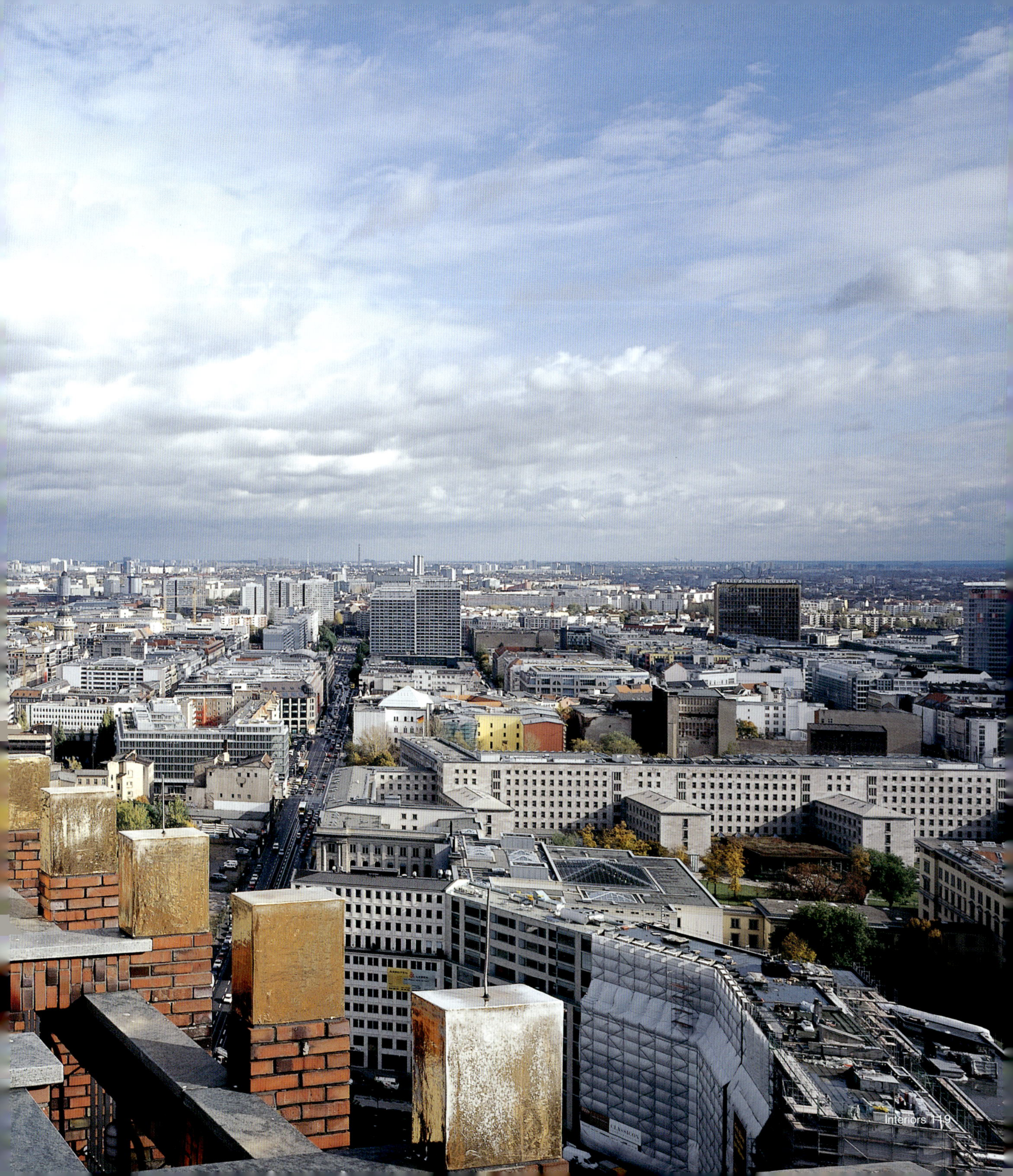

Fotografenwohnung
Photographer's Apartment
Berlin

Nutzfläche
350 Quadratmeter

Umbau
1995–1996

Badezimmer sind beredte Orte. Obwohl sie zu jenen verschwiegenen Wohnbereichen gehören, die eigentlich den persönlichsten Verrichtungen vorbehalten sind. Oder gerade deshalb? In diesem Fall erzählt das Badezimmer in einer Berliner Altbauwohnung vom Willen zu Klarheit und Ruhe. Boden, Waschbecken, die Verkleidung der Badewanne und der Dusche wurden aus Travertin gefertigt, einem Naturstein, der in Farbe und Textur an die freundlichen Eigenschaften von Holz erinnert. Mit Mattglas ausgefüllte, schmale Fassadenöffnungen versorgen den Raum mit Tageslicht. Die mit raumhohen Travertinplatten ausgekleidete, lang gezogene Duschkabine wurde mit einer durchgehenden Steinbank ausgestattet. Eine Glasscheibe trennt die Dusche von der Badewanne. Strenge Linearität und ein stimmiges Kolorit verleihen dem Raum eine großzügige, entspannende Atmosphäre. Hier lebt jemand, der Schönes schätzt. Mehr muss man eigentlich nicht wissen.

Bathrooms are highly personal, revealing places. The bathroom in this period building in Berlin reveals a will to clarity and calm. The wash-basin is made of the same travertine in which the floor, tub, and shower stall are clad. The stone's colour and texture recall the warmth and cosiness of wood. Tall, narrow windows of matte glass provide the room with natural light. A sheet of glass separates the bathtub from the shower stall, which is fitted with a stone bench. What the clear lines and harmonious colours in this bathroom reveal most of all is a sense of beauty.

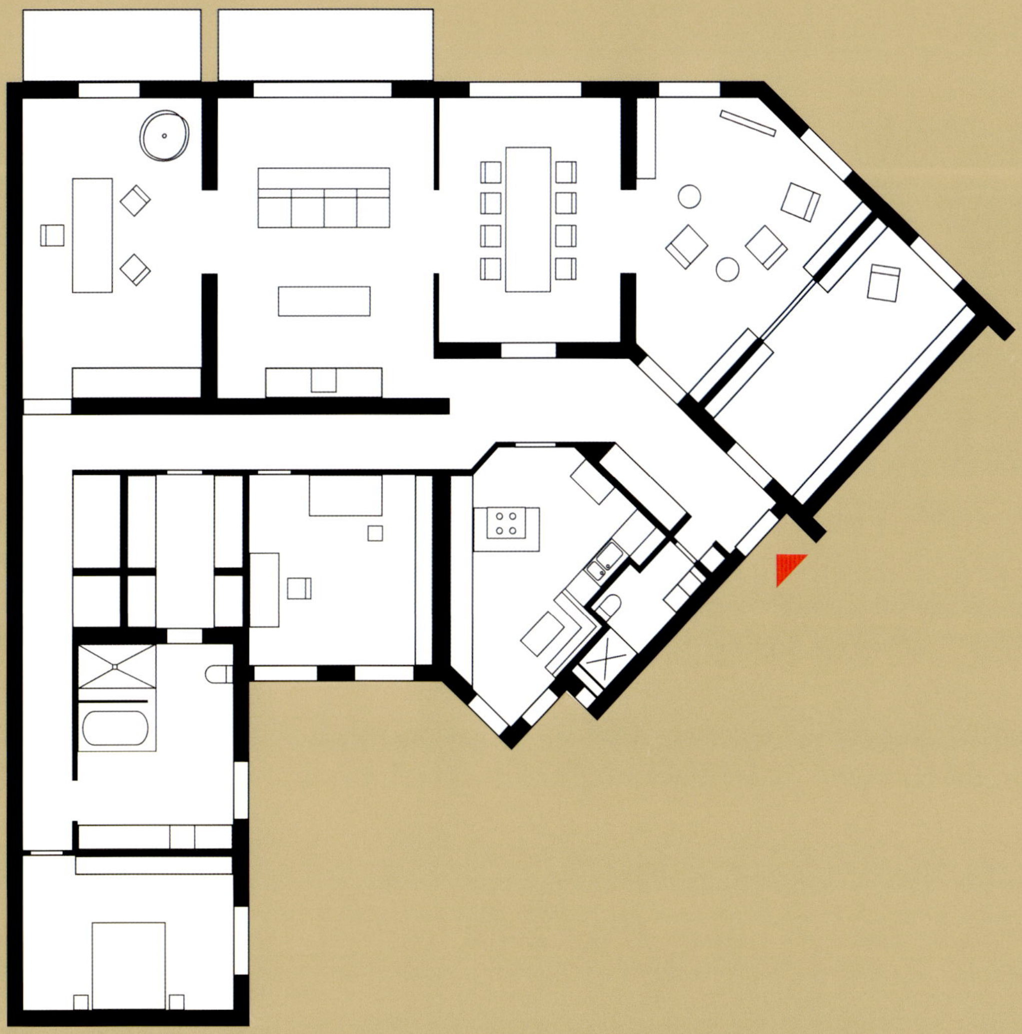

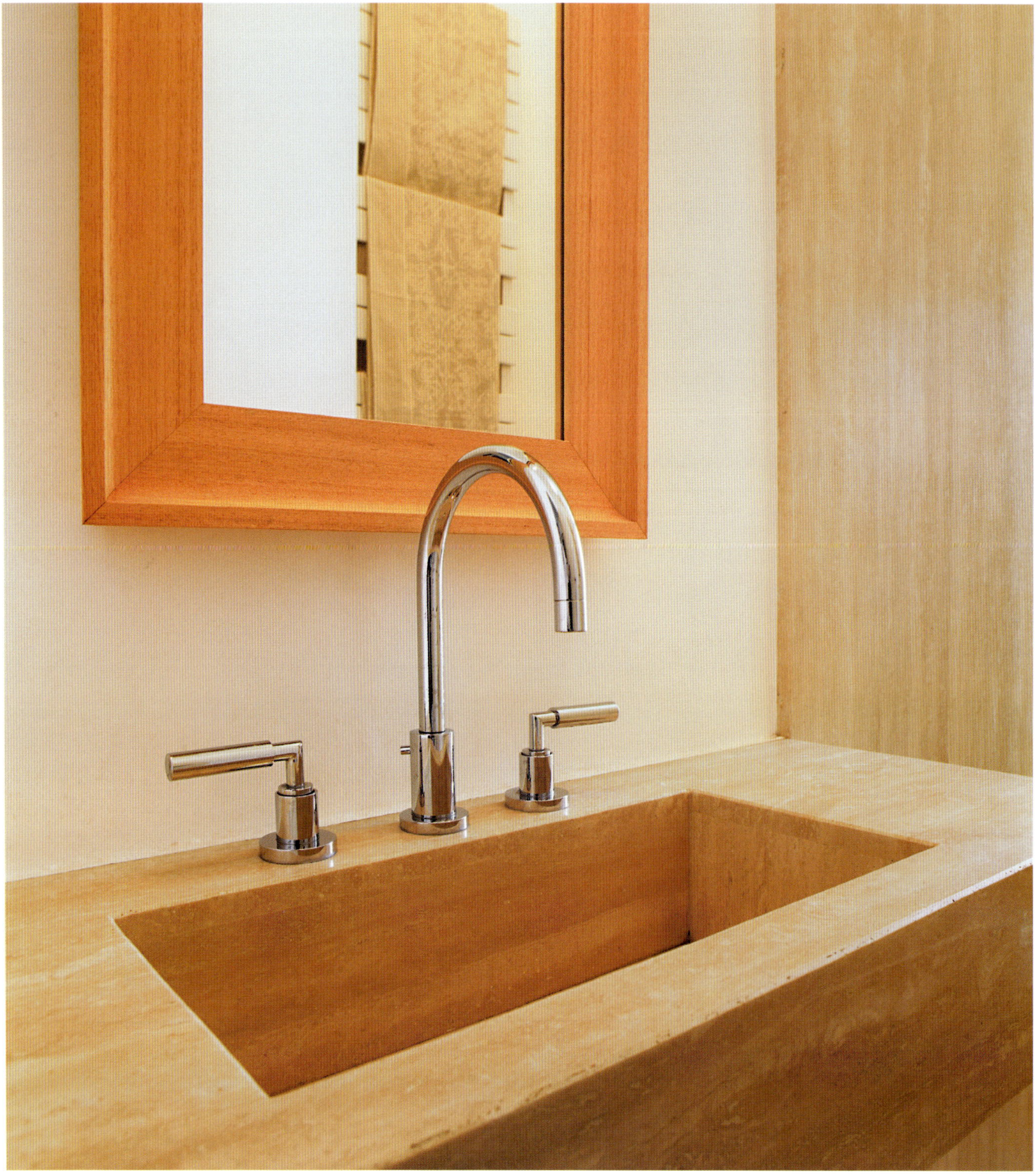

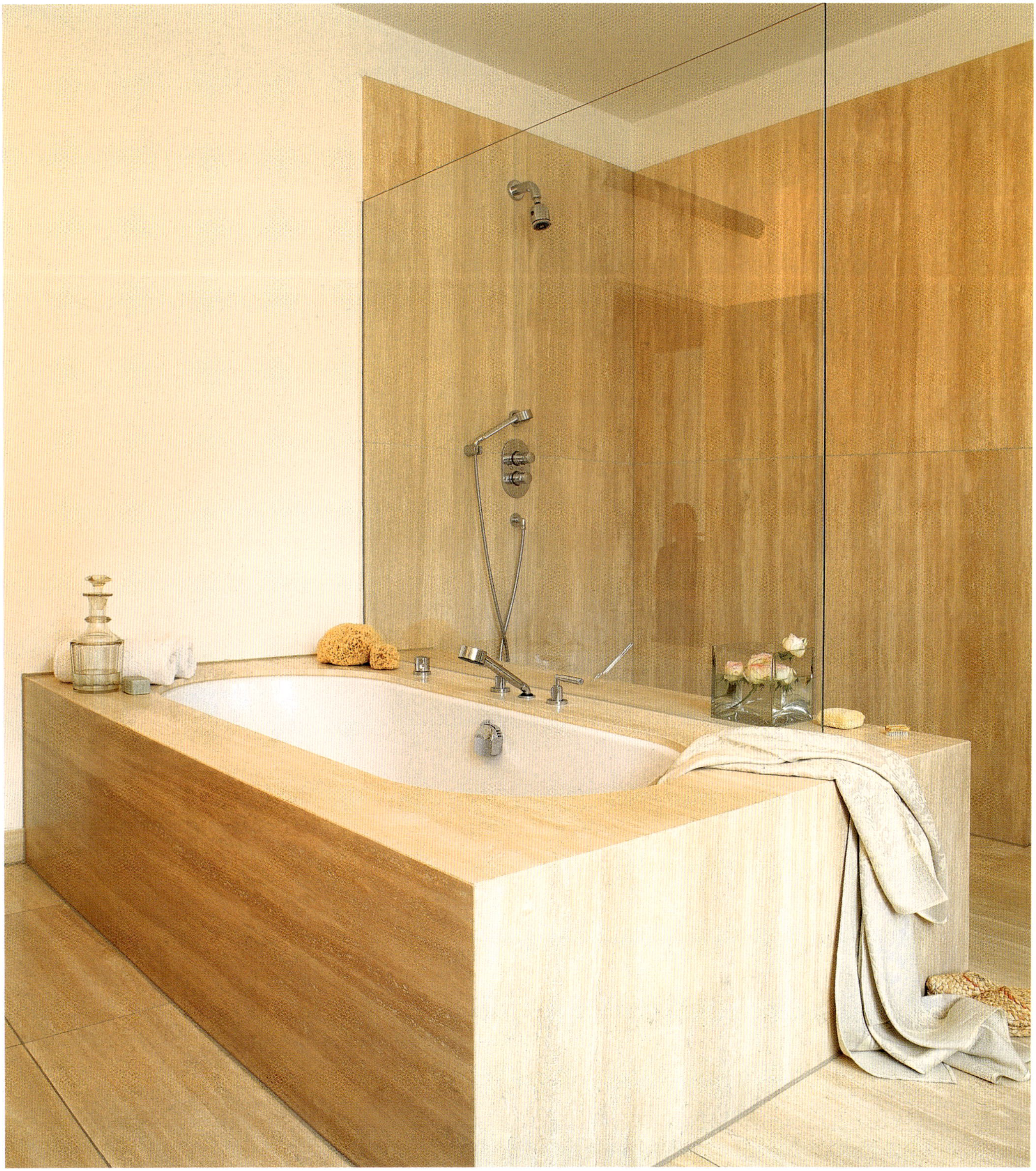

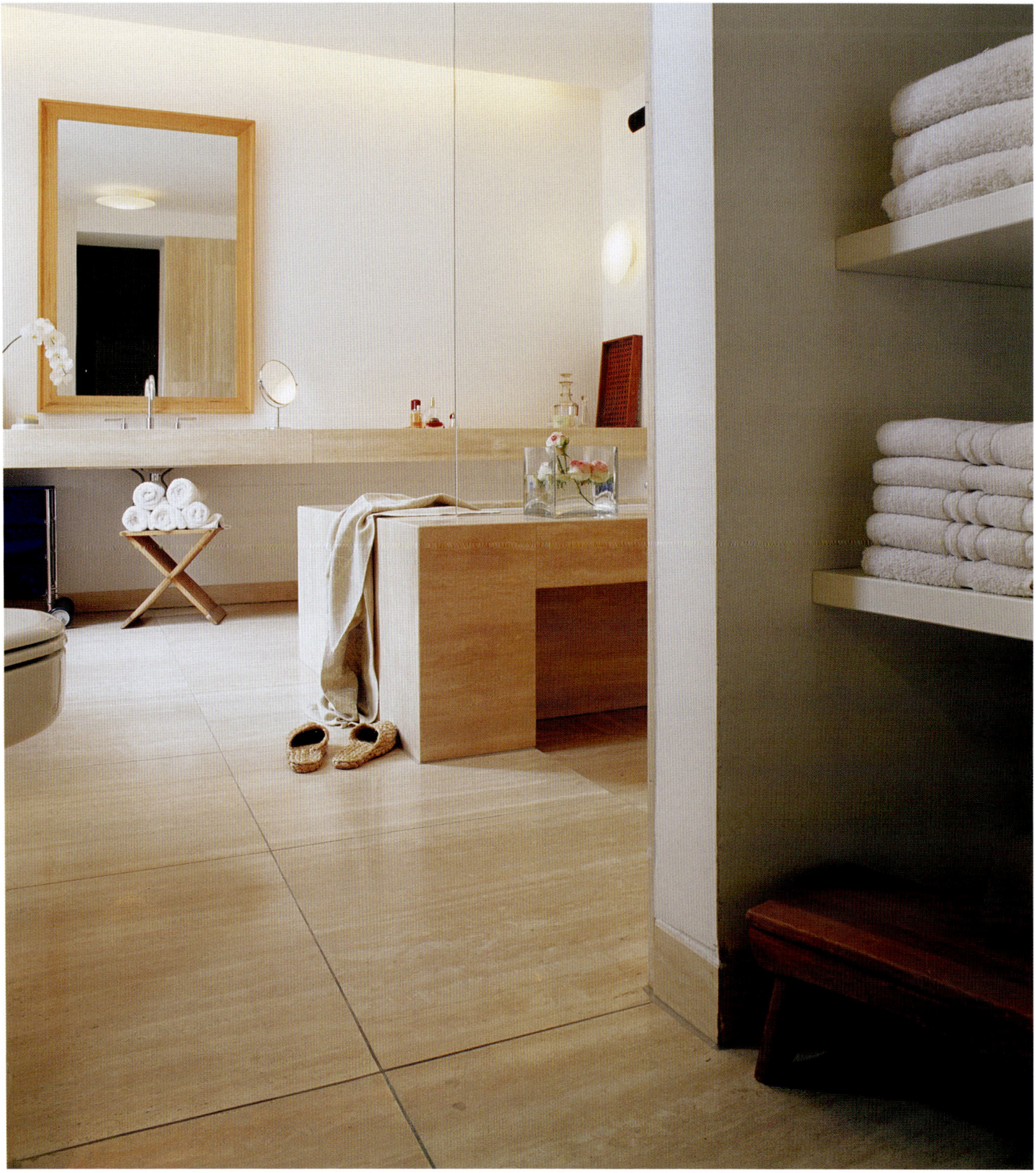

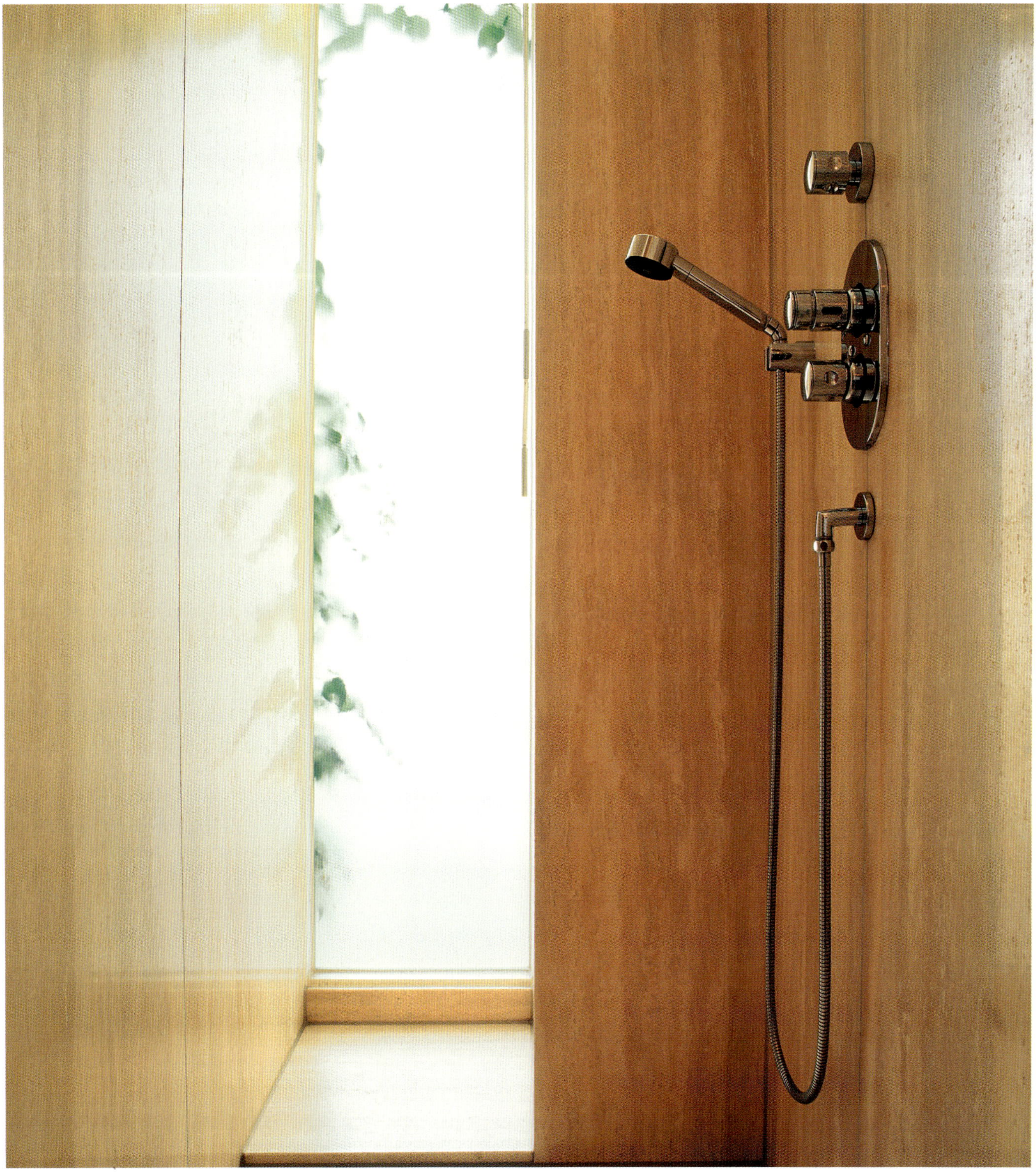

Architektenwohnung
Architects' Apartment
Berlin

Nutzfläche
240 Quadratmeter

Umbau
1997–1998

Die klassischen Qualitäten der 250 Quadratmeter großen Altbauwohnung in einem bürgerlichen Berliner Innenstadtbezirk ruhten lange Jahre unter den dicken und fest haftenden Schichten der Nachkriegszeit: Tapeten, Verkleidungen und zweckmäßige Einbauten. Heimwerkerstolz. Als die Räume für eine junge Familie umgebaut werden sollten, standen die Architekten zunächst vor der Aufgabe, diese Sedimente abzutragen. Was zum Vorschein kam, war ein großzügiges, urbanes Domizil mit luftigen, hellen Zimmern, hohen Decken und altem Parkett. Diese edlen Eigenschaften wurden mit Umsicht restauriert und bewahrt. Anstelle von Tapeten erhielten die Wände einen glatten, weiß gestrichenen Verputz; die Stuckleisten wurden wiederhergestellt und die Fenster und Türen sorgfältig aufgearbeitet. Mit dem eklektischen Mobiliar, einer unnachahmlichen Mischung aus antiken Liebhaberstücken und Designklassikern, entstand ein zeitlos schönes Zuhause, das sich mit Recht als Stadtresidenz bezeichnen lassen darf.

When a young family decided to move into this 250 sqm flat in an old tenement located centrally in Berlin, layers of DIY decorating and fitting still concealed its classic lines and materials. Once the architects had removed this sediment, however, a spacious urban habitat with airy, light rooms, tall ceilings and old parquet emerged. Freed from wallpaper, the walls were smoothly rendered in white. The stucco ceiling ornaments were restored, the windows and doors carefully overhauled. Eclectically furnished with an inimitable mixture of antique collector's items and design classics, this family home breathes timeless elegance.

Interiors 127

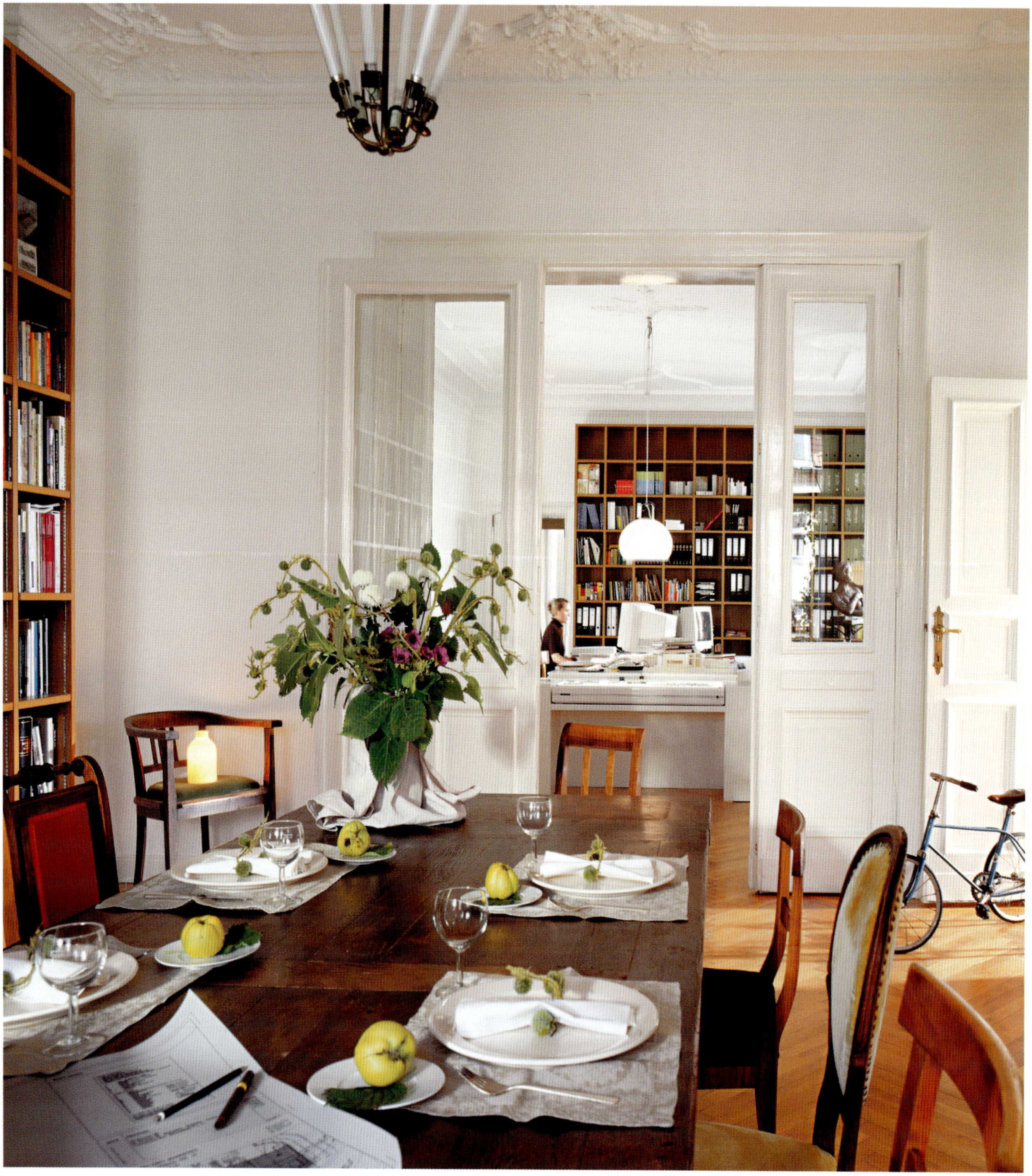

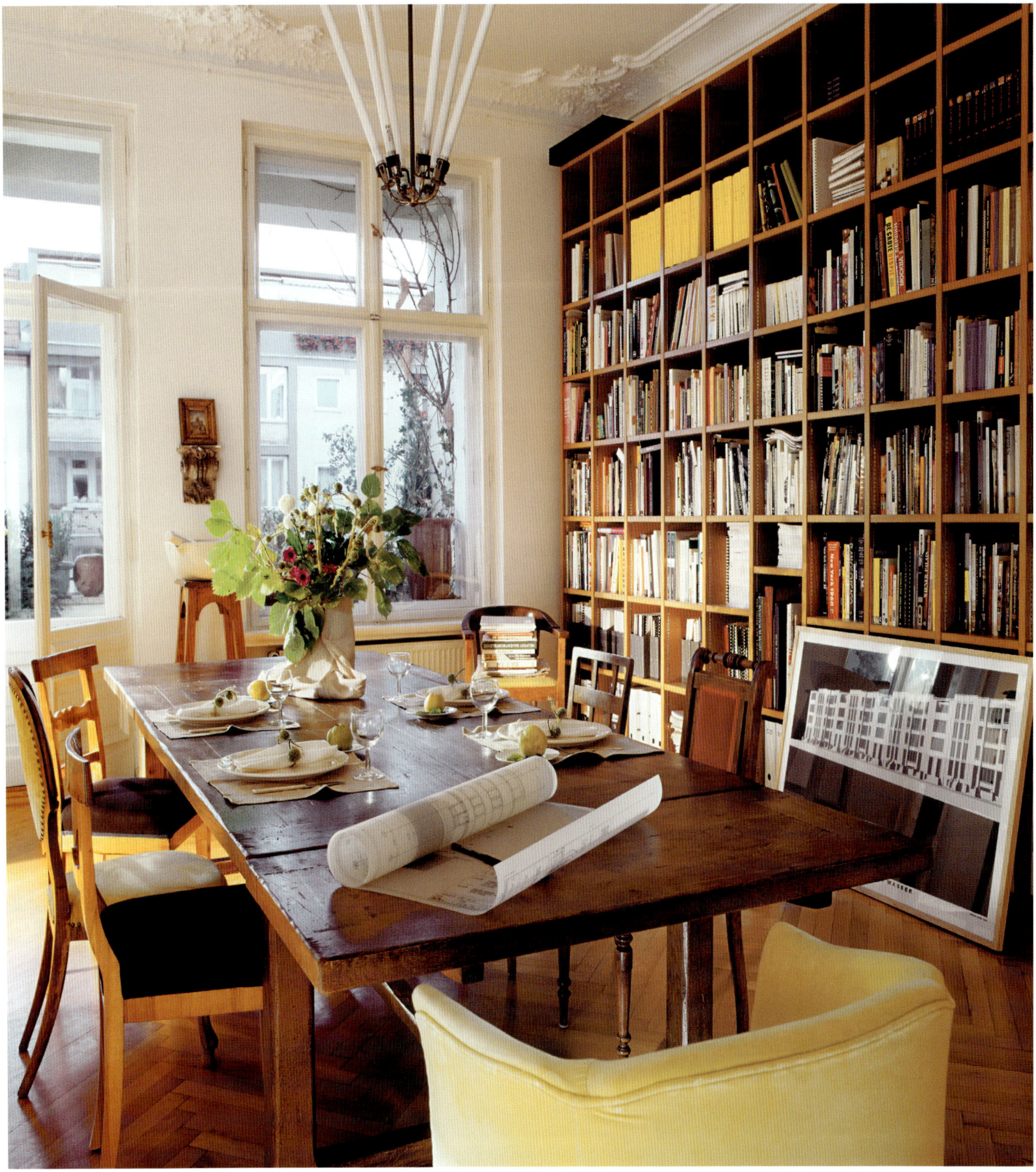

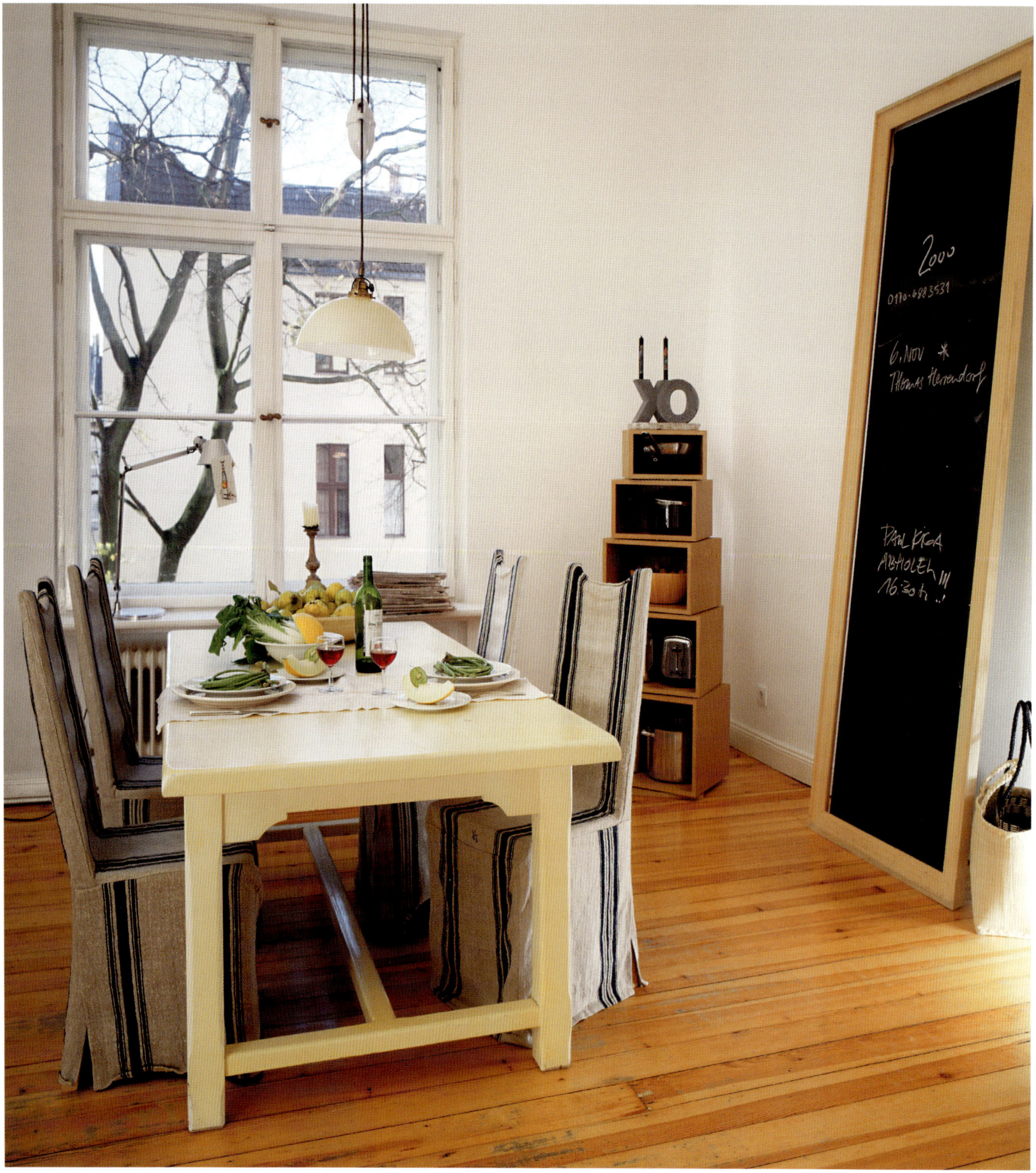

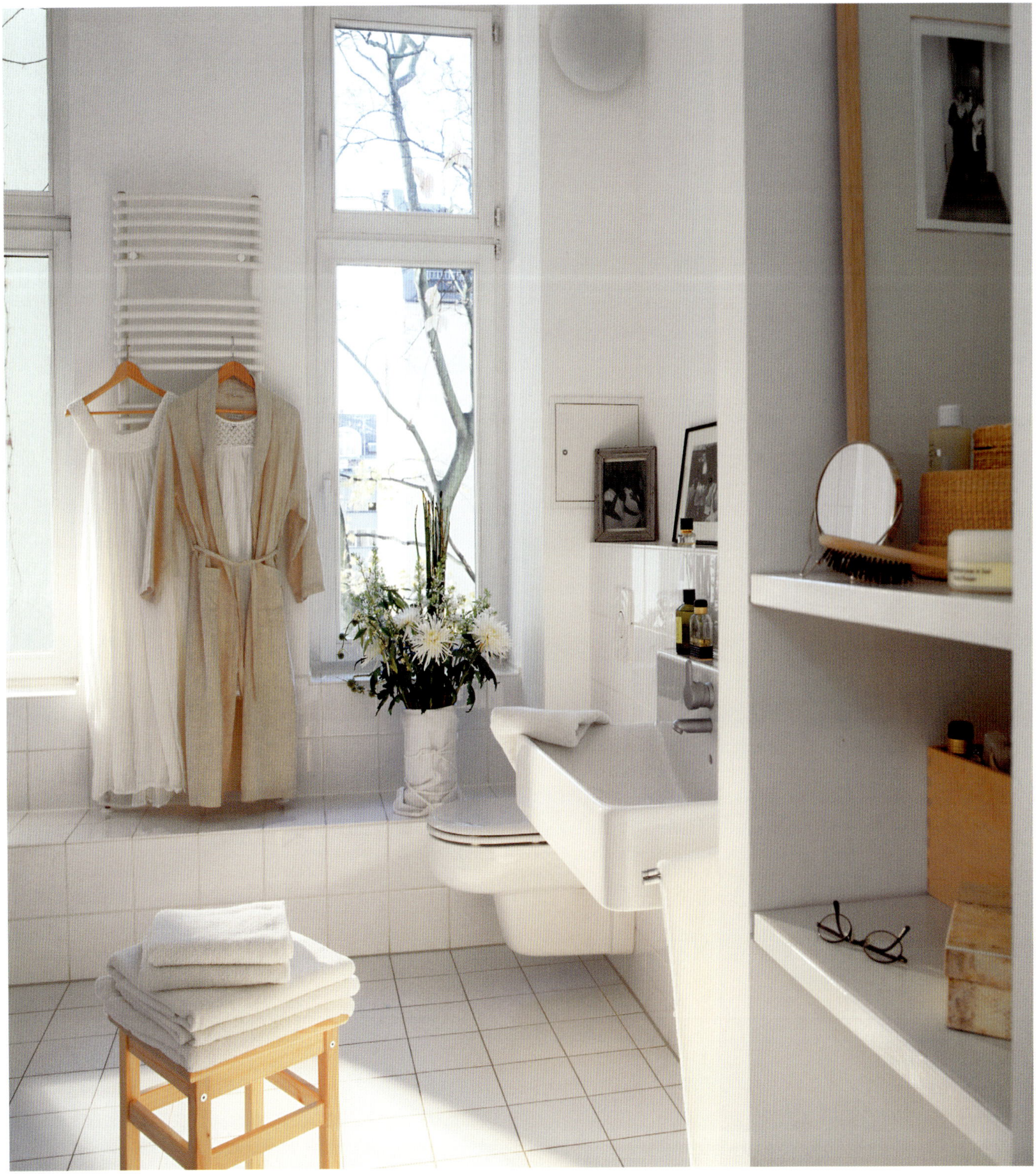

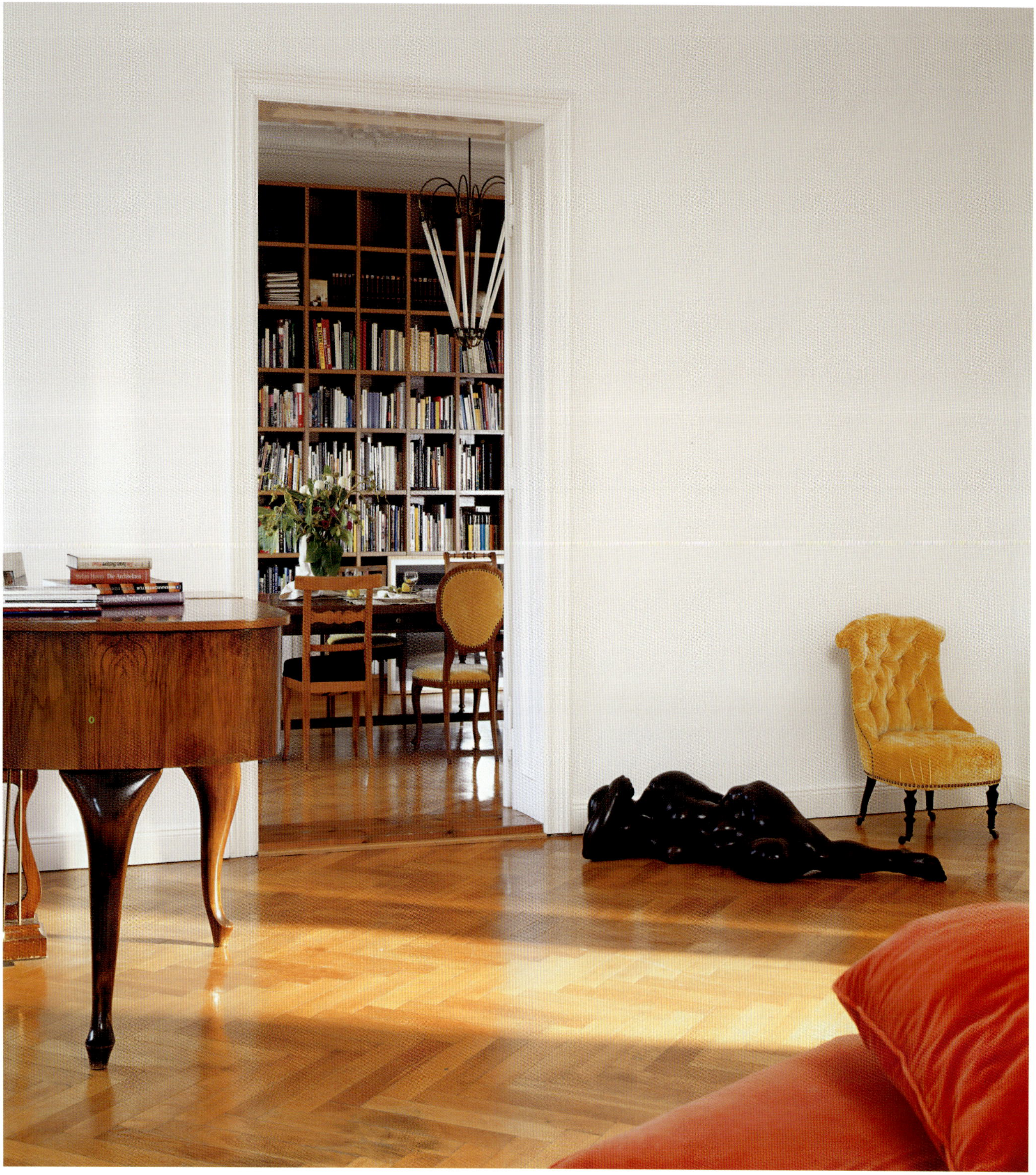

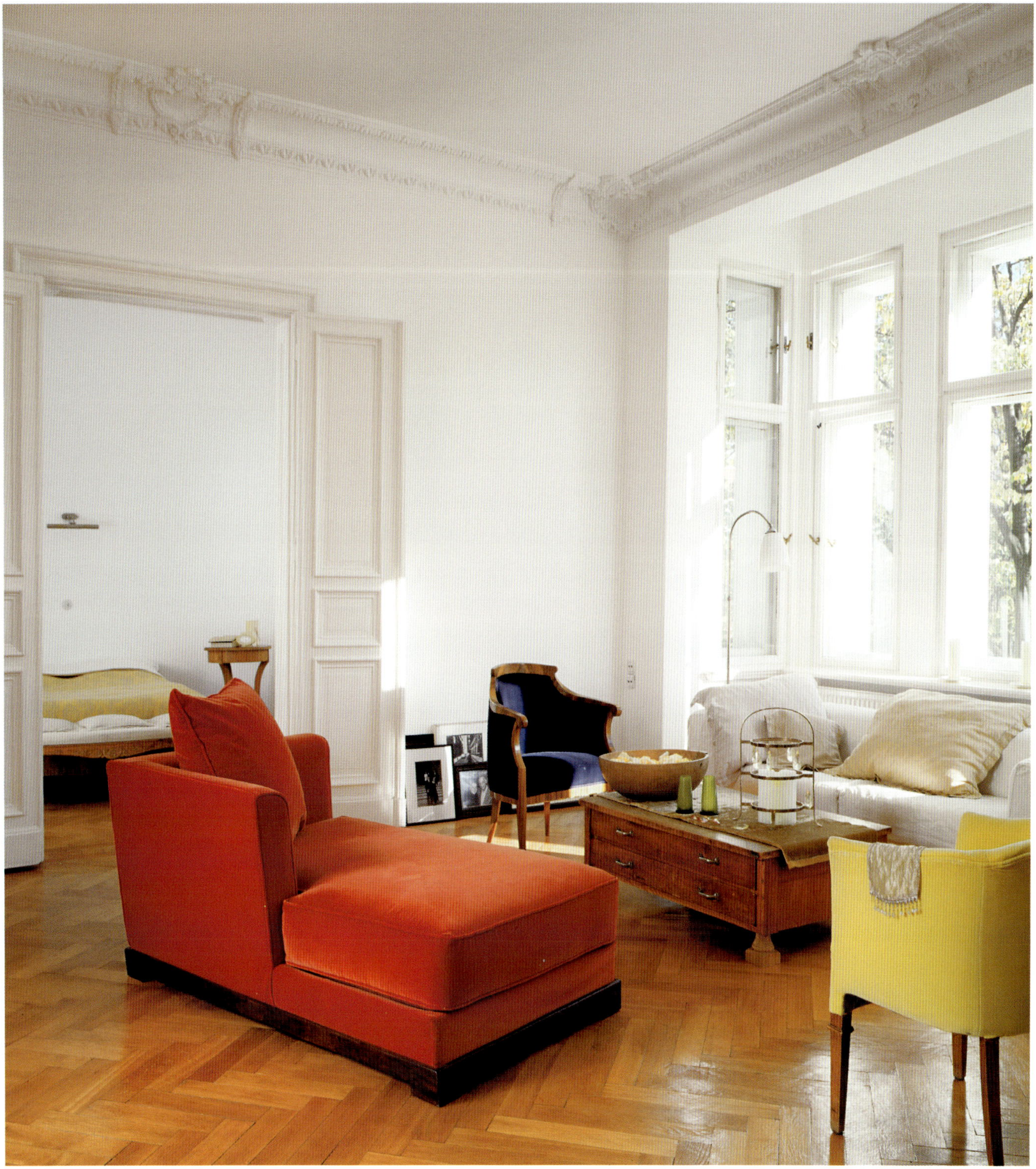

Schauspielerwohnung
Actors' Apartment
Berlin

Nutzfläche
270 Quadratmeter

Umbau
1998–1999

Altbauten sind in Berlin selten älter als 100 Jahre. Und trotzdem erinnern sie hier und da an Zeiten, in denen man noch der Eleganz und Großzügigkeit von Königsschlössern nacheiferte. Auch wenn es am Ende nur um eine Etagenwohnung in einem Mehrfamilienhaus ging. Auch heute lässt sich dieser Geist noch aufspüren. Das beweist auch das weitläufige Appartement, gelegen in einem innerstädtischen Wohnhaus, dem mit wenigen, gleichwohl veredelnden Eingriffen die versunkenen Qualitäten bourgeoiser Wohnkultur zurückgegeben wurden. Die Familie erklärte Bad und Küche, mithin die gemeinsam zu nutzenden Räume der Wohnung, zu Kristallisationspunkten des Alltags und reservierte ihnen viel Platz. Hier sollten sich alle Familienangehörigen gleichzeitig miteinander aufhalten können – das war die Idee. Der klösterlichen Schlichtheit des großen, unverstellten Badezimmers steht die fast barocke Dekadenz der Küche gegenüber, in der sich Töpfe und Pfannen um einen Ausgleich mit feinem Parkett, Flügeltüren und Stuckdecke bemühen.

Berlin's old buildings are rarely much older than 100 years. And yet they can evoke a time when architects still sought to emulate the elegance of royal residences. This spirit is very much in evidence in this spacious flat in central Berlin, where a few discreet interventions sufficed to uncover the traces of a splendid past. The family decided that the rooms used by all its members – the kitchen and bathroom – would be the biggest. While the bathroom is austere in its simple spaciousness, the kitchen is more of a baroque experience, with a welter of pots and pans striking a fine balance to elegant parquet, double doors, and stuccoed ceiling.

Interiors 135

136 Interiors

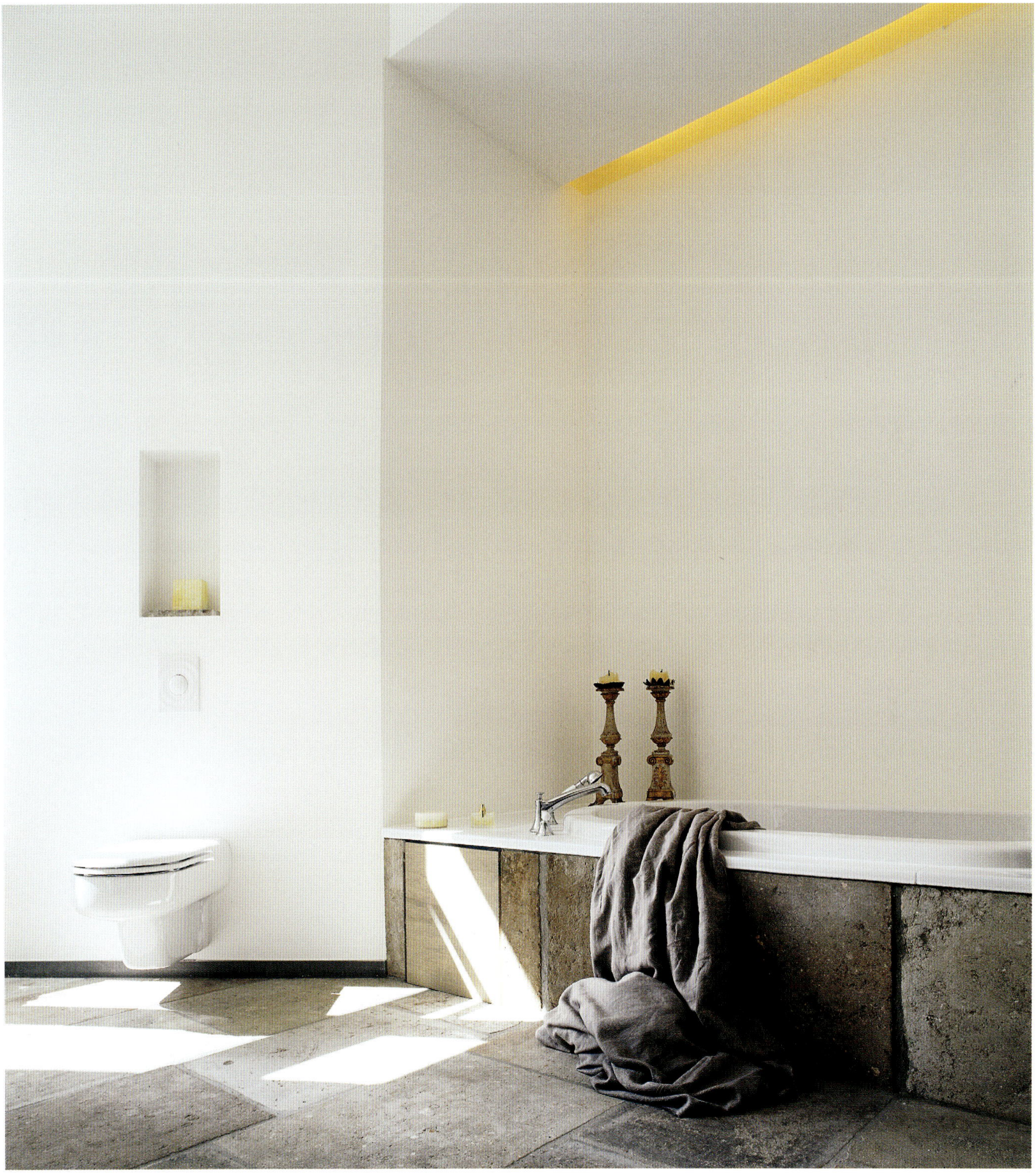

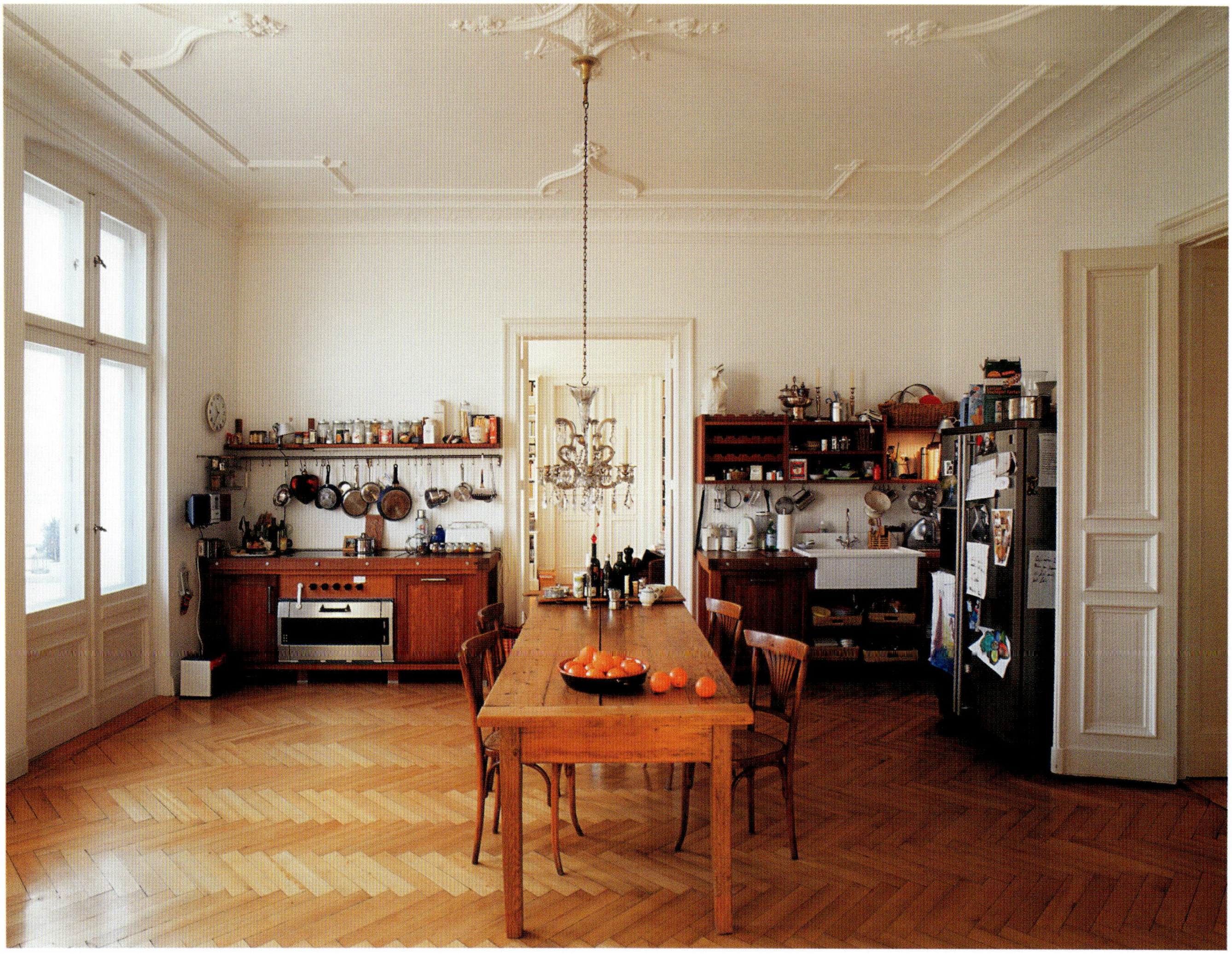

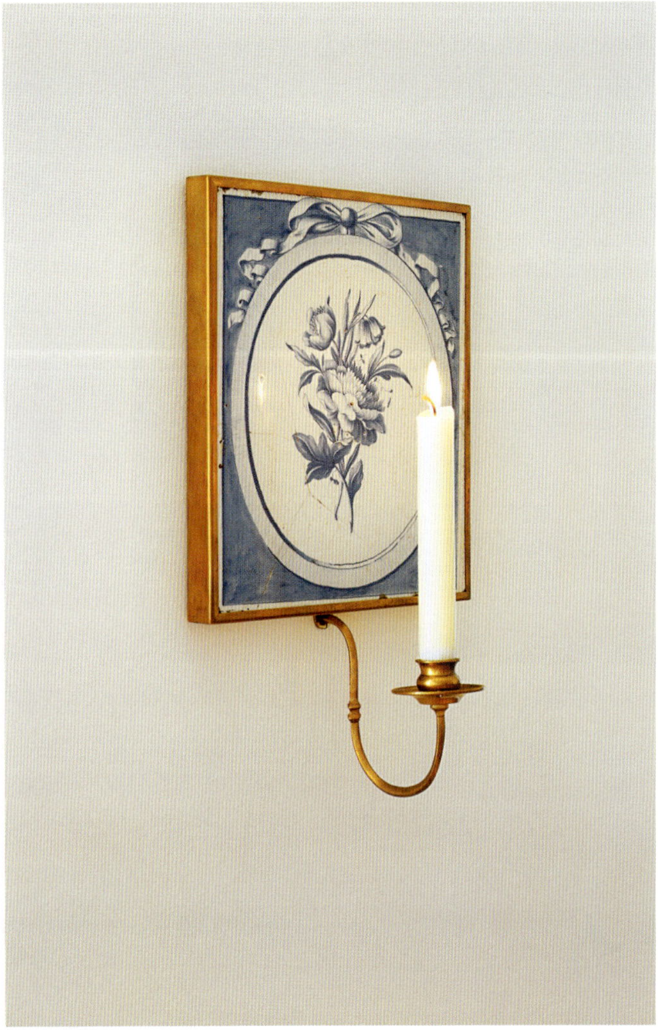

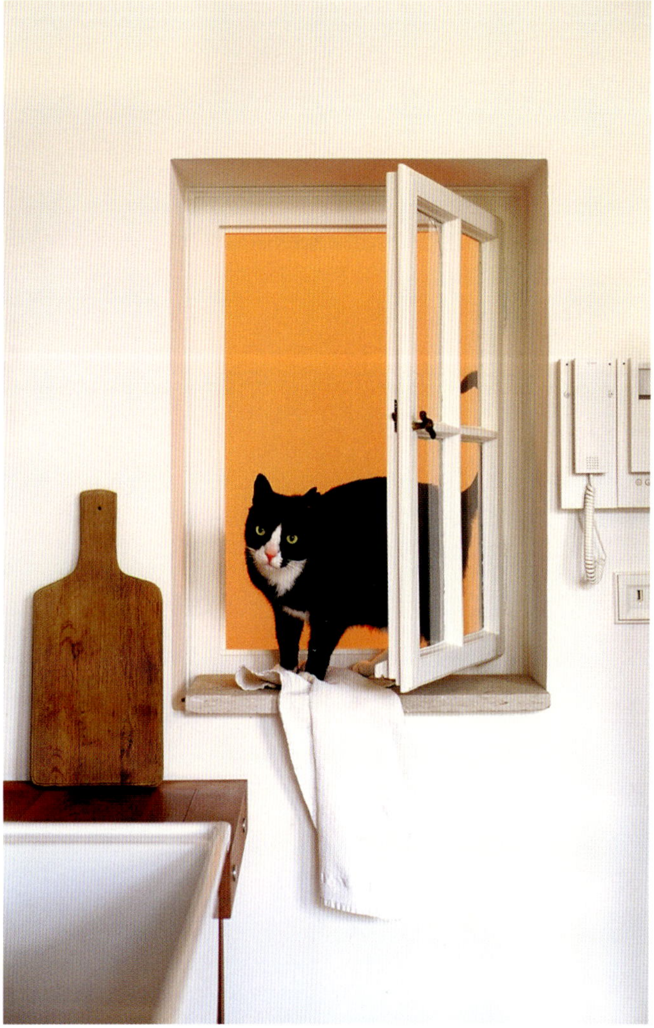

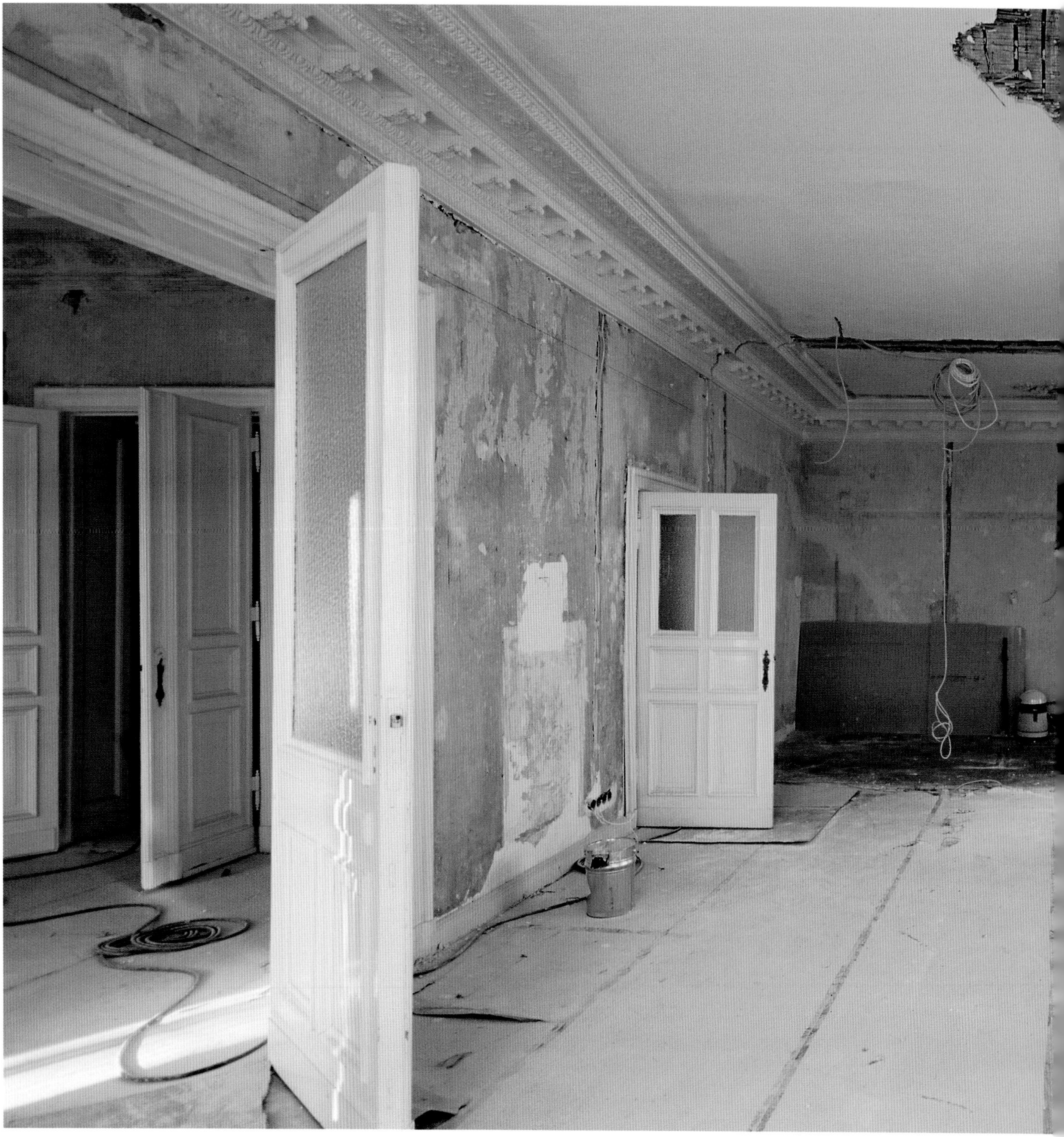

Interiors 141

Produzentenwohnung
TV Producer's Apartment
Berlin

Nutzfläche
350 Quadratmeter

Umbau
2006–2007

Wenn jemand viel unterwegs ist und oft in Hotels übernachtet, wird das vertraute Gefühl, zu Hause zu sein, zu einem Wert an sich. Es war daher verständlich, dass der Umzug in eine neue Wohnung mit dem Wunsch verbunden war, dieses Gefühl der Vertrautheit so ähnlich wie die eigenen Habseligkeiten mitzunehmen. Die Architekten standen also vor der heiklen Aufgabe, die neuen, nach frischer Farbe riechenden Räume so zu gestalten, dass gar nicht erst das Gefühl von Fremdheit entsteht, sondern die baulichen Gegebenheiten zusammen mit dem Interieur eine organische, scheinbar über Jahre gewachsene Einheit bilden. Dass man sich hier vom ersten Tag an zu Hause fühlt, liegt an der schlichten Schönheit der Räume, dem reichlich einfallenden Tageslicht und den Möbeln, allesamt handverlesene Einzelstücke. Es sind private Räume, im besten Sinne.

For someone who has to travel a lot and sleep in hotels, being at home is a rare pleasure. A frequent traveller having to move house would naturally want to pack his sense of home along with his belongings. In such a case the interior architects face the delicate task of arranging new rooms still smelling of fresh paint in a way that prevents a sense of being elsewhere from arising. Their aim therefore was to create an interior ensemble as comfortable as a pair of well-worn shoes. The sense of home conveyed by these rooms is above all due to their simple beauty, the natural light flooding in through the windows, and the furniture, all of it hand-picked vintage pieces.

Interiors 143

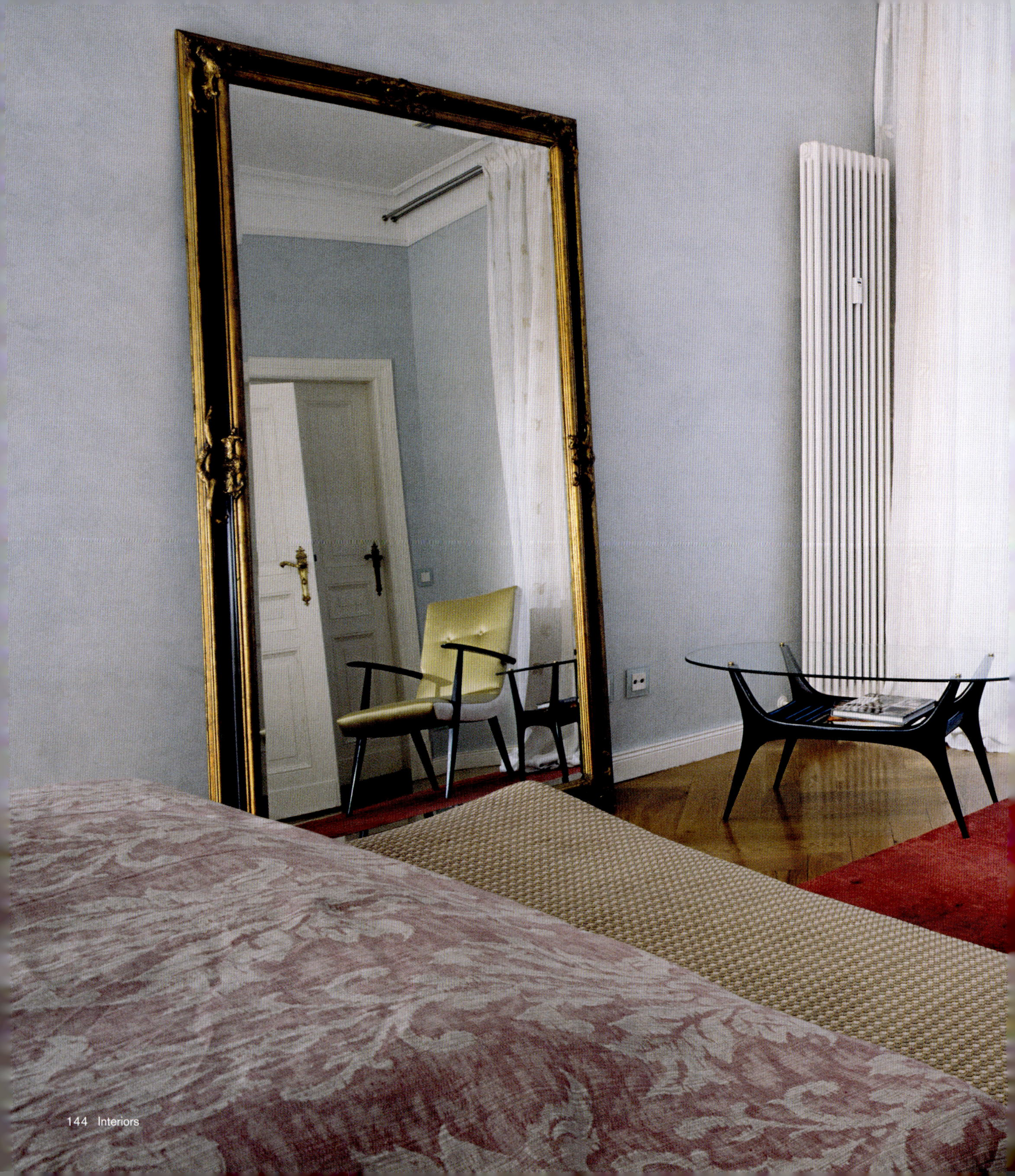

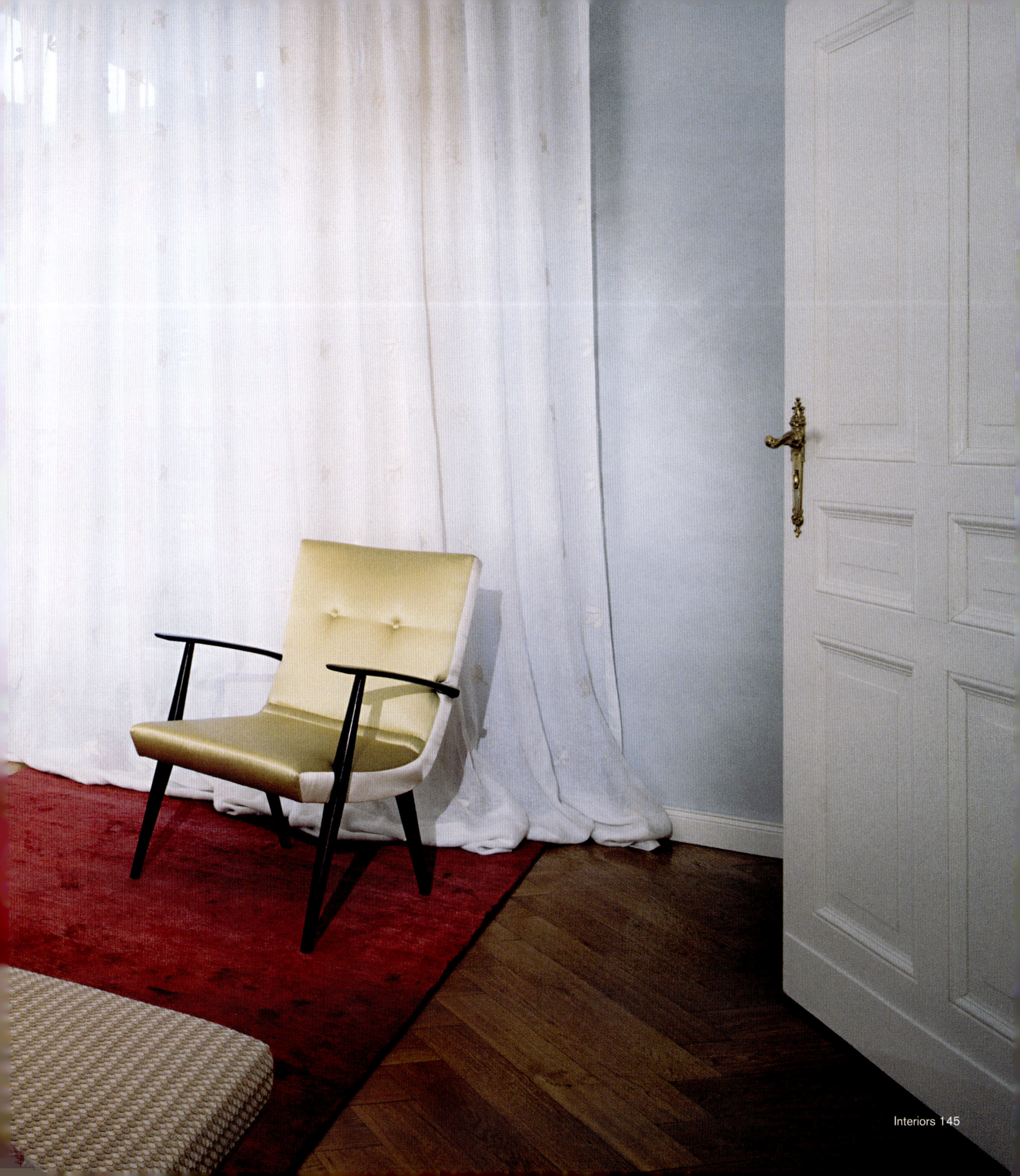

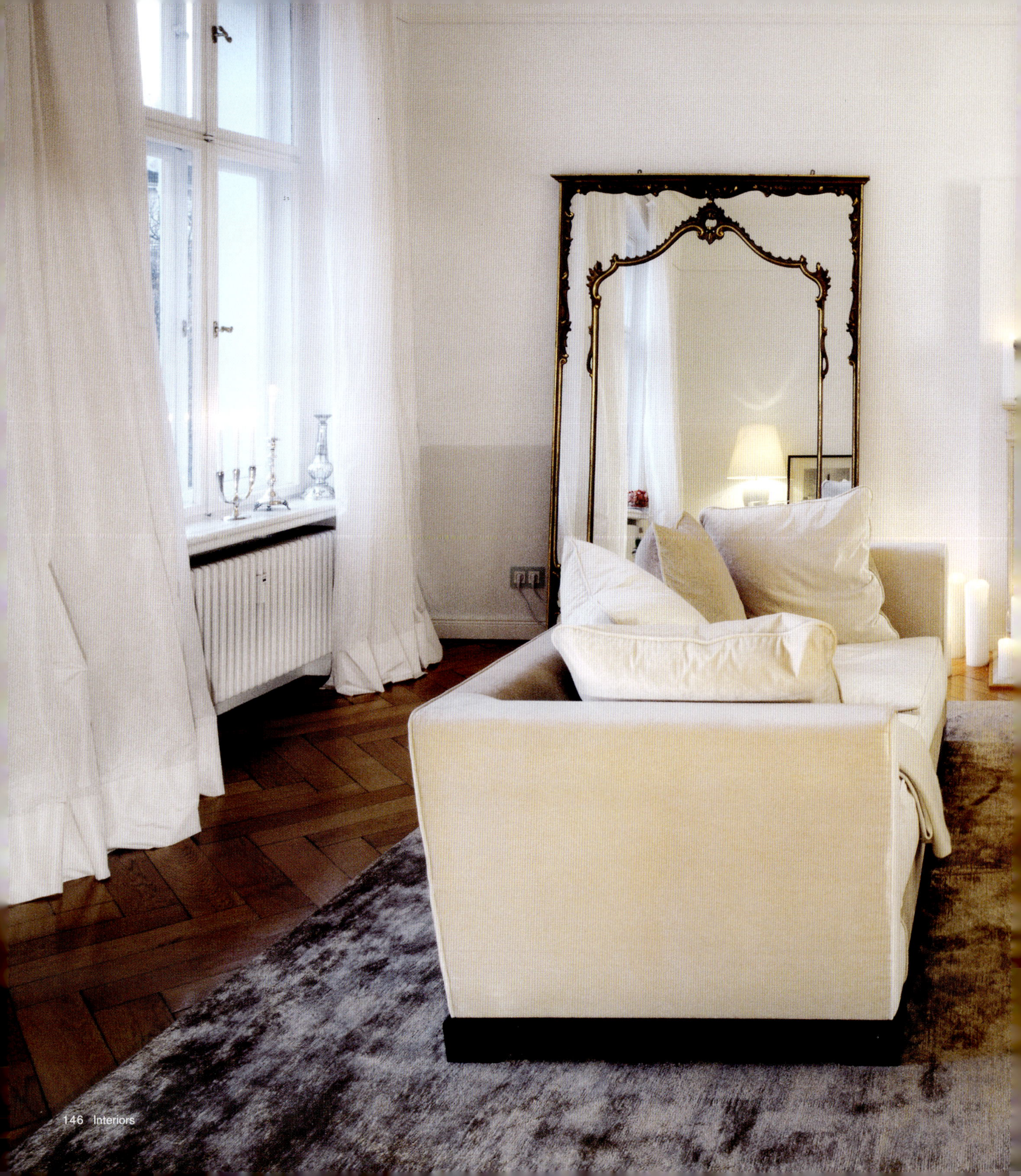

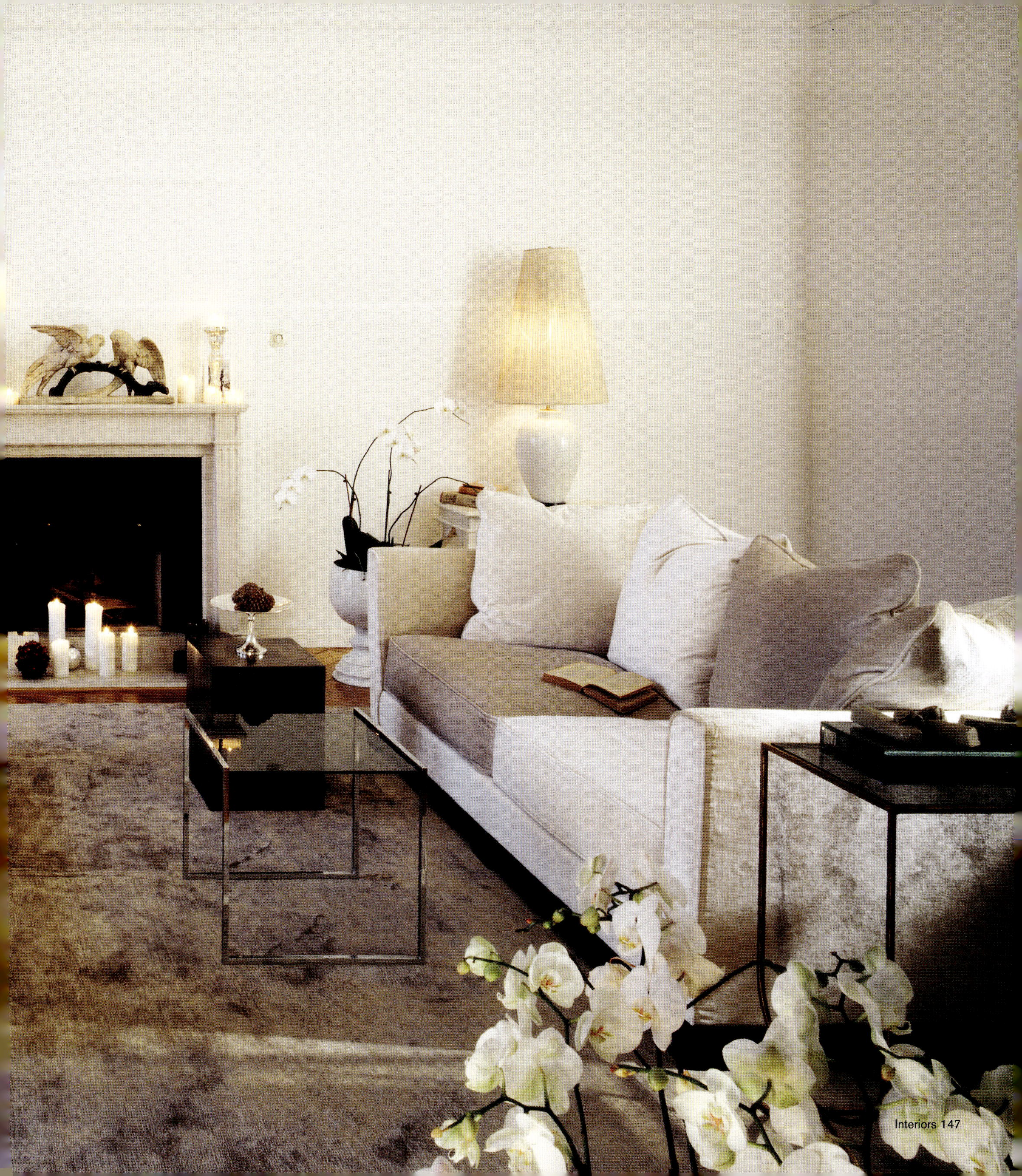

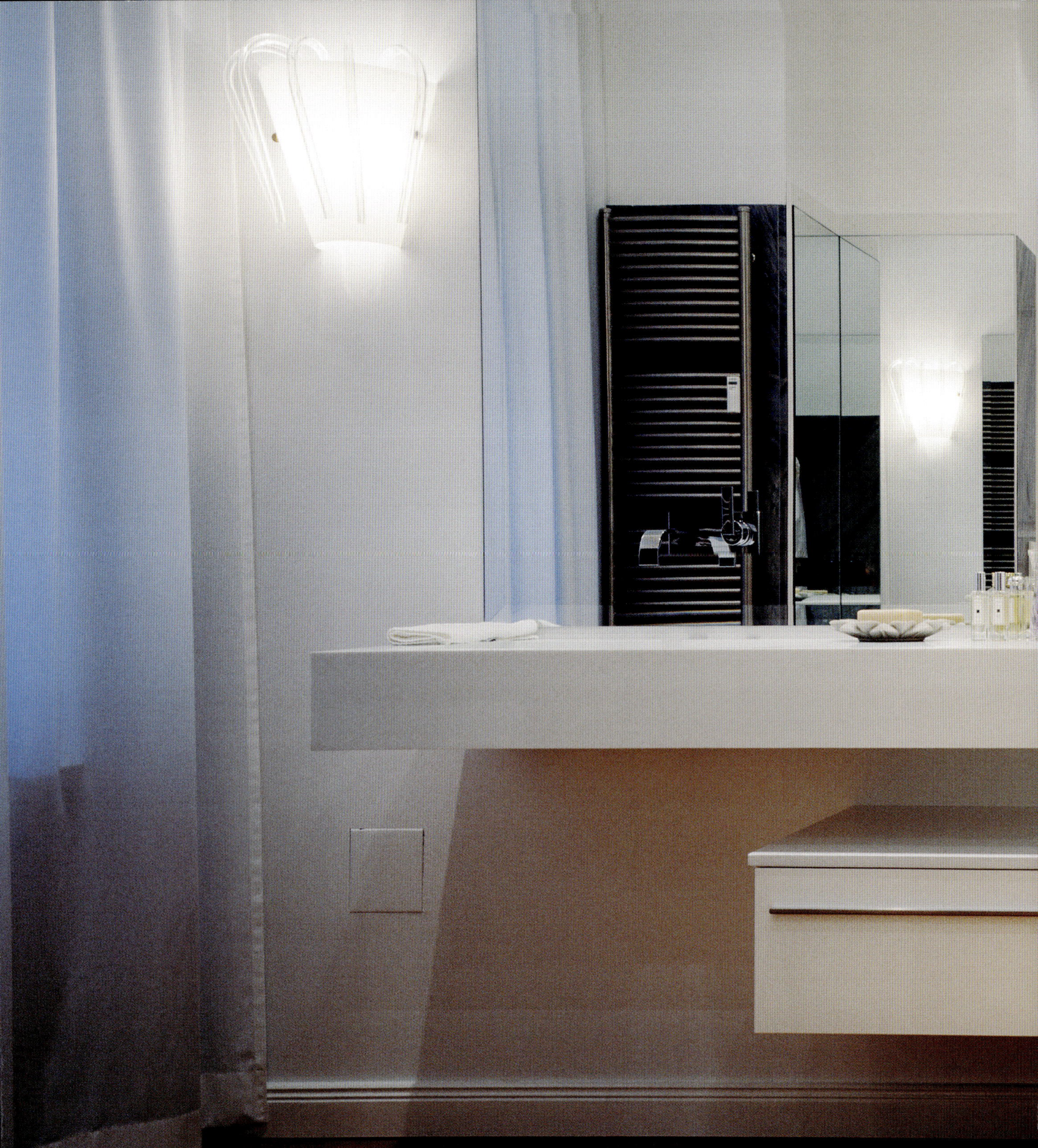

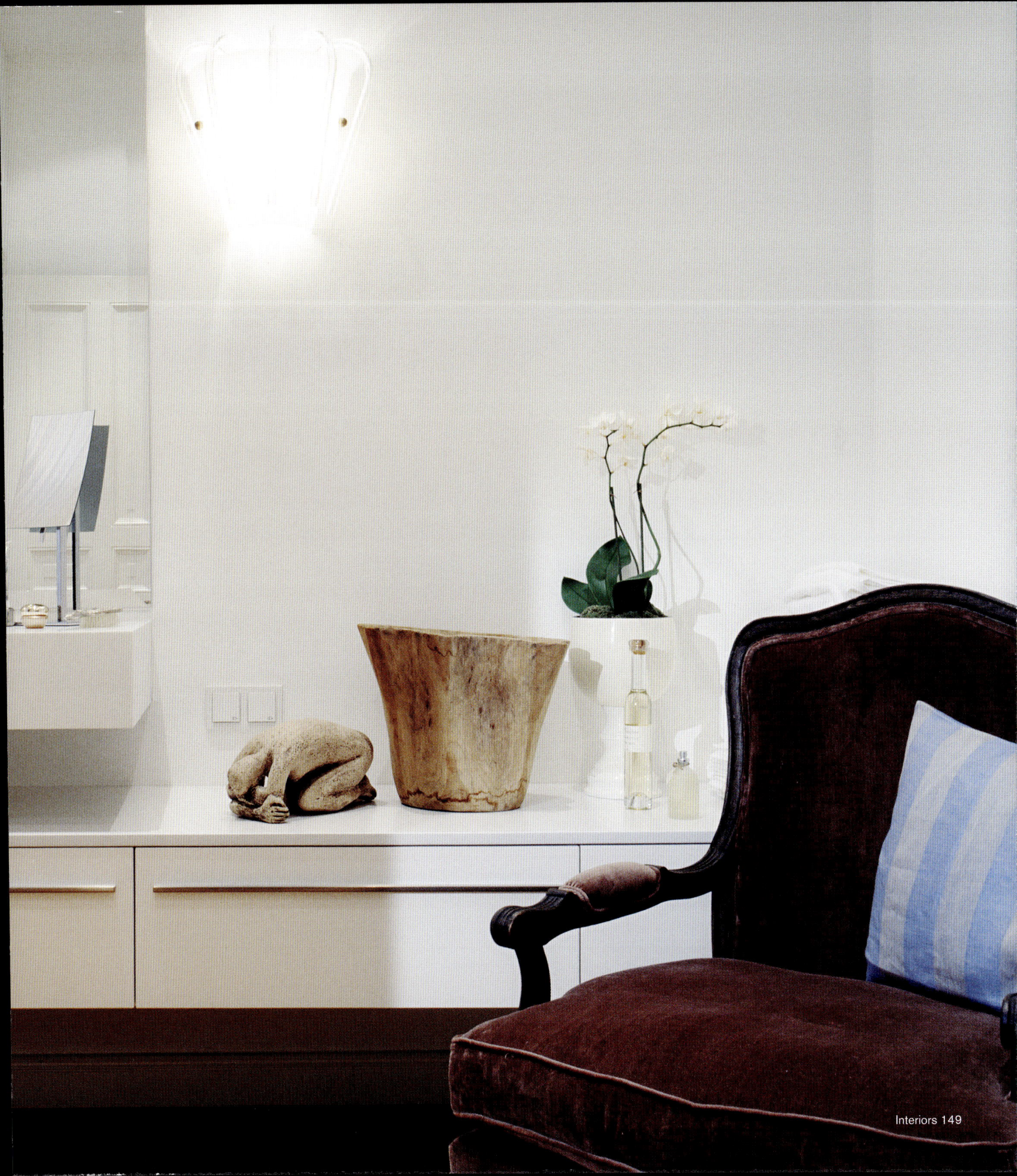

Villa im Grunewald
Grunewald Residence
Berlin

Nutzfläche
1.200 Quadratmeter

Neubau
2009–2010

Die neue Villa, entstanden als repräsentativer Wohnsitz für eine vierköpfige Familie, befindet sich im Berliner Stadtteil Grunewald und fügt sich mit ihrer an klassischen Vorbildern geschulten Architektur gut in die für feine Residenzen bekannte Umgebung. Der haustechnisch hochgerüstete und modern ausgestattete Neubau sollte in seinem Inneren die ausgesuchten Ansprüche der Hausherren mit traditionellen Attributen gehobener Wohnkultur verbinden und sowohl privates Refugium als auch Repräsentanz sein. Insbesondere der Gestaltung der Aufenthalts- und Wohnräume des Hauses wurde besondere Bedeutung beigemessen. Feinstes Parkett, nach Raumnutzung und -lage mal in Fischgratausführung oder als palaisartiges Tafelparkett, bildet zusammen mit den Wandbespannungen und Stofftapeten einen feinen Rahmen für das aus ausgesuchten Einzelstücken zusammengestellte Mobiliar. Jeder Bereich wurde nach individuellen Gesichtspunkten konzipiert, Deckenfriese und Stukkatur setzen vornehme Akzente. Hervorzuheben sind an dieser Stelle auch die handwerklichen Meisterleistungen, die aus all den schönen Details eine prachtvolle Kulisse entstehen ließen.

The classic architecture of this elegant new family home fits in well in the leafy suburb. Its up-to-date building technology meets the most exacting standards, and this holds true for the interiors, too. Reconciling comfortable privacy with a distinguished atmosphere for entertaining called for particular attention to the living and dining areas. Fine parquet in varied patterns and wall hangings or textile wallpapers provide a handsome frame for unique pieces of furniture. Moulded ceilings and stucco ornaments lend a note of exclusiveness – as do many other beautifully handcrafted details.

Grundriss Erdgeschoss
Ground floor plan

Interiors 151

Grundriss Obergeschoss
First floor plan

Grundriss Dachgeschoss
Second floor plan

Interiors 153

Empfangsbereich mit Blick durch das Wohnzimmer in den Garten

The lobby offers a view through the living room into the garden.

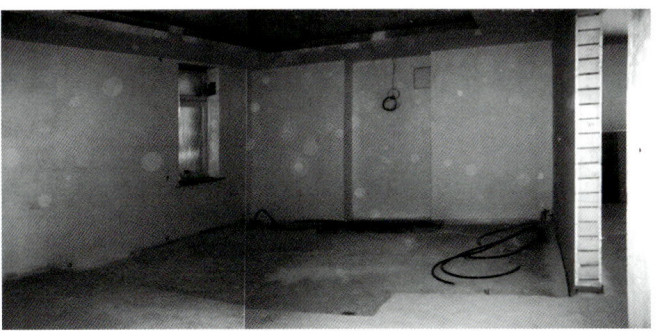

Blick in das Kaminzimmer mit Bibliothek

The library with its open fireplace

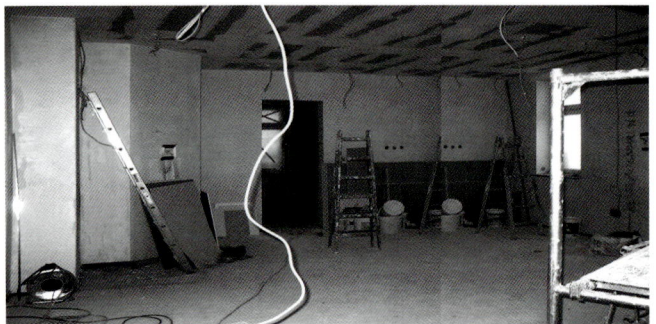

Blick in die Küche mit Kamin aus rotem Klinker

The kitchen fireplace is framed in red brick.

Blick durch das Wohnzimmer in das Esszimmer

The living room, with the dining room visible through the doorway

Badezimmer mit Whirlpool und
Deckengestaltung mit Leuchtdioden

*Bathroom with top-lit
whirlpool*

Badezimmer mit Doppelwaschbecken und Blickbezug zum Garten

Bathroom with double wash basin and view into the garden

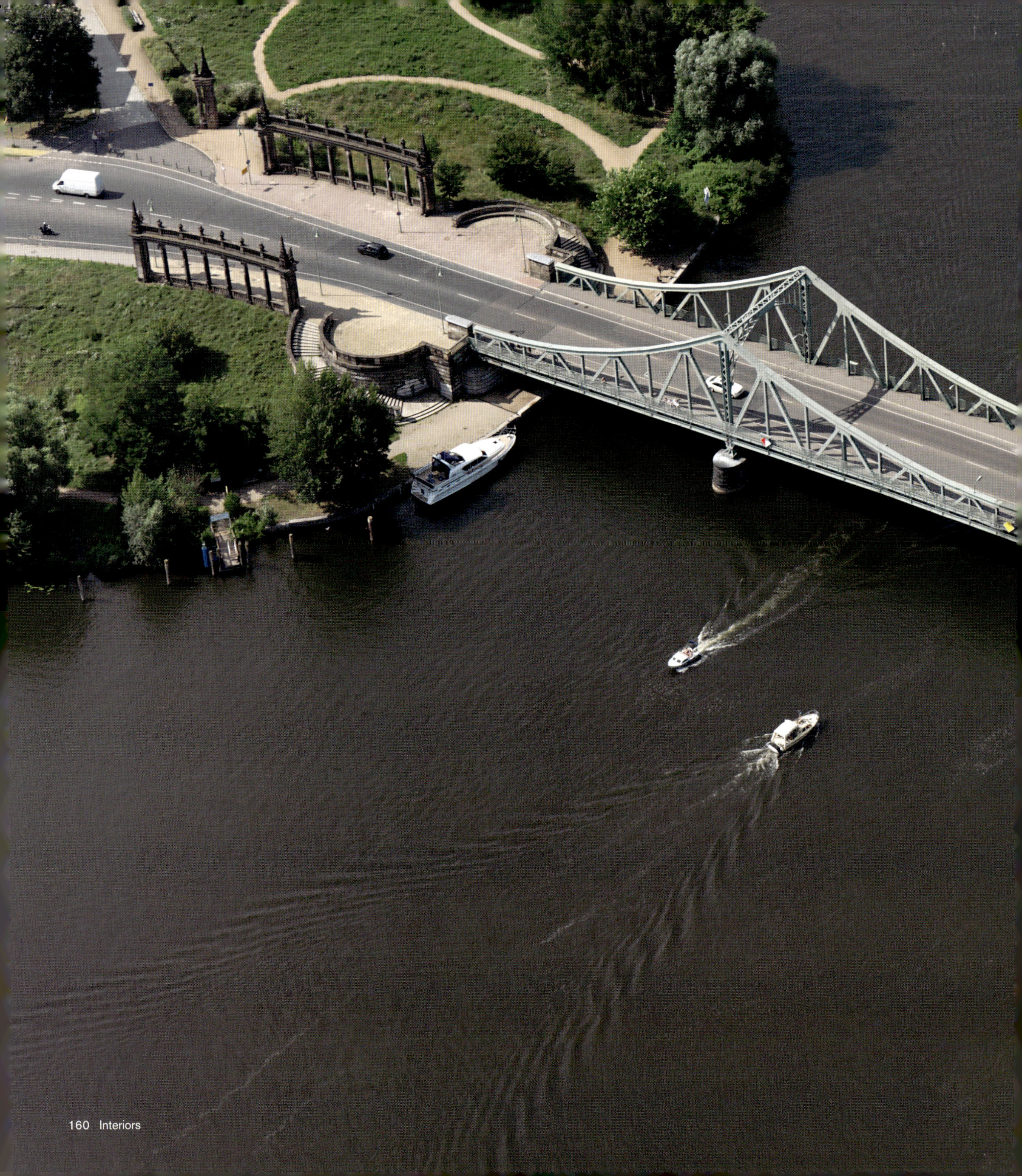

BER

BERLIN AUF DER GLIENICKER BRÜCKE TAUSCHTEN DIE SUPERMÄCHTE IM KALTEN KRIEG AGENTEN AUS. HEUTE VERBINDET DAS BAUWERK BERLIN UND POTSDAM.

BERLIN DURING THE COLD WAR, THE BRIDGE CONNECTING THE CITIES OF POTSDAM AND BERLIN WAS USED FOR SPY EXCHANGES BETWEEN THE SUPERPOWERS.

MOW

MOSKAU NACH DEM ZERFALL DER SOWJETUNION HAT SICH DIE METROPOLE ZUM SUPERKAPITALISTISCHEN ZENTRUM DES NEUEN RUSSLAND ENTWICKELT.

MOSCOW AFTER THE COLLAPSE OF THE SOVIET UNION, THE METROPOLIS EVOLVED INTO THE SUPER-CAPITALIST CENTRE OF THE NEW RUSSIA.

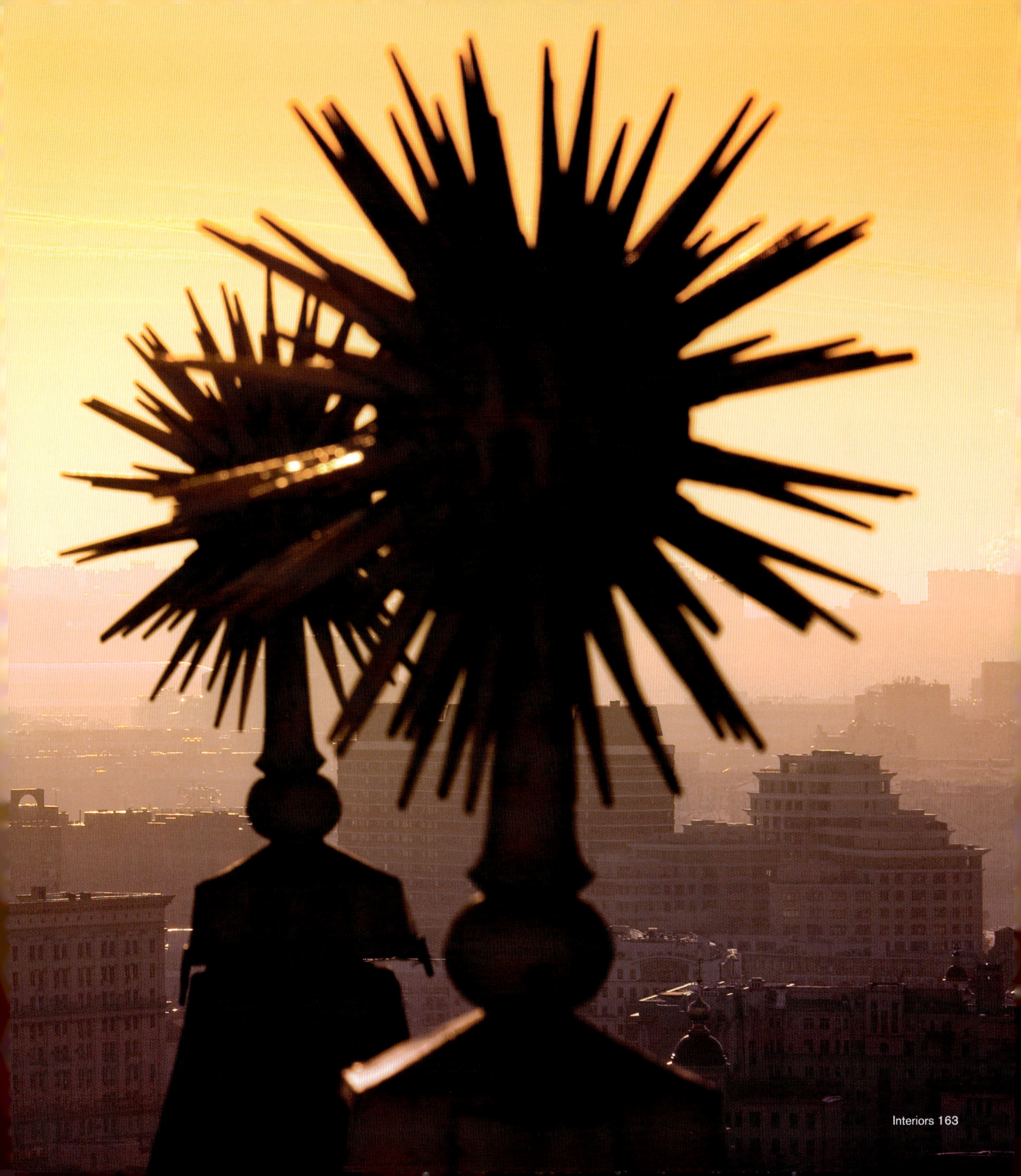

Wohnung auf den Sperlingshügeln
Lenin Hills Apartment
Moskau

Nutzfläche
450 Quadratmeter

Neubau
2007–2010

Im modernen Russland ist es nicht üblich, eine bezugsfertige Wohnung zu erwerben. Käufer bevorzugen eine unausgebaute, frei planbare Fläche, die sie dann von Innenarchitekten nach ihren Wünschen gestalten lassen. Den Planern kommt die Aufgabe zu, einen weitgehend undefinierten Raum, meist eine ganze Etage, bis ins letzte Detail zu entwickeln. In einem schön gelegenen Moskauer Luxusviertel nahe der Lomonossow-Universität wurde ein Appartement im klassisch angelsächsischen Stil entworfen, mit holzvertäfelten Wänden, schwerem Mobiliar sowie einem hauseigenen Kinosaal mit angeschlossener, gut 8.000 Filme umfassender Privatvideothek. Der Hausherr legte besonderen Wert auf solide Behaglichkeit und zog ein westlich geprägtes Interieur dem in Russland nicht unüblichen, ostentativ prunkhaften Einrichtungsstil vor. So finden sich in der großzügigen Wohnung mit spektakulärem Ausblick die charakteristischen Attribute einer gediegenen, britisch inspirierten Wohnkultur: Designklassiker, warme Materialien und Naturfarben.

Modern Russians don't usually buy a flat ready for occupancy. Instead, they have the open floor space defined and decorated by the interior architect of their choice. The owner of this flat preferred a traditional, classic interior to the ostentatious glamour often to be seen in Russia. Panelled walls and design classics, warm materials and natural colours bring the characteristic attributes of solid comfort to this spacious flat with its spectacular view. The rooms include a cinema as well as a private video library with more than eight thousand films.

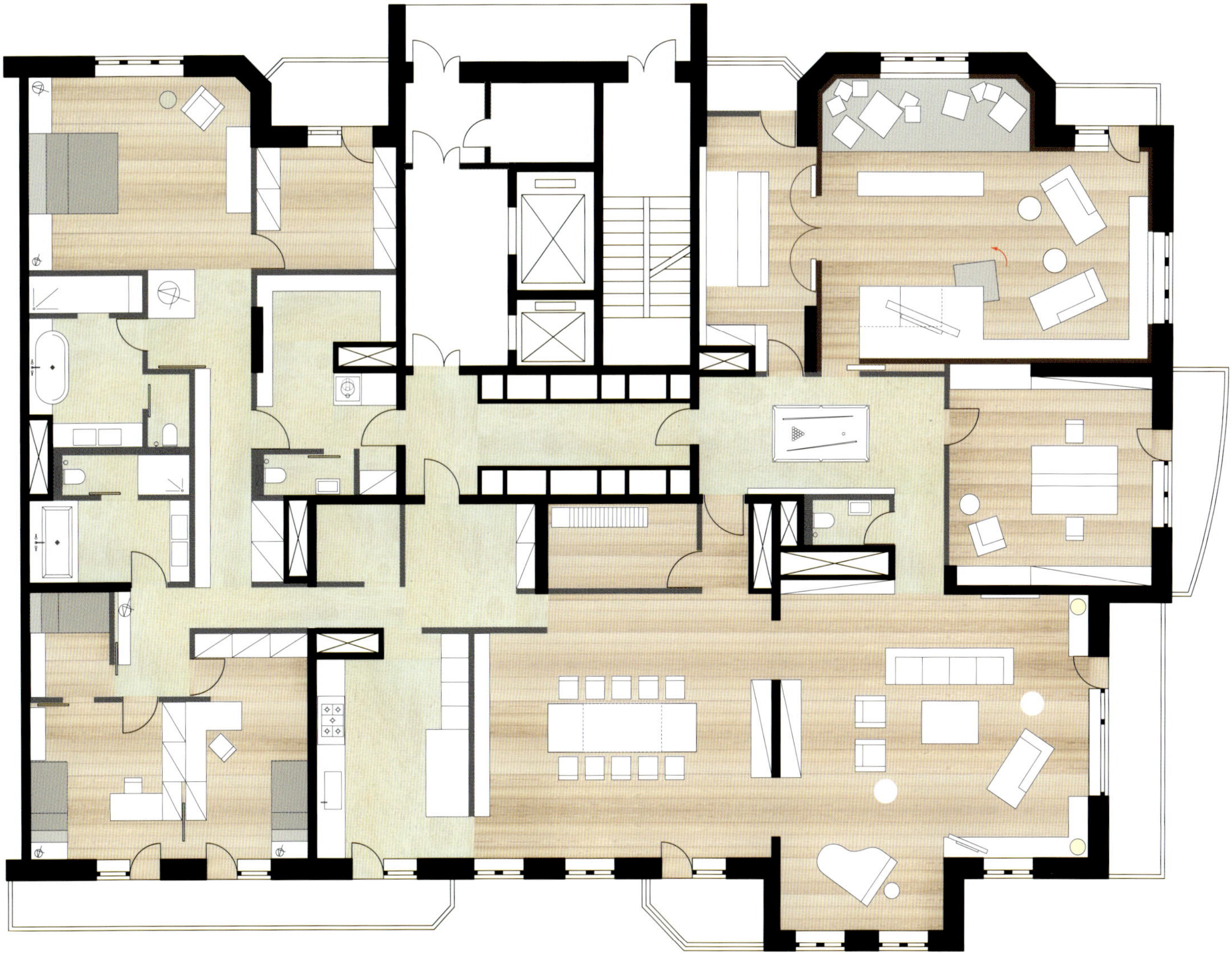

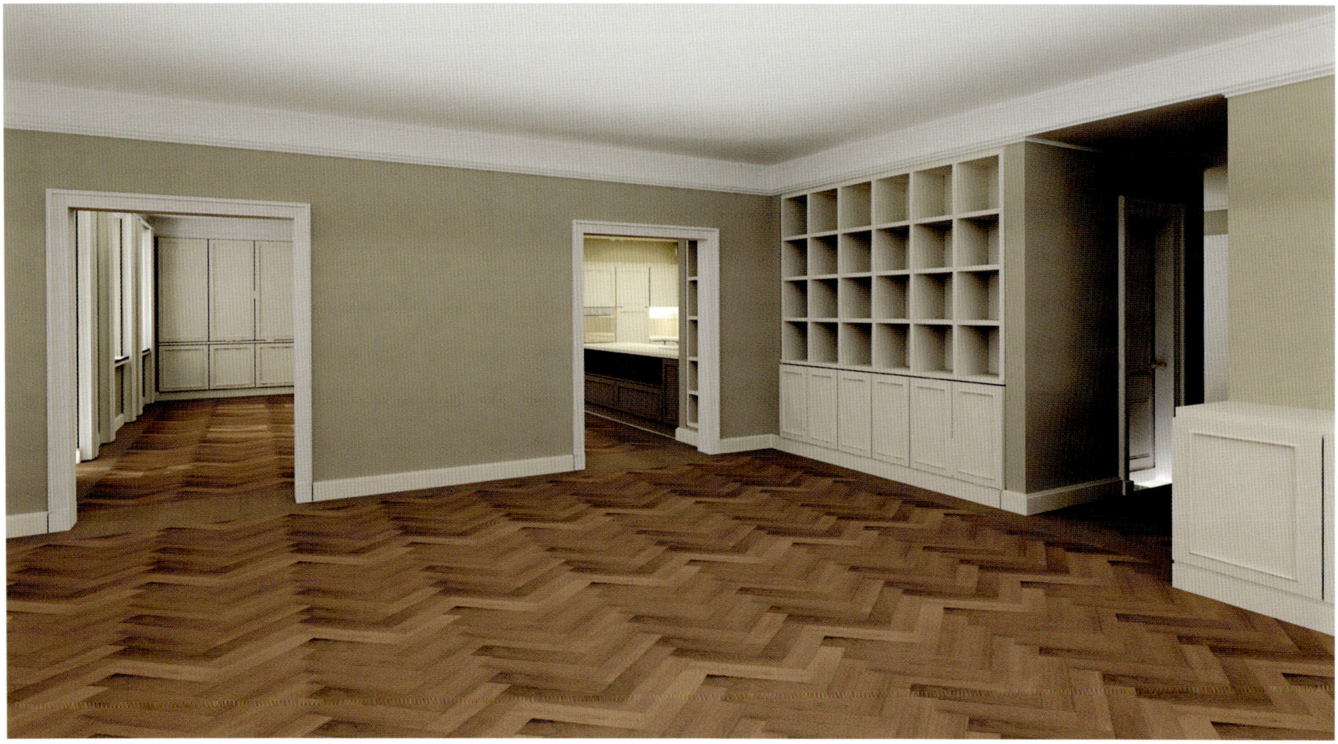

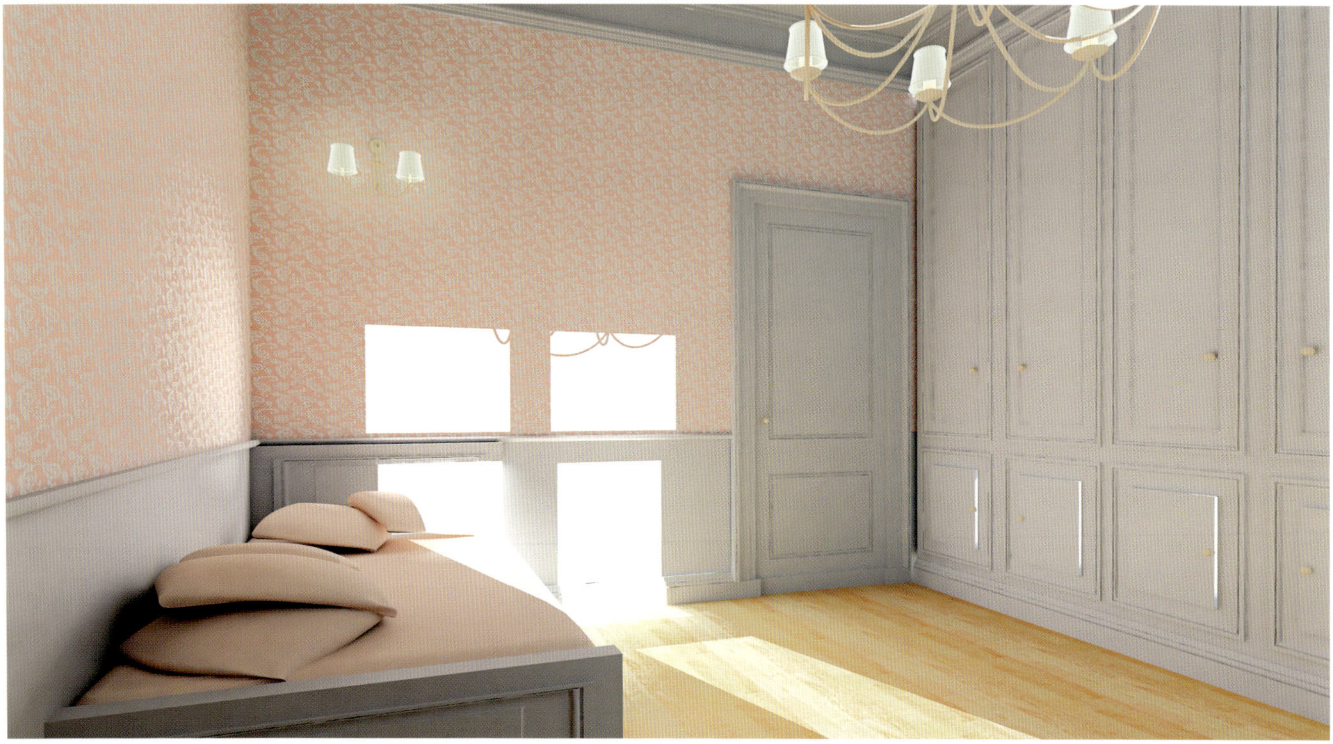

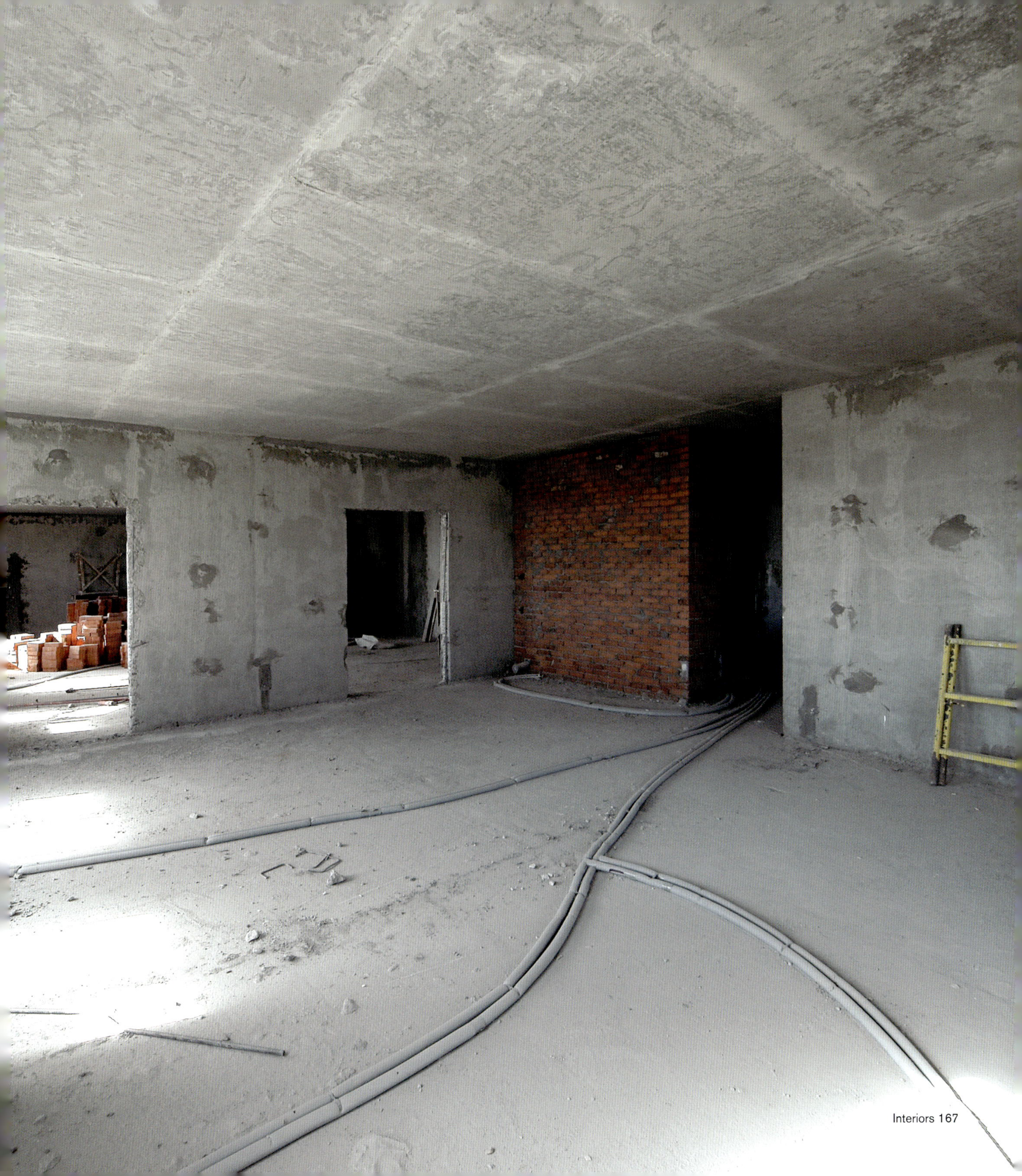

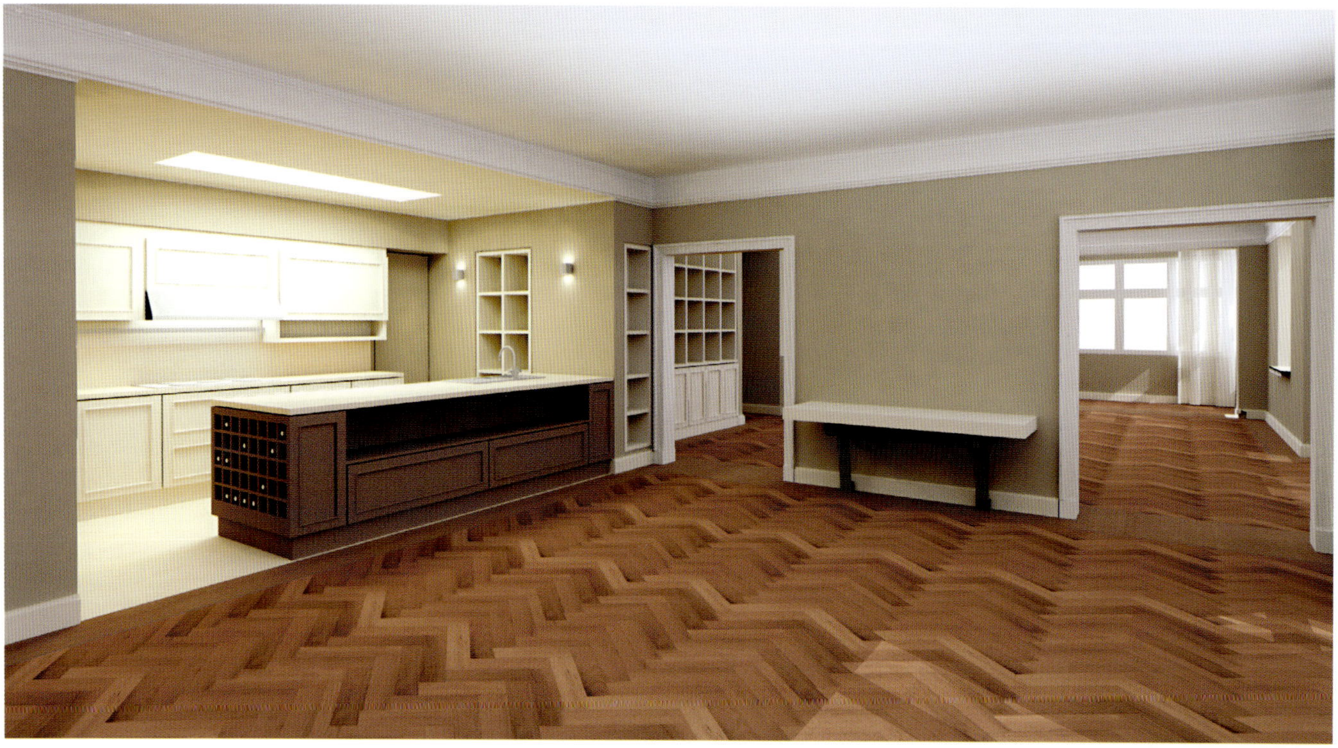

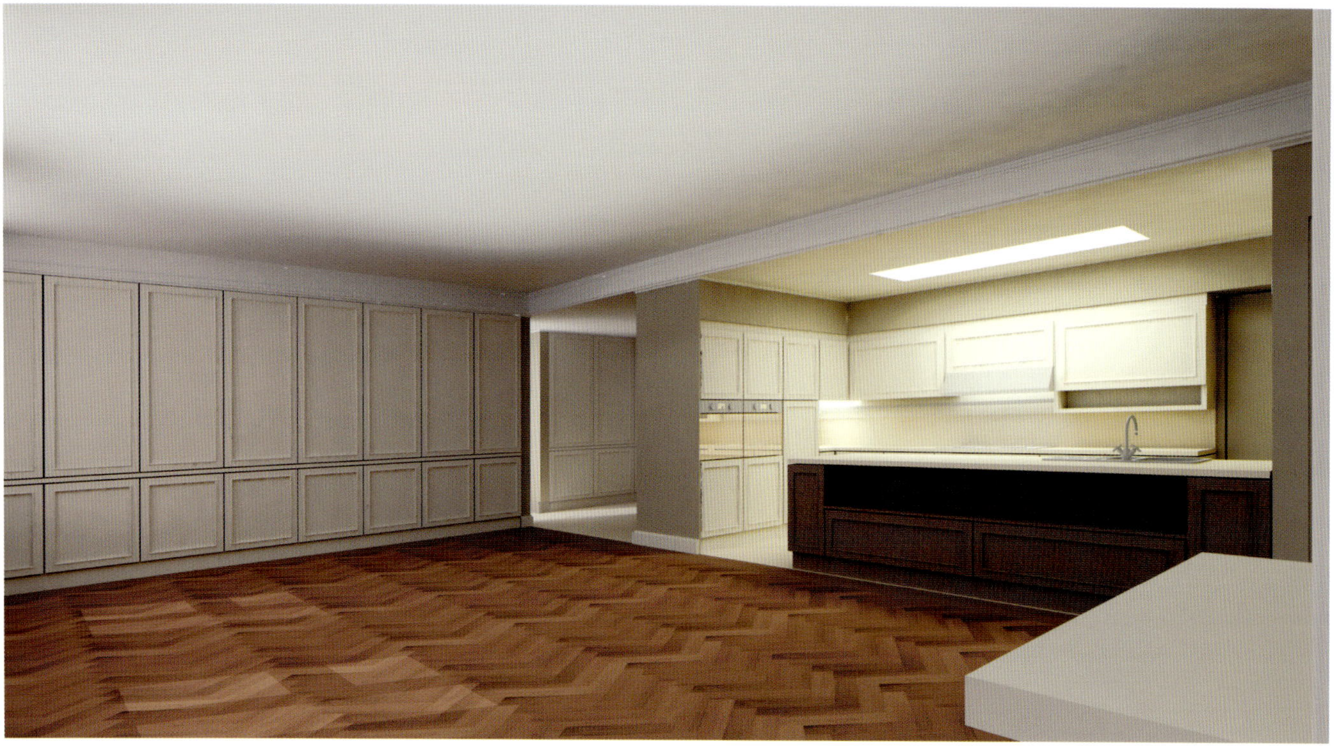

Wandabwicklung Badezimmer
Elevation bathroom

Wandabwicklung Cinemathek
Elevation cinema hall

Wandabwicklung Bar
Elevation bar

172 Interiors

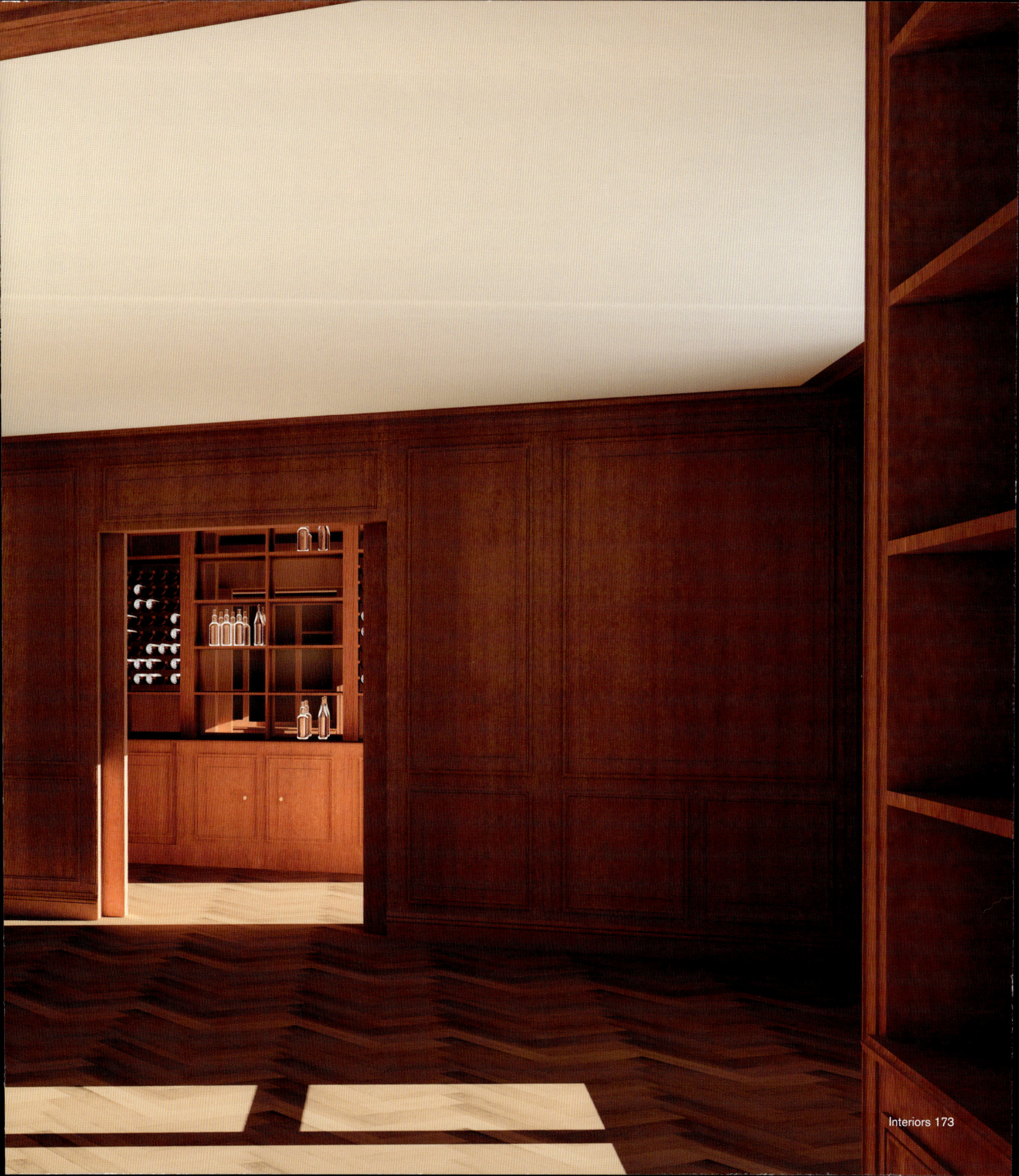

Villa an der Rubljowka
Rublyovka Residence
Moskau

Nutzfläche
500 Quadratmeter

Umbau
2007–2008

Wer ein Haus an der wohl berühmtesten Straße Russlands besitzt, zeigt gern, was er hat. Hier wohnen Oligarchen, Filmstars, Medienzaren und auch Wladimir Putin. Die neuen, mitunter etwas märchenhaften Villen und Herrenhäuser stehen ihren Vorbildern in Beverly Hills jedenfalls in nichts nach. So gesehen muss die neue Einrichtung eines bereits bestehenden Wohnhauses fast als Übung in Bescheidenheit betrachtet werden, da sie weniger auf Protziges als vielmehr auf eine harmonische Komposition von natürlichen Materialien und Farben setzt. Ein klassisch moderner, an den Fünfziger- und Sechzigerjahren geschulter skandinavischer Stil prägt das Interieur; Holz und Stein bilden den soliden Rahmen für eine ausgewogene Mischung aus zurückhaltender Möblierung und wenigen akzentuierenden Accessoires. Lediglich im hauseigenen Schwimmbad gestattete man sich eine fast extravagante Geste in Richtung Hollywood.

It's only natural. If you own a house on one of Russia's most famous streets, you will want to show it off. For this is where oligarchs, film stars, and media moghuls live – and Vladimir Putin. Beverly Hills? That's nothing. Rublyovka! In this regard, the new interior designed for an existing house is something of an exercise in modesty, given that it relies less on pomp than on harmony. Classical modernity in the Scandinavian style of the 1950s and 60s characterizes the interior, with wood and stone providing a solid framework for a well-balanced mixture of constrained furnishings and rare, eye-catching accessoires. Only the indoor swimming pool was allowed a touch of Hollywood.

Interiors 175

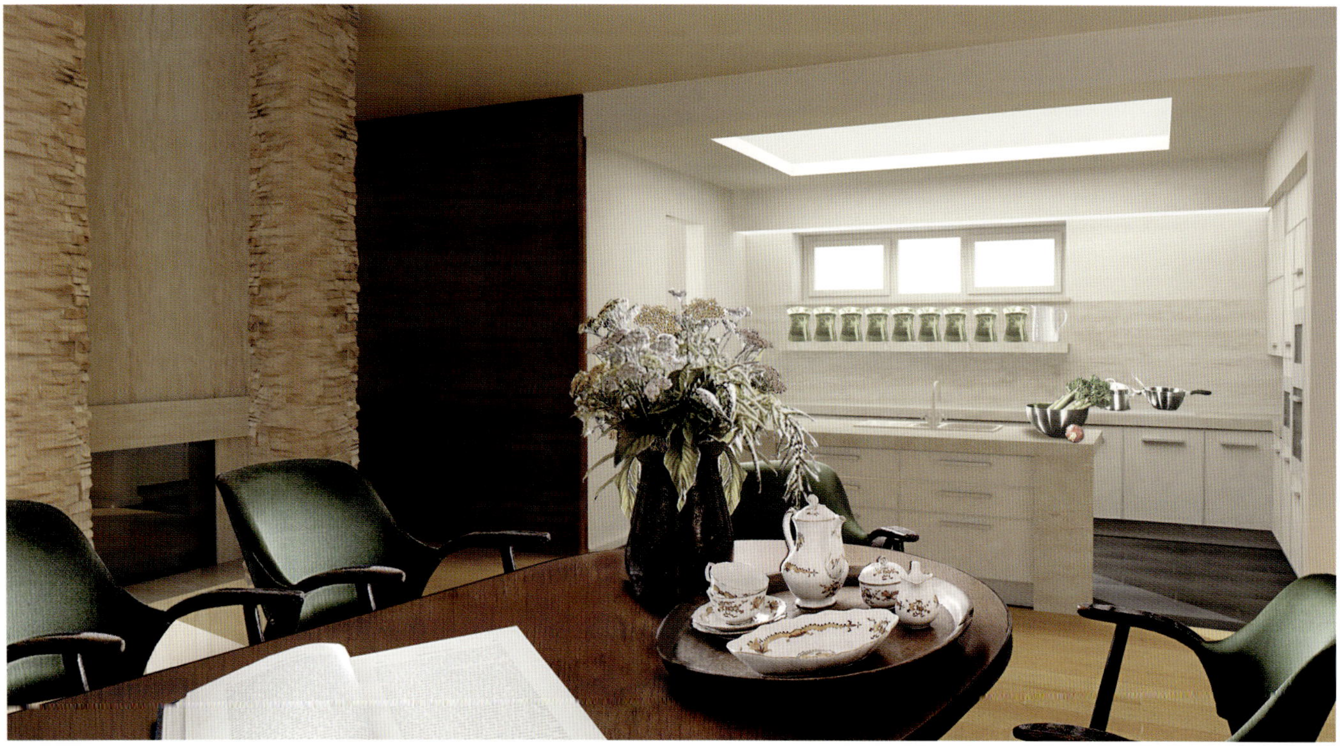

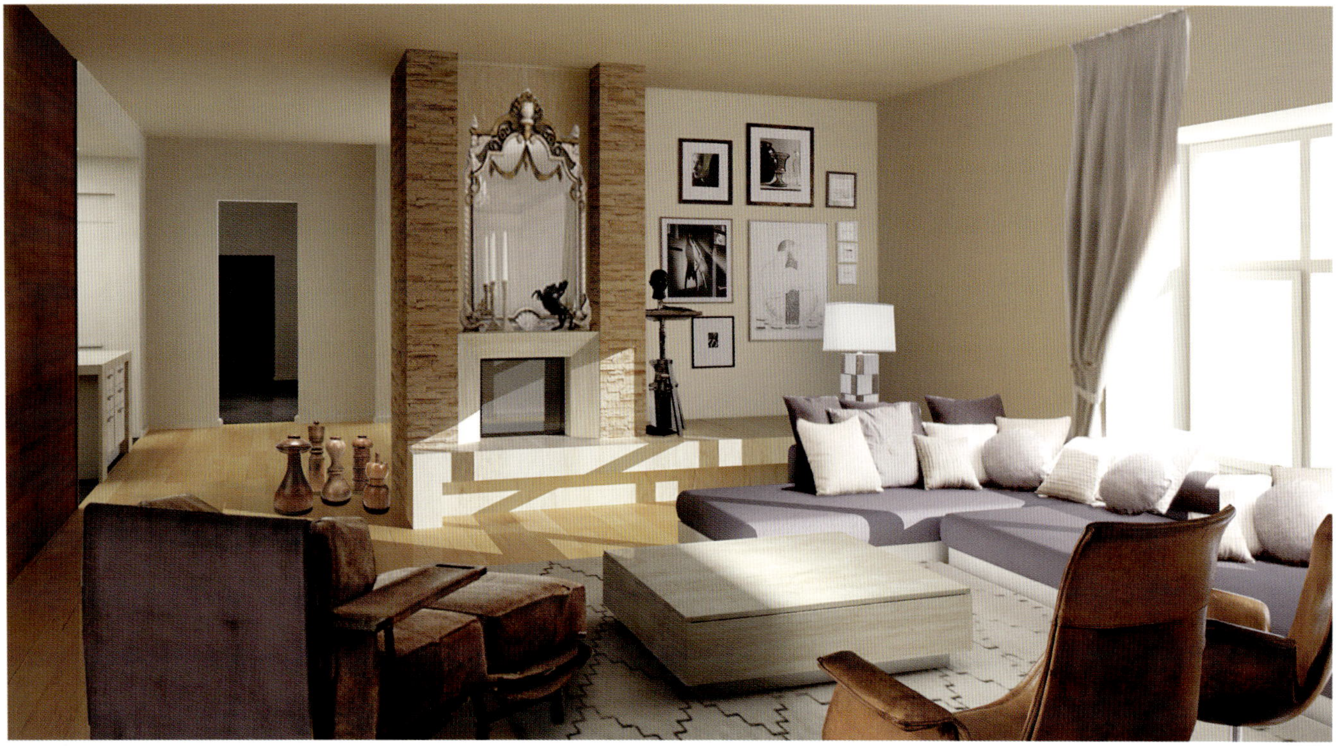

Interiors 177

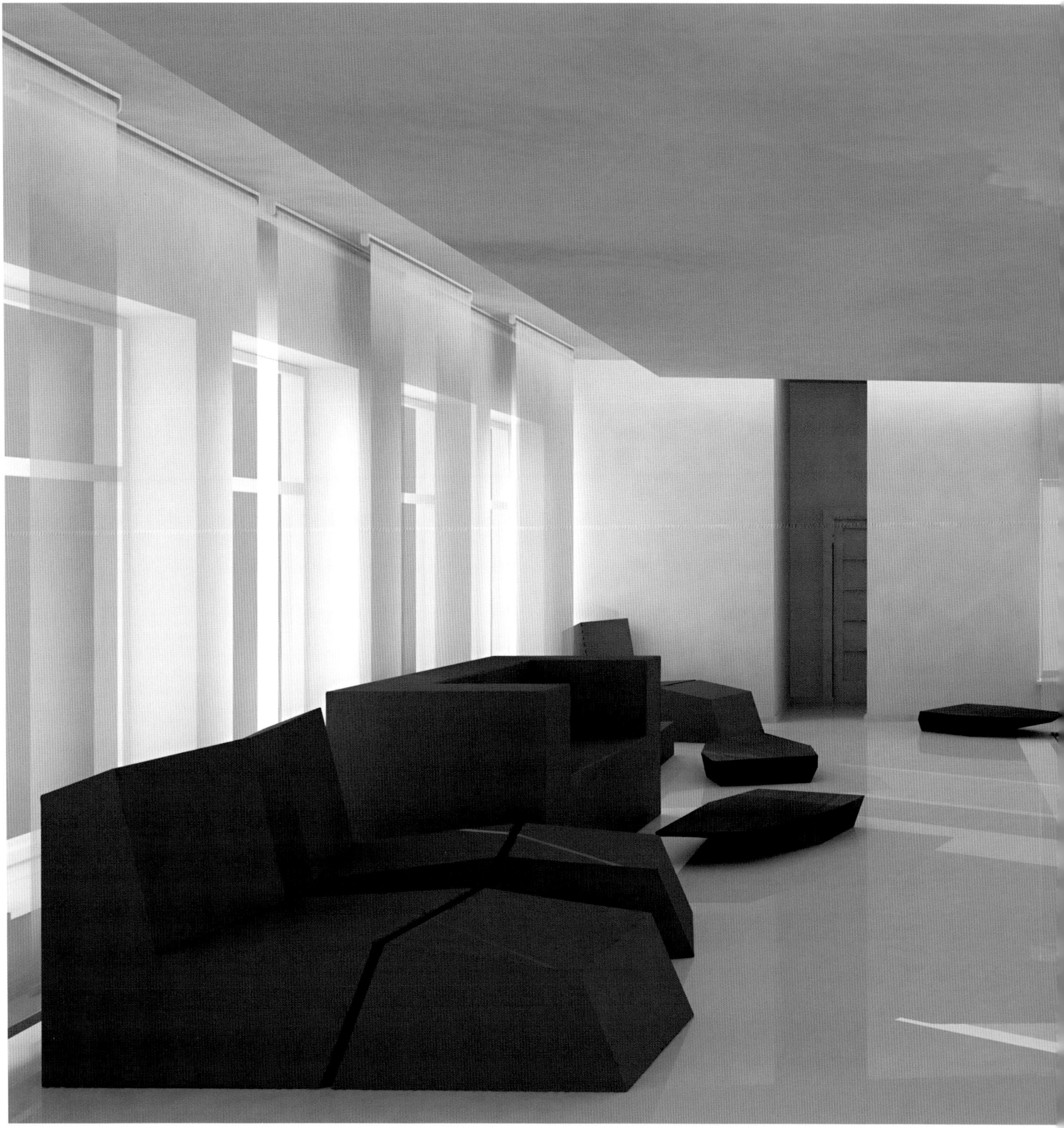

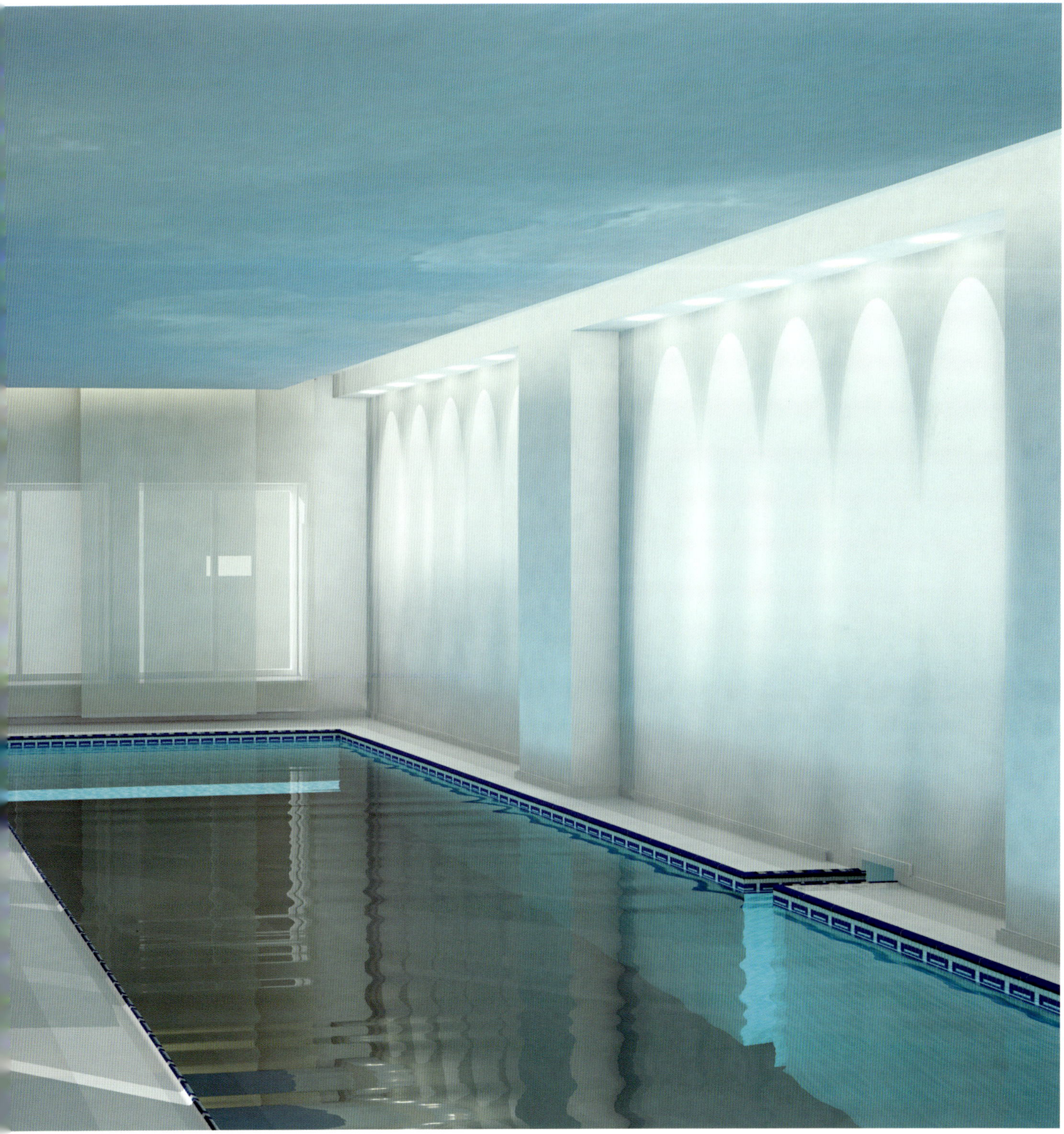

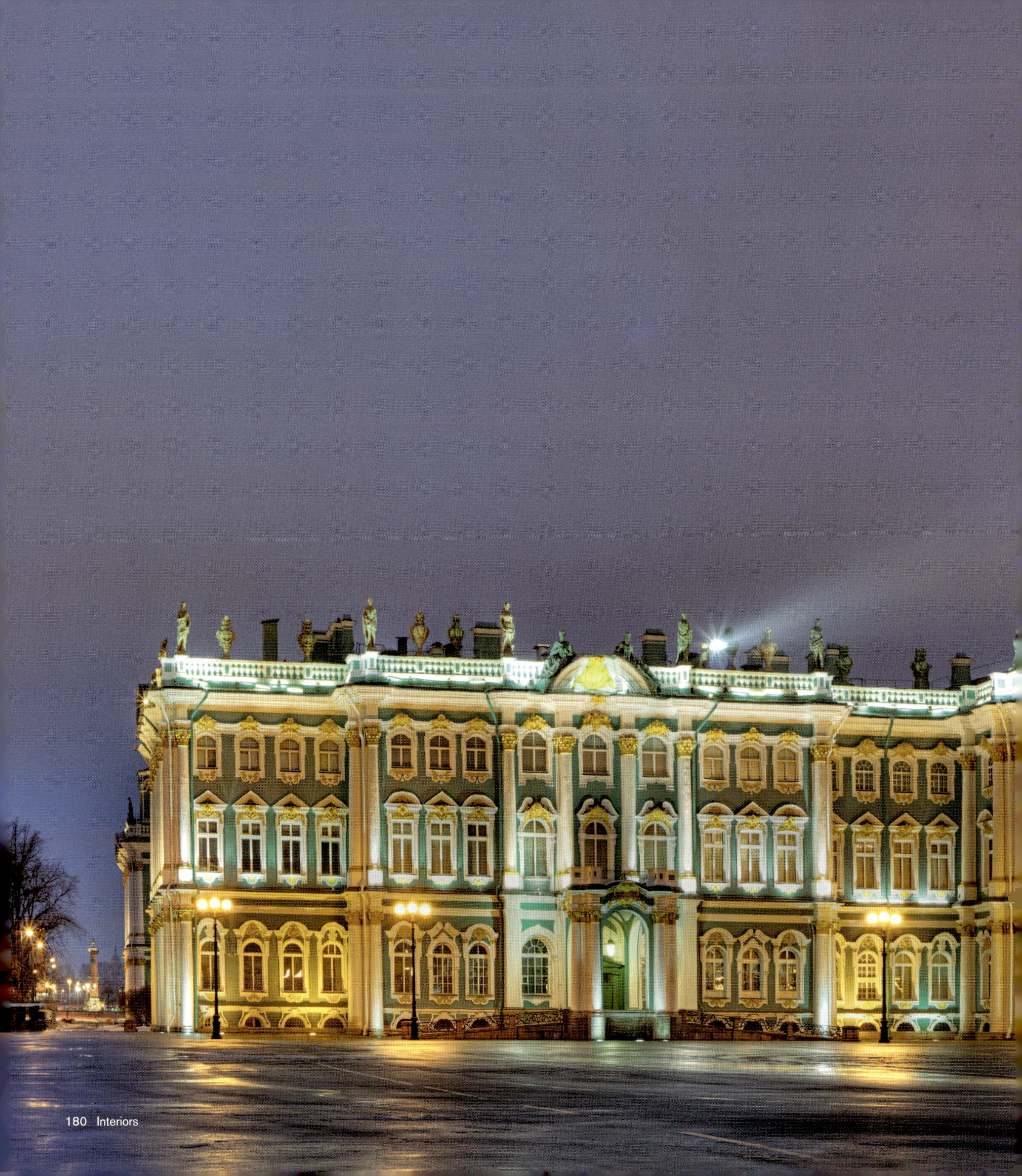

LED

ST. PETERSBURG MIT DEM STURM AUF DEN WINTERPALAST BEGANN 1917 DIE OKTOBERREVOLUTION. HEUTE IST DIE EREMITAGE EINES DER BEDEUTENDSTEN KUNSTMUSEEN.

ST PETERBURG THE STORMING OF THE WINTER PALACE IN 1917 MARKED THE START OF THE RUSSIAN REVOLUTION. TODAY THE STATE HERMITAGE IS ONE OF THE WORLD'S GREATEST MUSEUMS.

Penthouse an der Eremitage
Hermitage Penthouse
St. Petersburg

Nutzfläche
200 Quadratmeter

Neubau
2003–2004

Die berühmteste Straße St. Petersburgs ist der Newski Prospekt, der sich mit seinen bauhistorischen Schätzen aus der Zeit Zar Peters I. am Fluss entlangzieht und geradewegs zur Eremitage führt, einem der bedeutendsten Kunstmuseen der Welt. Und genau hier, in einer Baulücke direkt neben einem Flügel der Eremitage, wurde ein verhältnismäßig kleiner Neubau errichtet, gekrönt von einem 300 Quadratmeter großen Penthouse. Dieser famose Logenplatz ist nun das Zuhause einer vierköpfigen Familie. Wie im heutigen Russland üblich, stand am Anfang der Planung eine unausgebaute Fläche, die nach den Wünschen der neuen Bewohner gestaltet und eingerichtet werden sollte. Es entstand eine moderne Stadtresidenz, die dank einer harmonischen, ausgewogenen Möblierung nichts ihrer großzügigen, luftigen Atmosphäre einbüßt. Von der weitläufigen Dachterrasse lässt sich ein weiter Blick über die Stadt an der Newa genießen. Ein Ort für weiße Nächte.

On an empty lot right next to one of the wings of the Hermitage Museum, a relatively small new building crowned by a penthouse took shape. As is the custom in Russia today, interior planning for the 300 sqm penthouse began with a wide, empty space which was to be defined and designed according to the wishes of the future inhabitants, a family of four. The result was a modern urban residence with harmonious furnishings to match its spacious, airy atmosphere. The large roof garden offers a fabulous view over St Petersburg. A place for white nights.

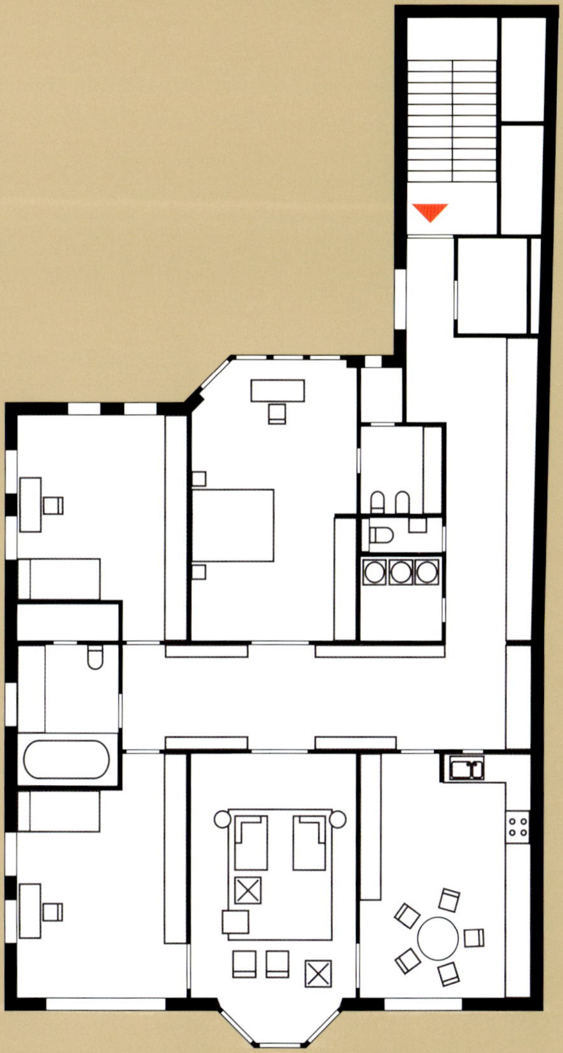

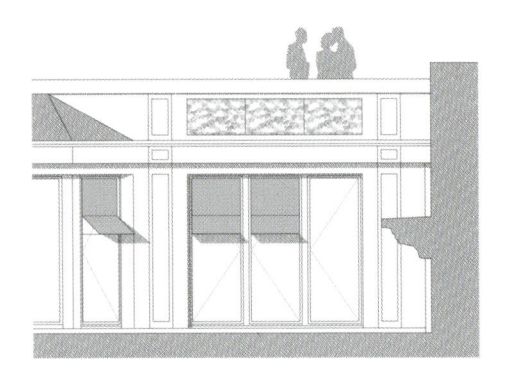

Dachterrasse,
Ansichten und Schnitte

*Roof garden,
elevations and sections*

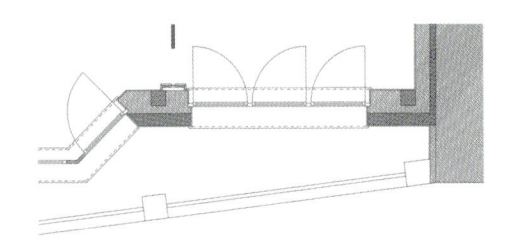

184 Interiors

Interiors 185

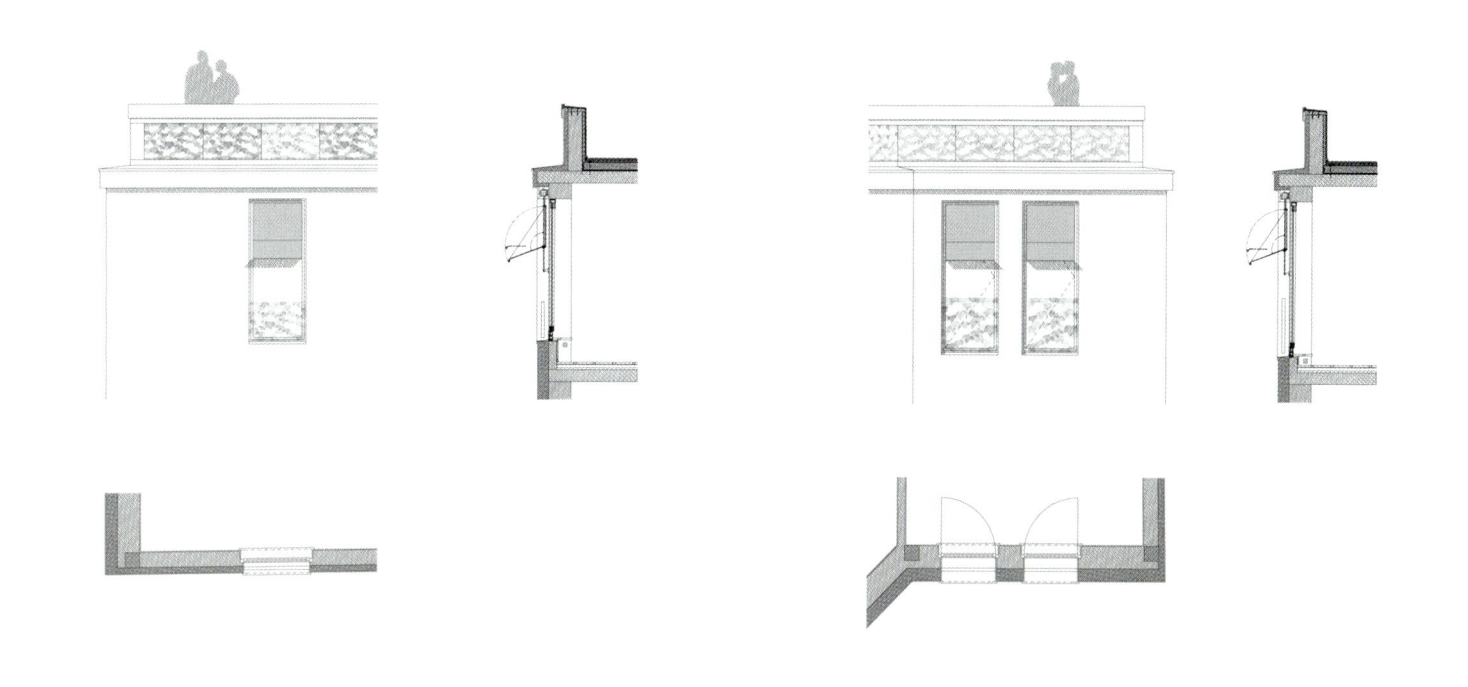

186 Interiors

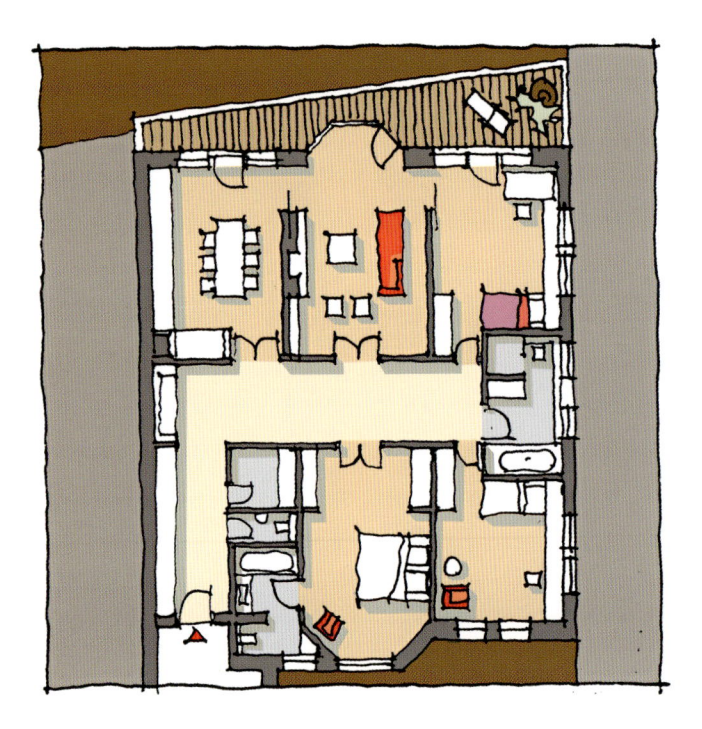

Interiors 187

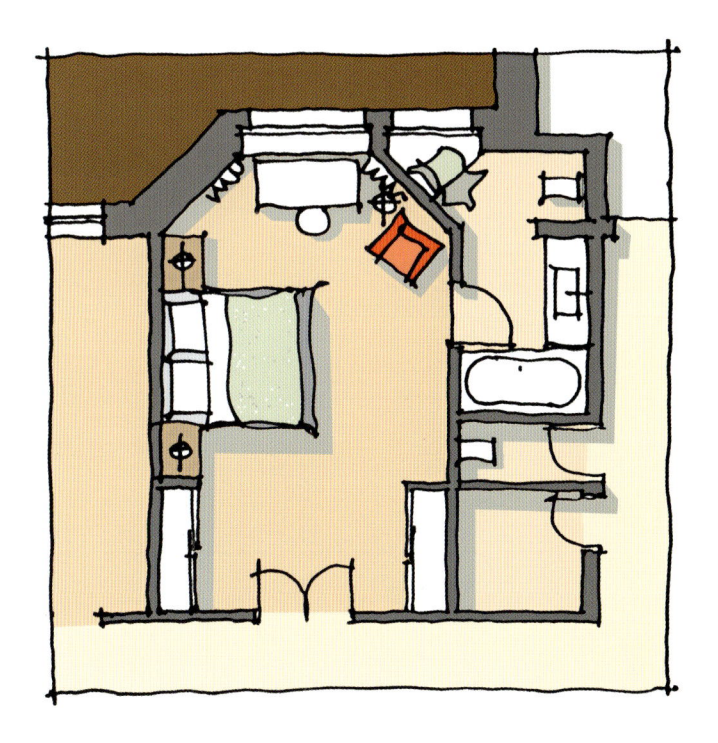

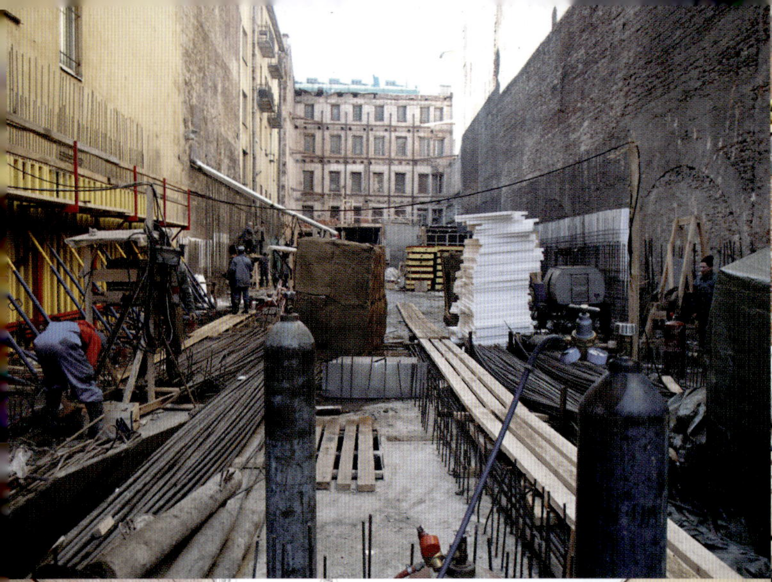
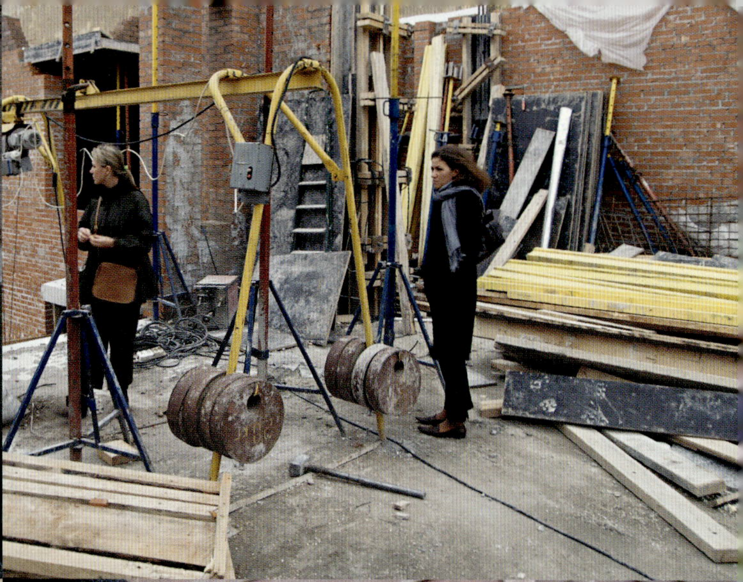
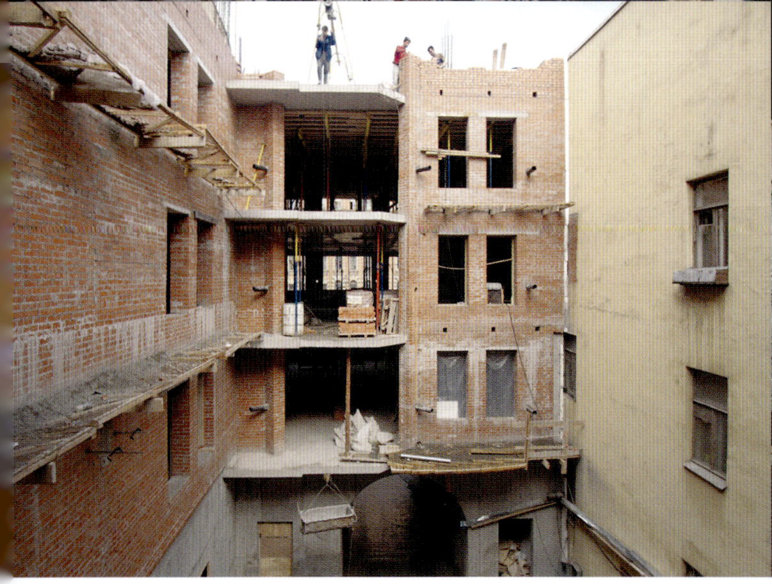
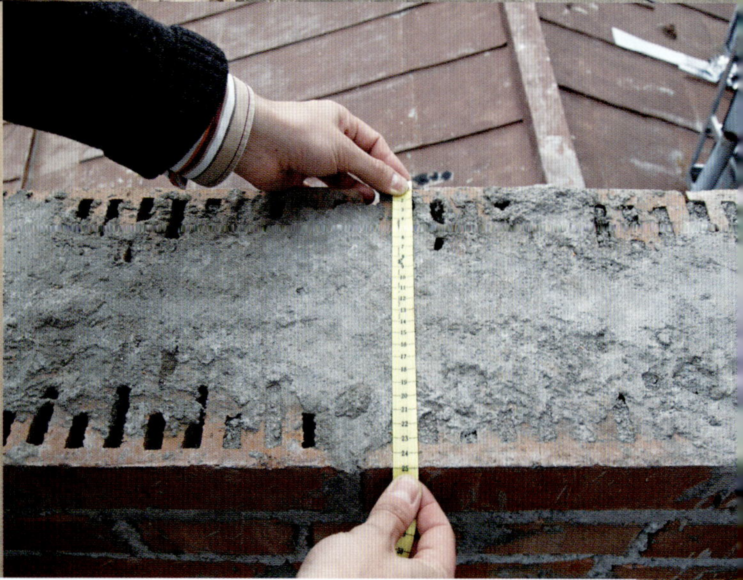
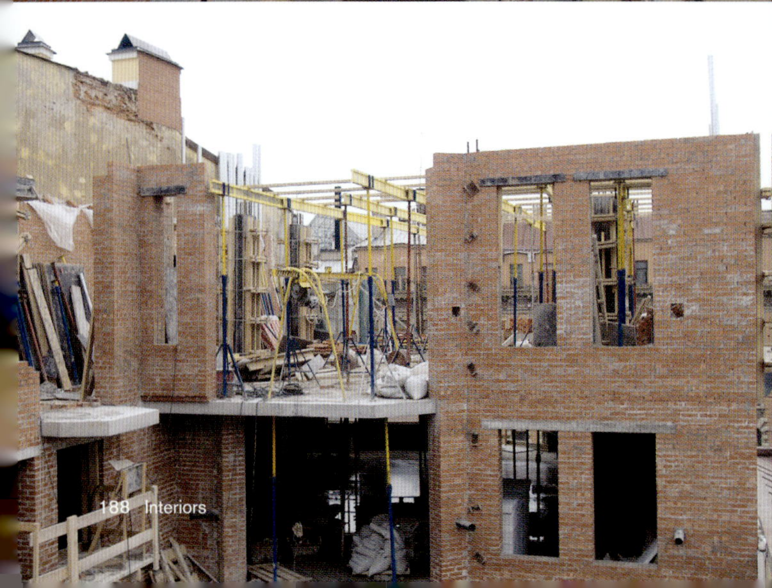
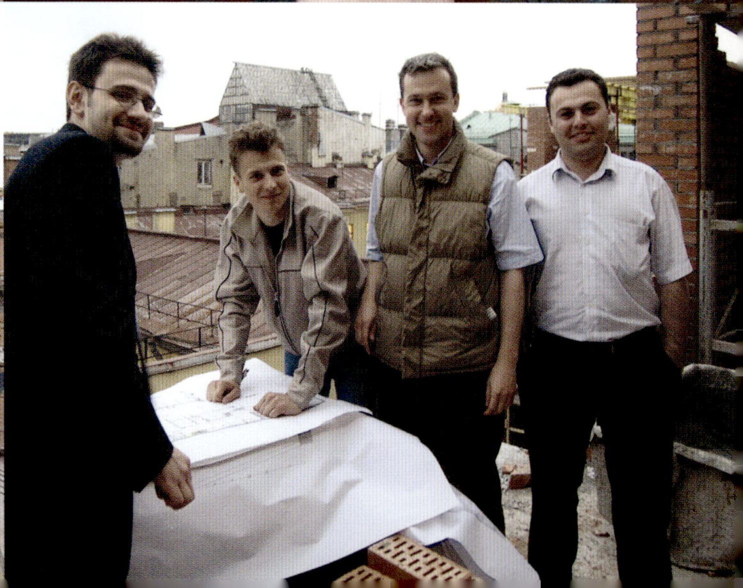

Interiors 189

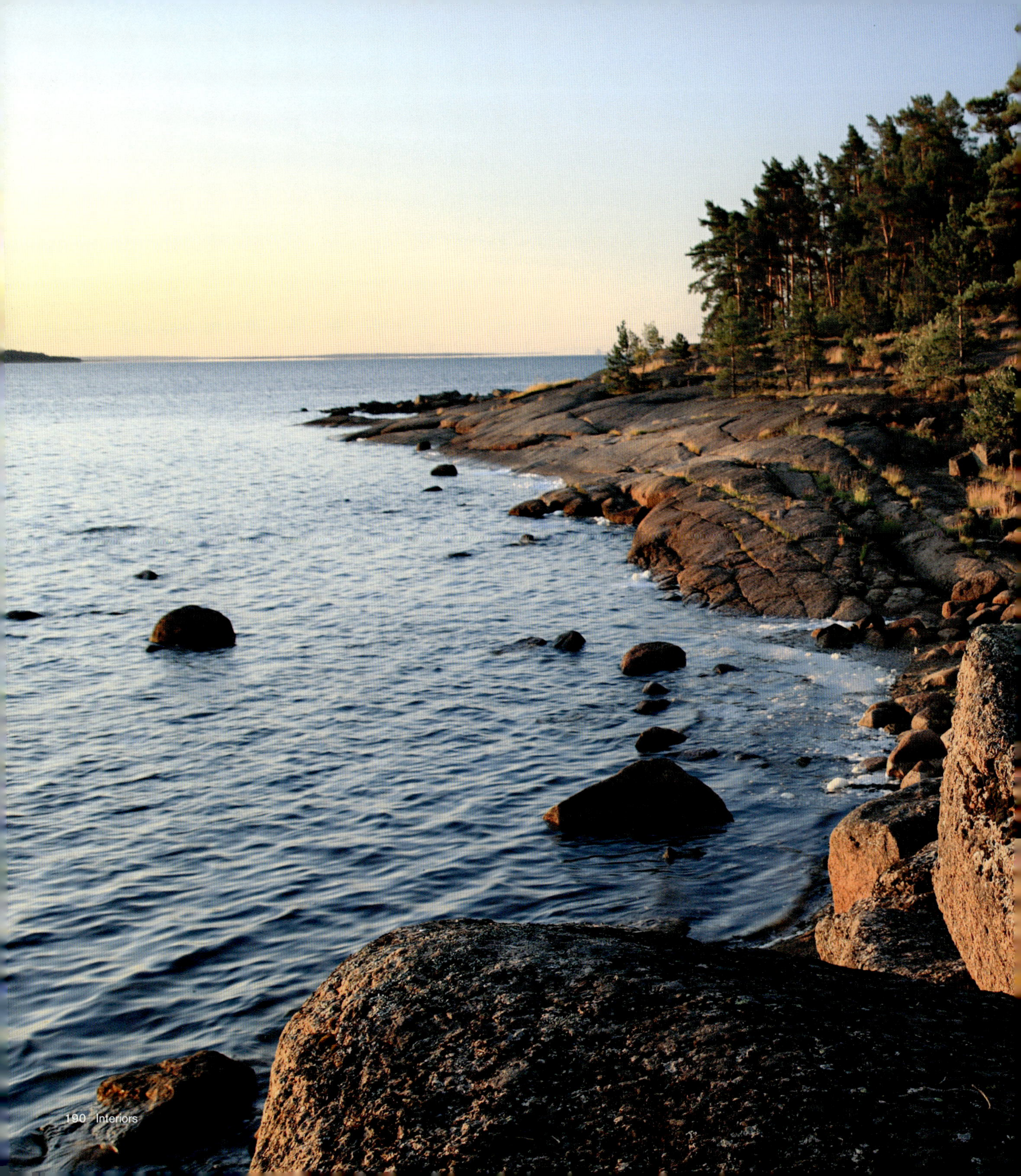

LED

ST. PETERSBURG DIE MALE-RISCHE KÜSTENLANDSCHAFT AM FINNISCHEN MEERBUSEN GILT ALS EXKLUSIVER STAND-ORT FÜR PRIVATE DOMIZILE.

ST PETERSBURG THE PICTUR-ESQUE COASTAL LANDSCAPE ON THE GULF OF FINLAND IS A MUCH-COVETED LOCATION FOR PRIVATE RETREATS.

Villa am Finnischen Meerbusen
Seaside Villa
St. Petersburg

Nutzfläche
2.000 Quadratmeter

Planung
2003–2004

In Arbeitsgemeinschaft mit
Sergej Tchoban/nps tchoban voss
Architekten BDA

Ein stilles Haus am Meer, umgeben von einem alten Kiefernwald. Davon träumte ein mit Holz zu Geld gekommener Unternehmer und lobte für seine Privatresidenz einen beschränkten Wettbewerb unter deutschen und russischen Architekten aus. Denn er wünschte sich nicht bloß ein Dach über dem Kopf, sondern ein Herrenhaus mit eigener Sportanlage und einer Kunstgalerie mit Blick auf den Finnischen Meerbusen. Der Entwurf für dieses großzügige Gebäude nimmt die geschwungene Linearität der Küste auf und öffnet sich auf vielfältige Weise zum südlich anschließenden Meerufer. Die interne Struktur des ungewöhnlichen Neubaus hat nur noch wenig mit einem Wohnhaus klassischen Zuschnitts gemein; was hier zählte, war eine Organisation der sehr individuellen Ansprüche an die Wohnfläche. Die Materialien spielen mit dem Bezug zur nördlichen See: sandfarbener und dunkler Stein, viel Glas und Holz.

A quiet house by the sea in a forest of mature pines – to make this dream a reality, a Russian timber merchant invited German and Russian architects to submit designs in a private competition. The design for this country residence with sports facilities and an art gallery takes up the curving lines of the coast. The spacious building is open towards the south, offering a view of the Gulf of Finland. The internal structure marks a departure from the classic dwelling house and gives shape to the client's unconventional ideas about the organization of space. The materials – sand-coloured and dark stone, glass and wood – allude to the seaside location.

Interiors 193

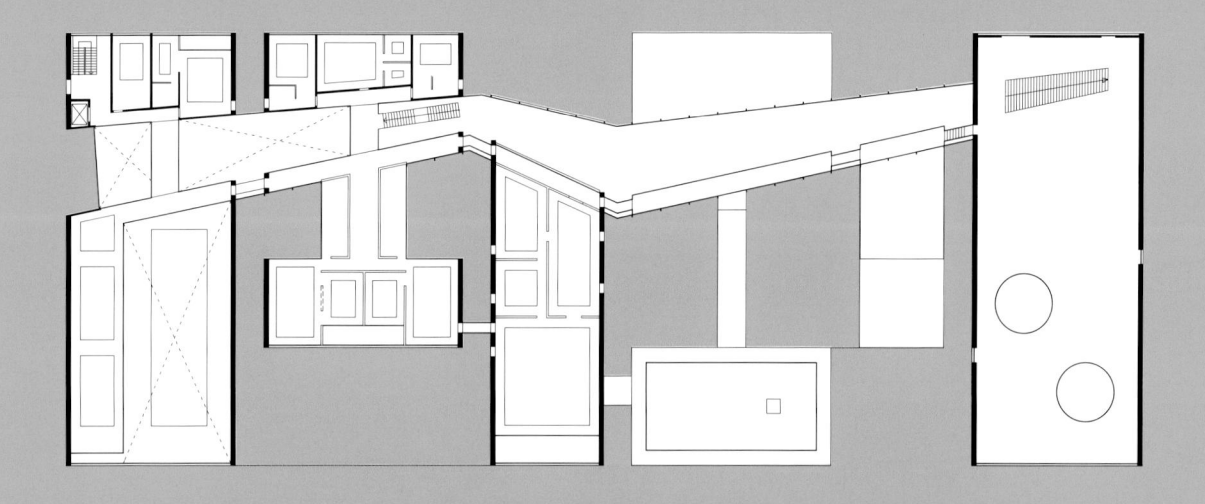

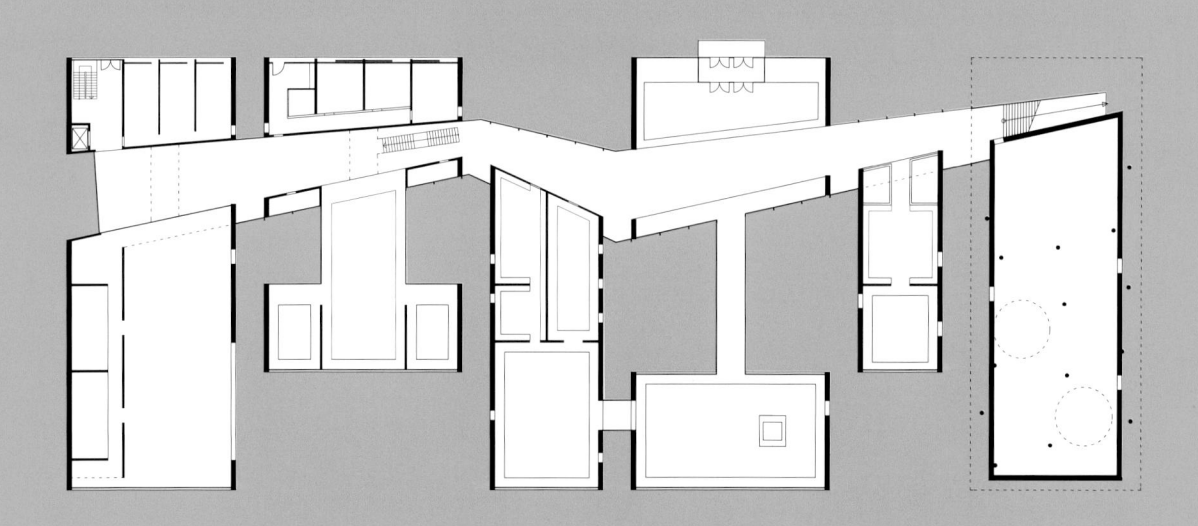

ГЕНЕРАЛЬНЫЙ ПЛАН УЧАСТКА   М 1:1000

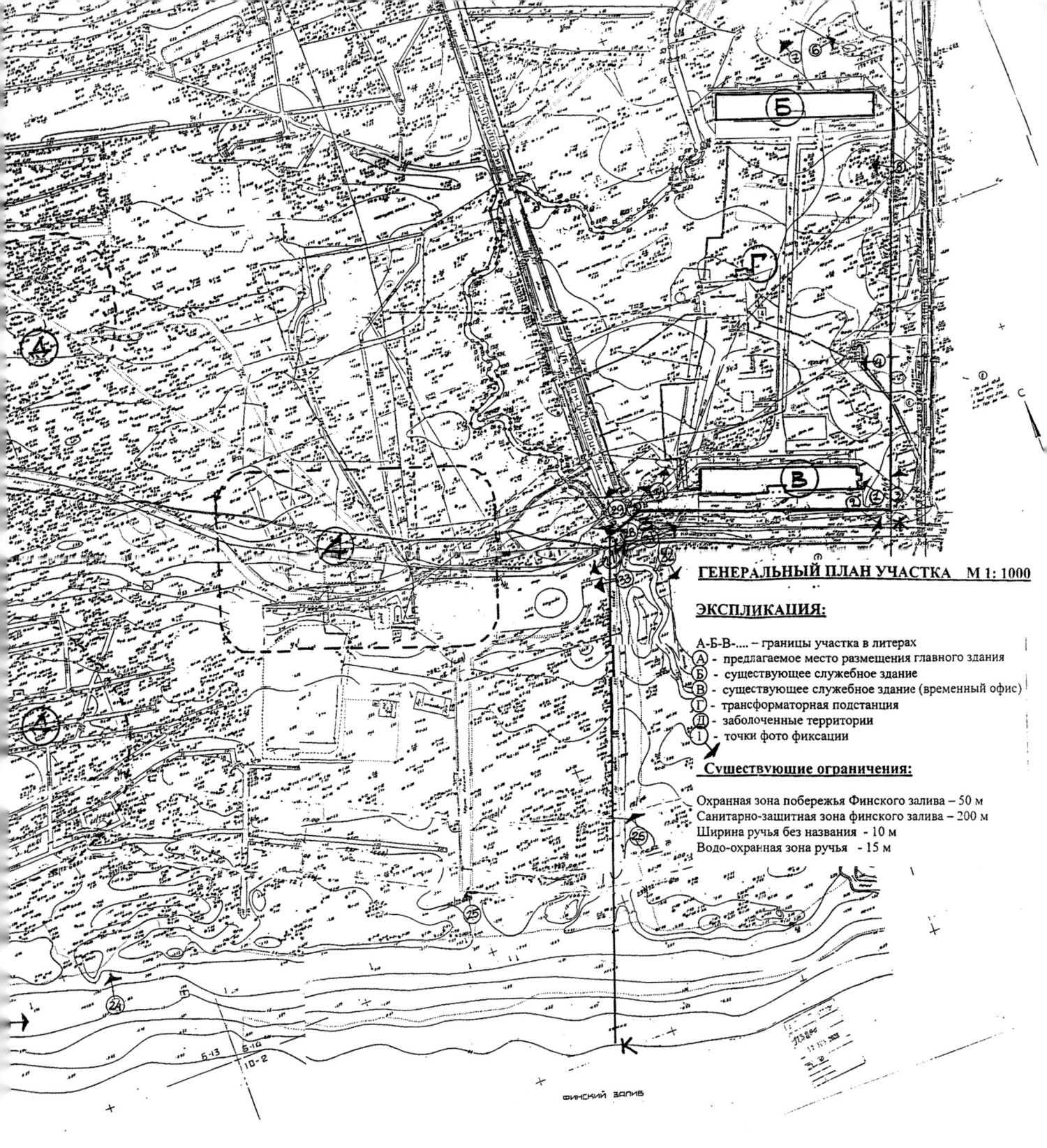

ЭКСПЛИКАЦИЯ:

А-Б-В-.... – границы участка в литерах
- А – предлагаемое место размещения главного здания
- Б – существующее служебное здание
- В – существующее служебное здание (временный офис)
- Г – трансформаторная подстанция
- Д – заболоченные территории
- 1 – точки фото фиксации

Существующие ограничения:

Охранная зона побережья Финского залива – 50 м
Санитарно-защитная зона финского залива – 200 м
Ширина ручья без названия - 10 м
Водо-охранная зона ручья - 15 м

ФИНСКИЙ ЗАЛИВ

Interiors 195

Eingangshalle
Entrance hall

rechts:
Gebäudeflügel mit Kunstgalerie

right:
Art gallery wing (variants)

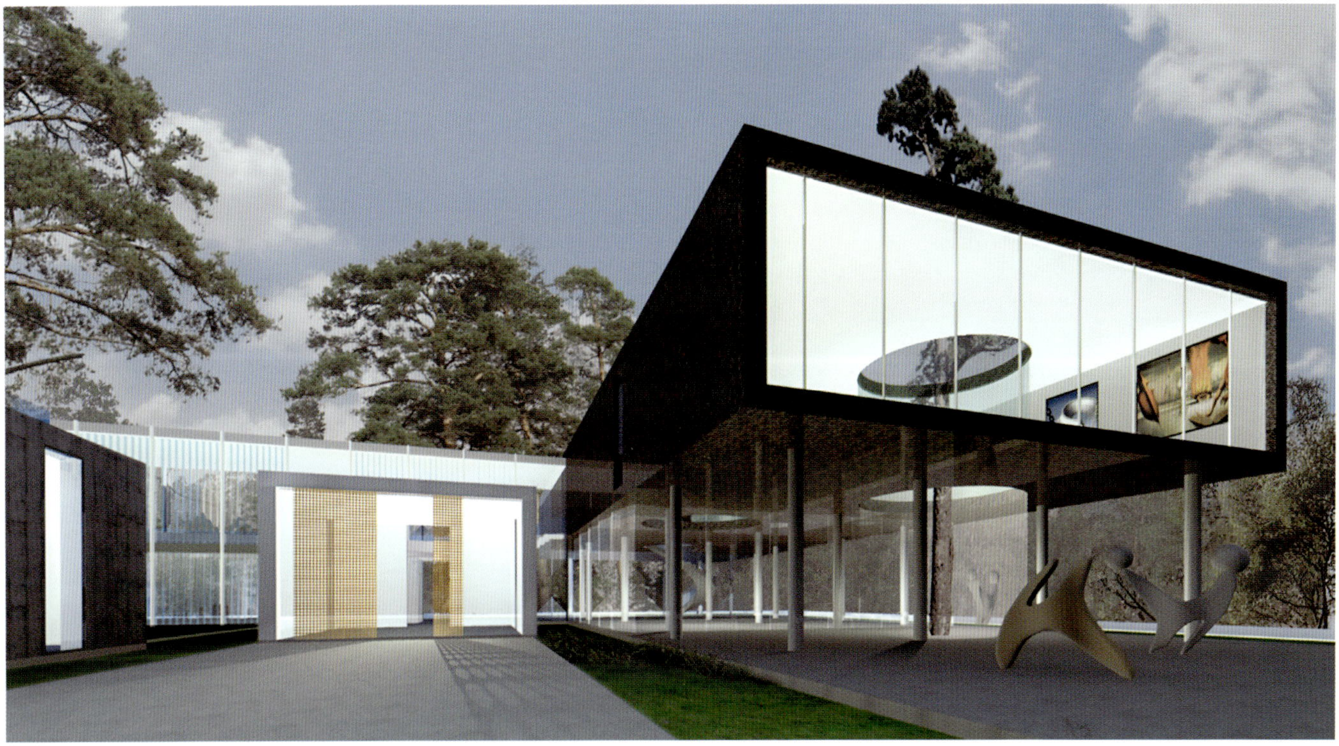

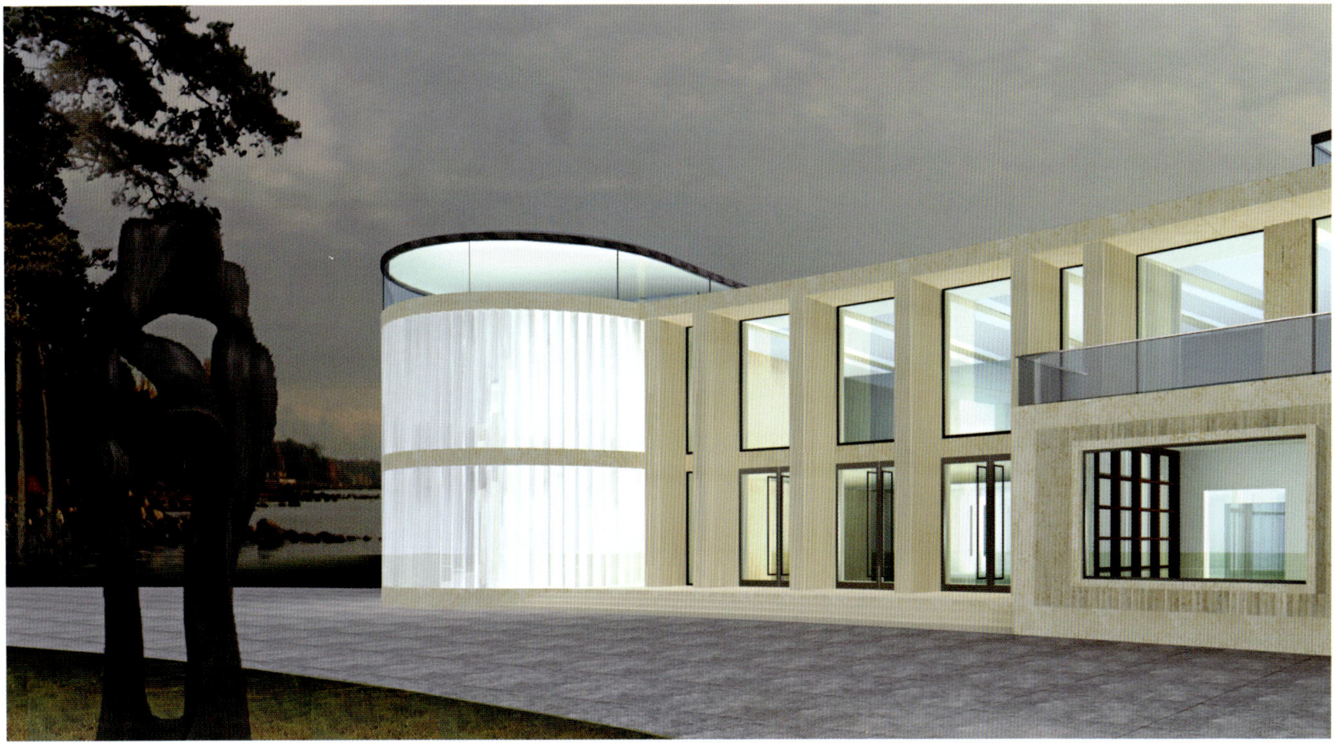

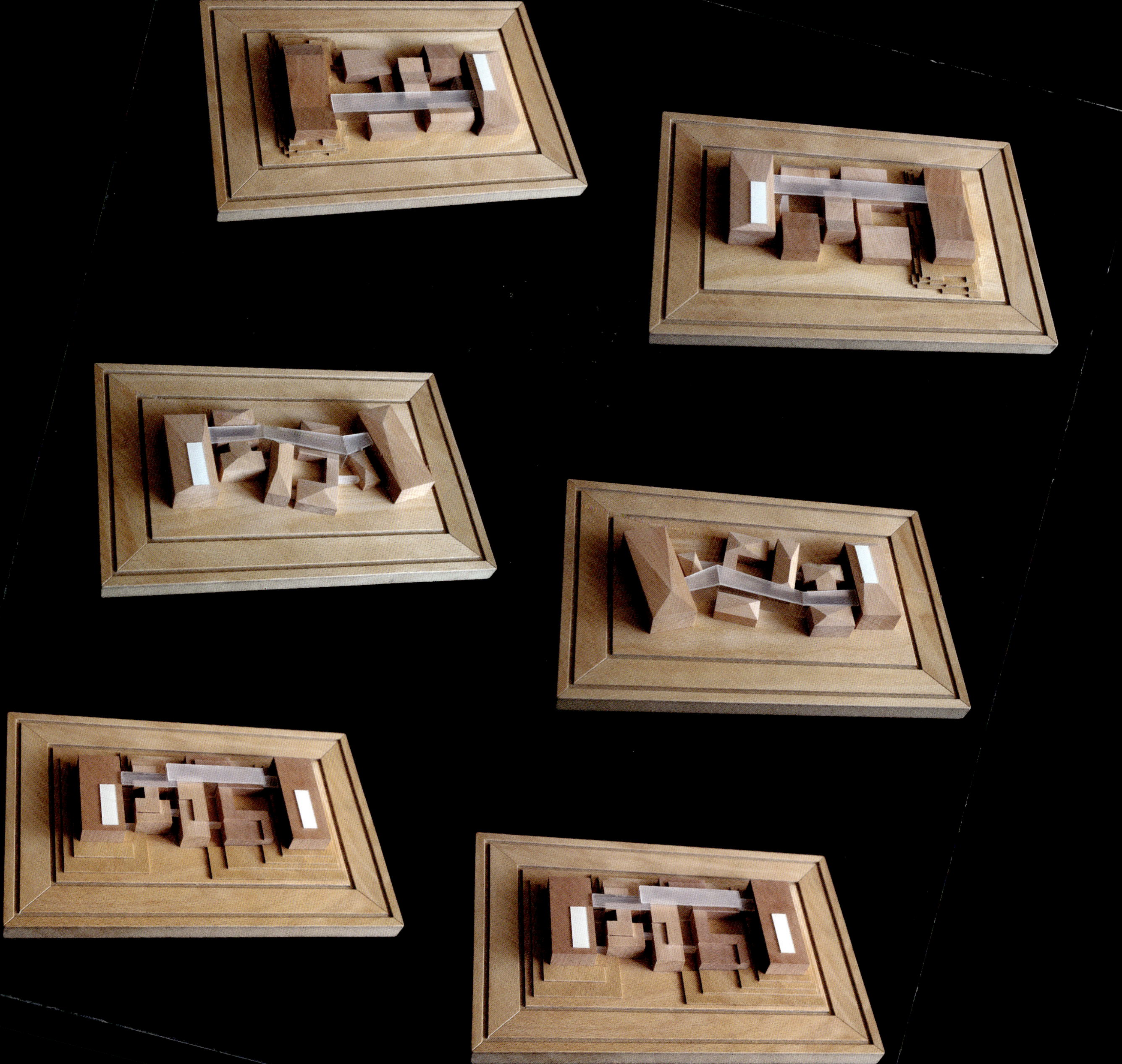

Modellvarianten mit optionaler
Sonnenstandsanalyse

*Model variants with optional analysis of
the position of the sun*

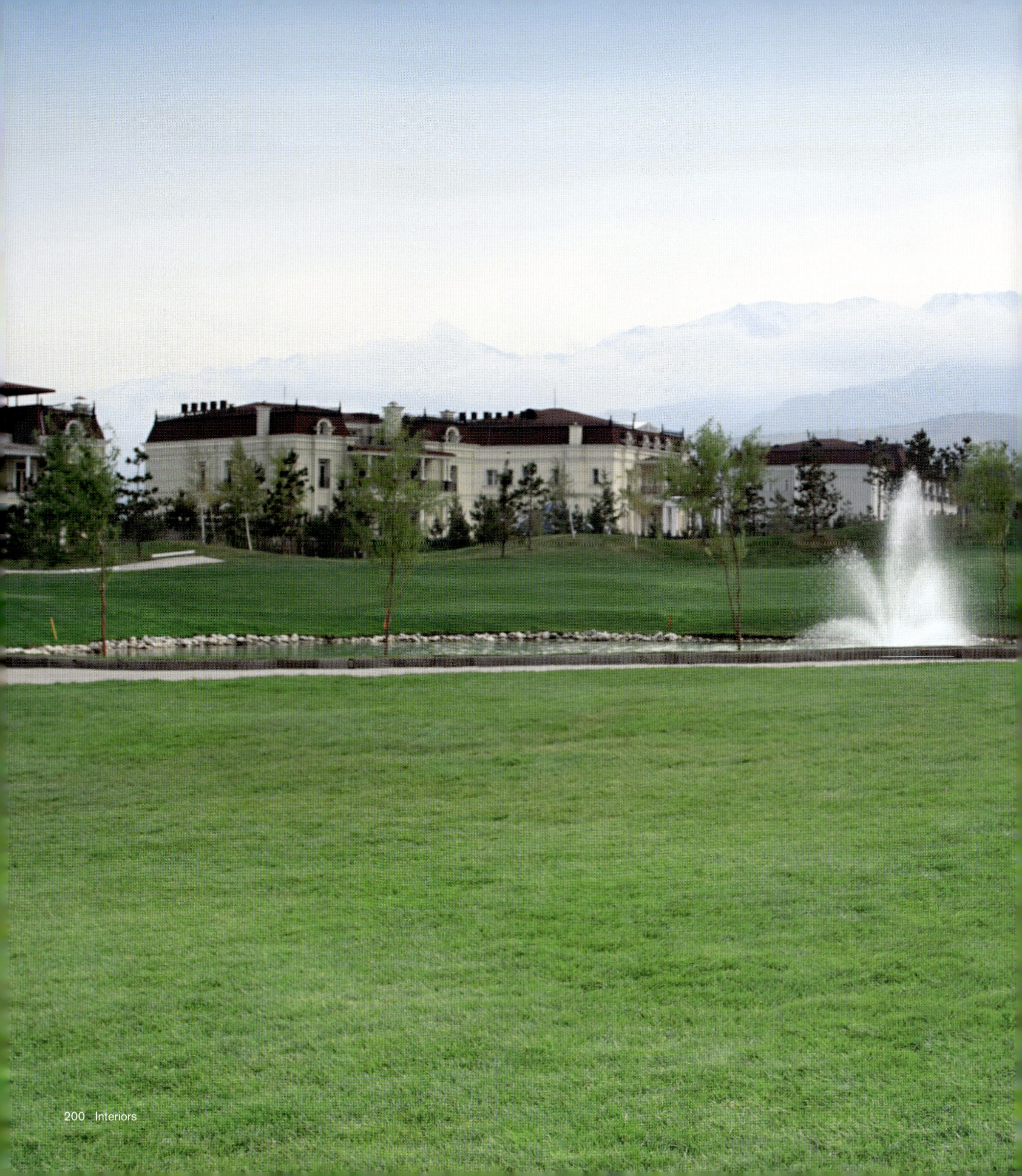

ALA

ALMATY DIE KULISSE DES ALATAU-GEBIRGES RAHMT DEN ERSTEN GOLFPLATZ DER KASACHISCHEN FINANZMETROPOLE, IN DEM AUCH 50 VILLEN ERRICHTET WURDEN.

ALMATY THE ALATAU MOUNTAINS FORM A MAGNIFICENT BACKDROP TO THE 50 VILLAS IN THE FIRST GOLF RESORT IN THE KAZAKH METROPOLIS OF FINANCE.

Villa im Golfresort
Zhailjau Golf Residence
Almaty

Nutzfläche
600 Quadratmeter

Neubau
2006–2010

Südwestlich der kasachischen Metropole Almaty entstand eine exklusive neue Golfanlage mit etwa 50 Villen im neoklassizistischen Stil. Das landschaftlich schön gelegene Resort vereint in einem klar abgegrenzten Geviert westliche moderne Architektur mit der reizvollen Vorgebirgslandschaft Zentralasiens. Für eine dieser Villen in der Anlage galt es, ein der privilegierten Lage entsprechendes innenarchitektonisches Konzept zu entwickeln und umzusetzen. Das repräsentative Haus verfügt über drei Etagen mit insgesamt 20 Zimmern, Swimmingpool, Sauna sowie Bar, Kaminzimmer und Billardraum. Da die Architektur des Gebäudes ganz klar von der europäischen und internationalen Moderne inspiriert ist, lag es nahe, sich bei der Innenausstattung ebenfalls an diesem Leitbild zu orientieren. Dies entsprach auch dem ausdrücklichen Wunsch des Bauherrn. Mit den glatt gespachtelten Wänden und dem Boden aus chinesischem Granit wurde zunächst ein stilistisch weitgehend neutraler Rahmen geschaffen, der viele Gestaltungsoptionen zulässt.

This villa is one of 50 new houses in a development belonging to a golf resort southwest of Almaty. The handsome building has 20 rooms on three floors as well as a swimming pool, sauna, bar, a billard room, and a living room with an open fireplace. In keeping with its overall style and on the client's express wish, the building's interior reflects modern, neoclassicist Western styles, with the smoothly rendered walls and floor of Chinese granite defining a largely neutral space which opens up a wide array of design options.

Interiors 203

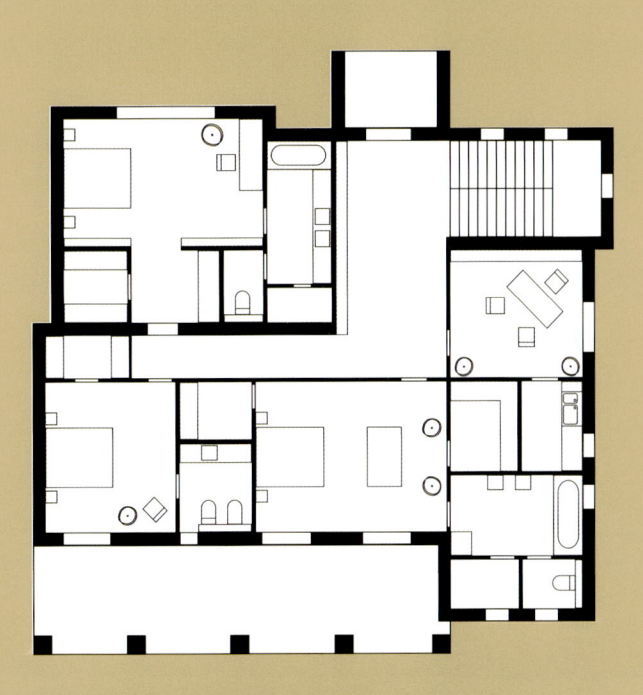

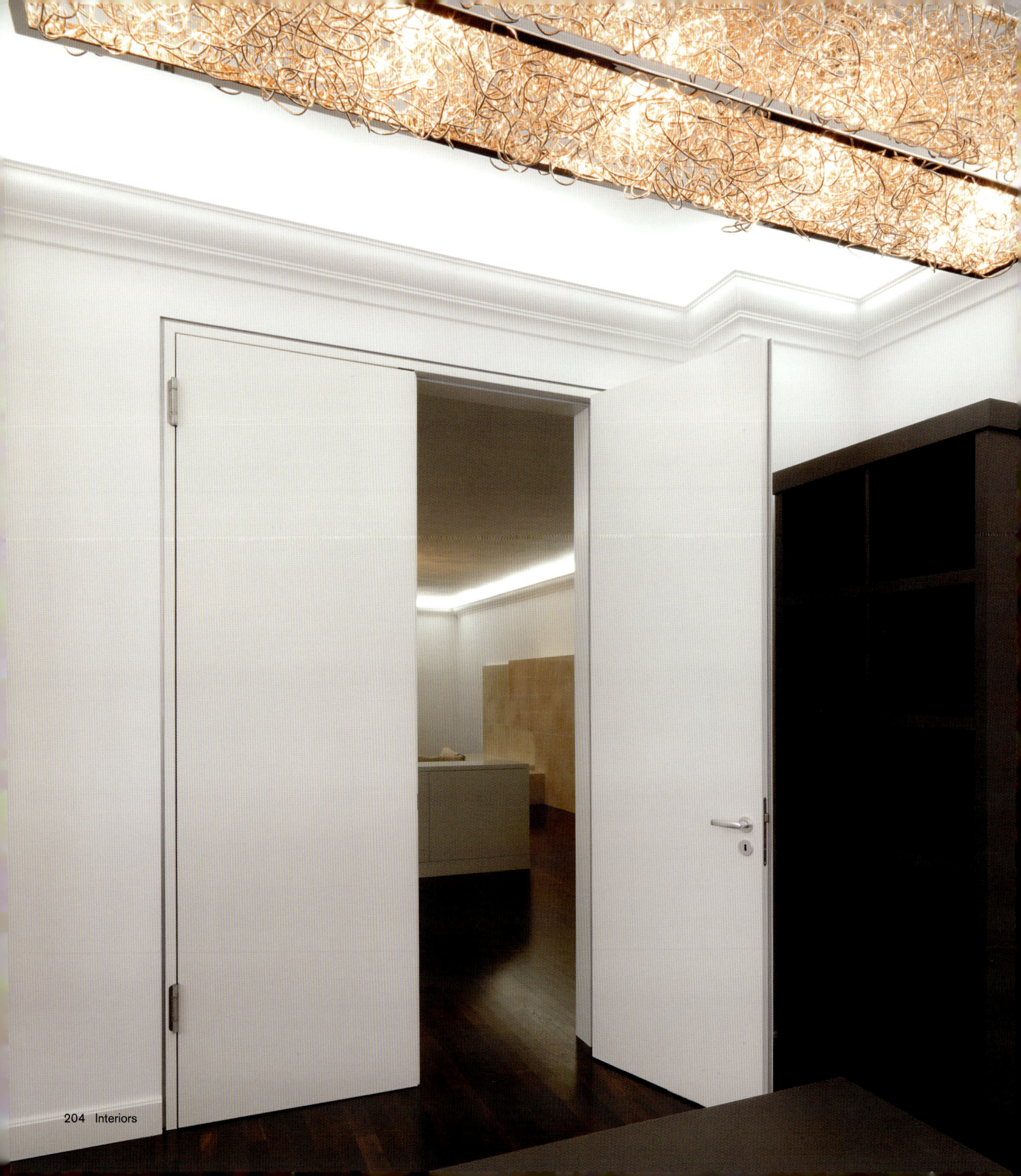

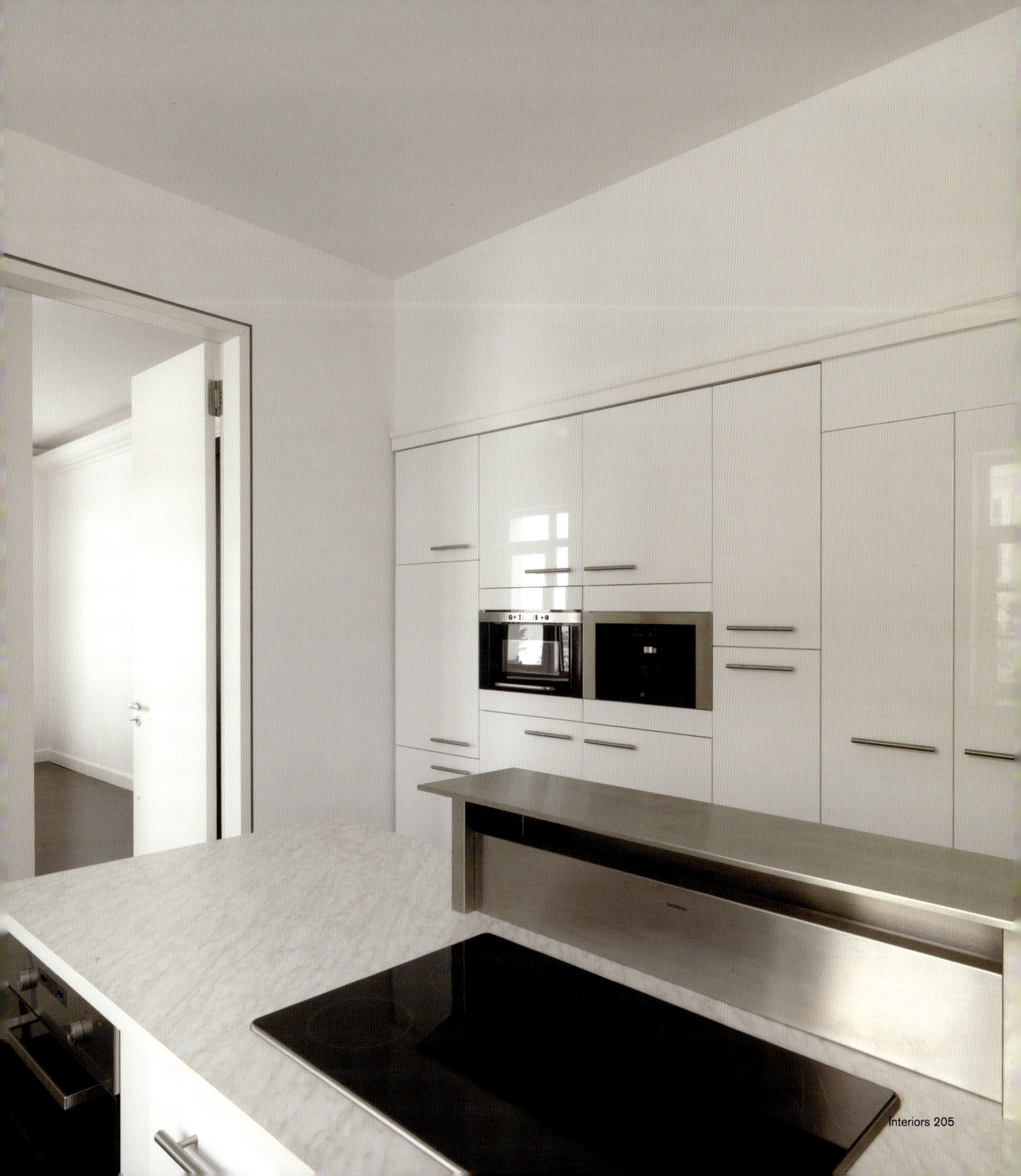

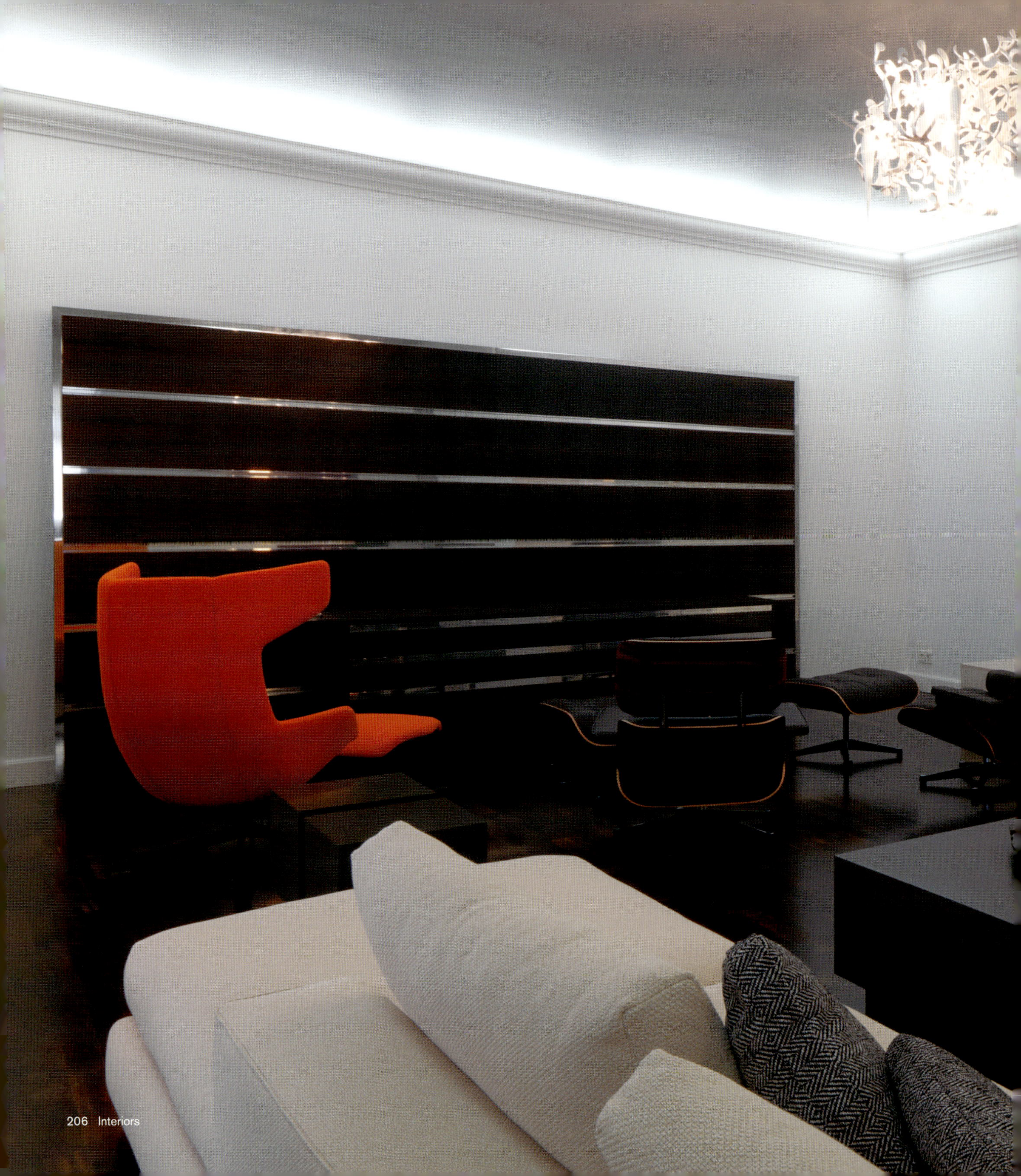

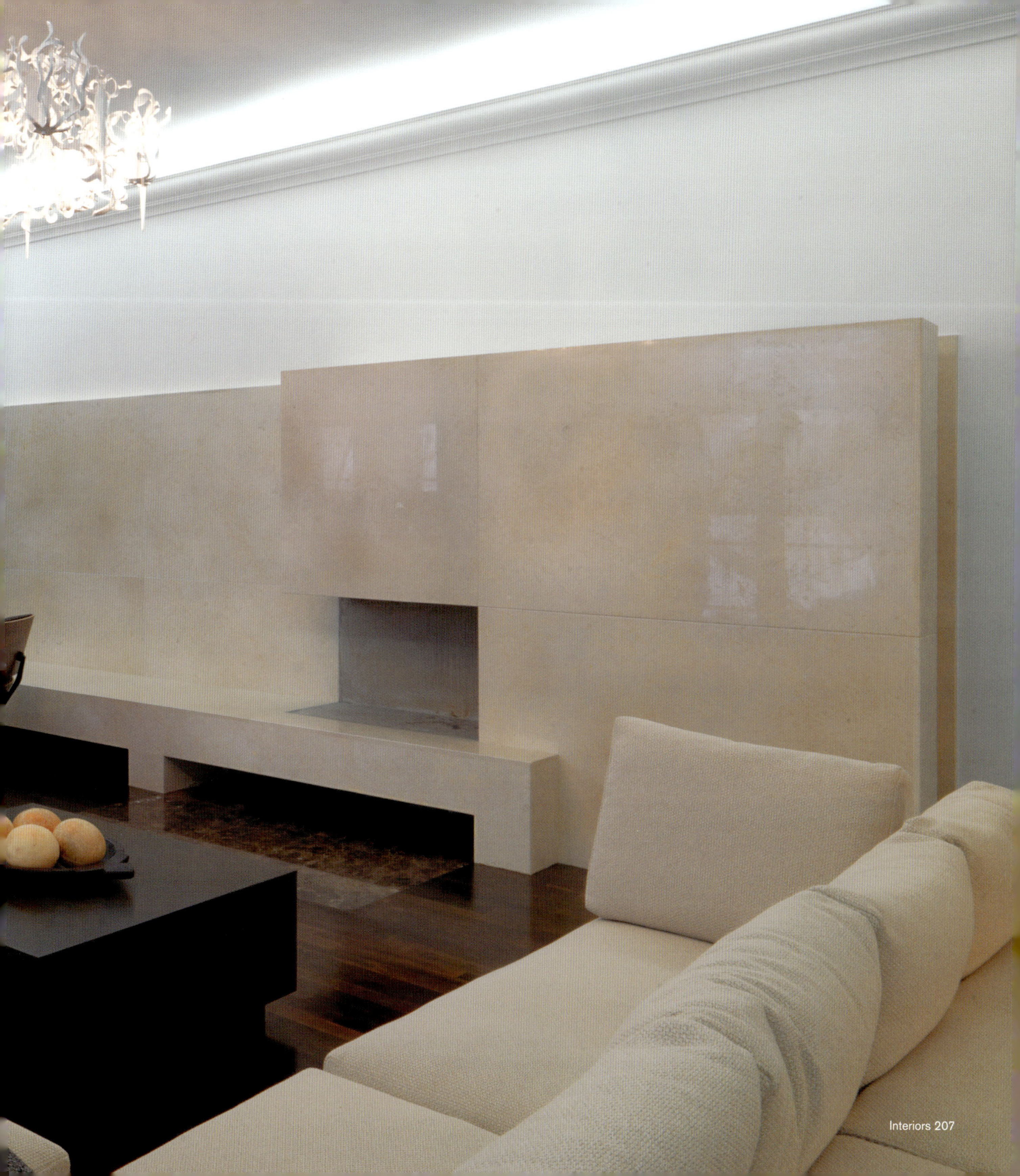

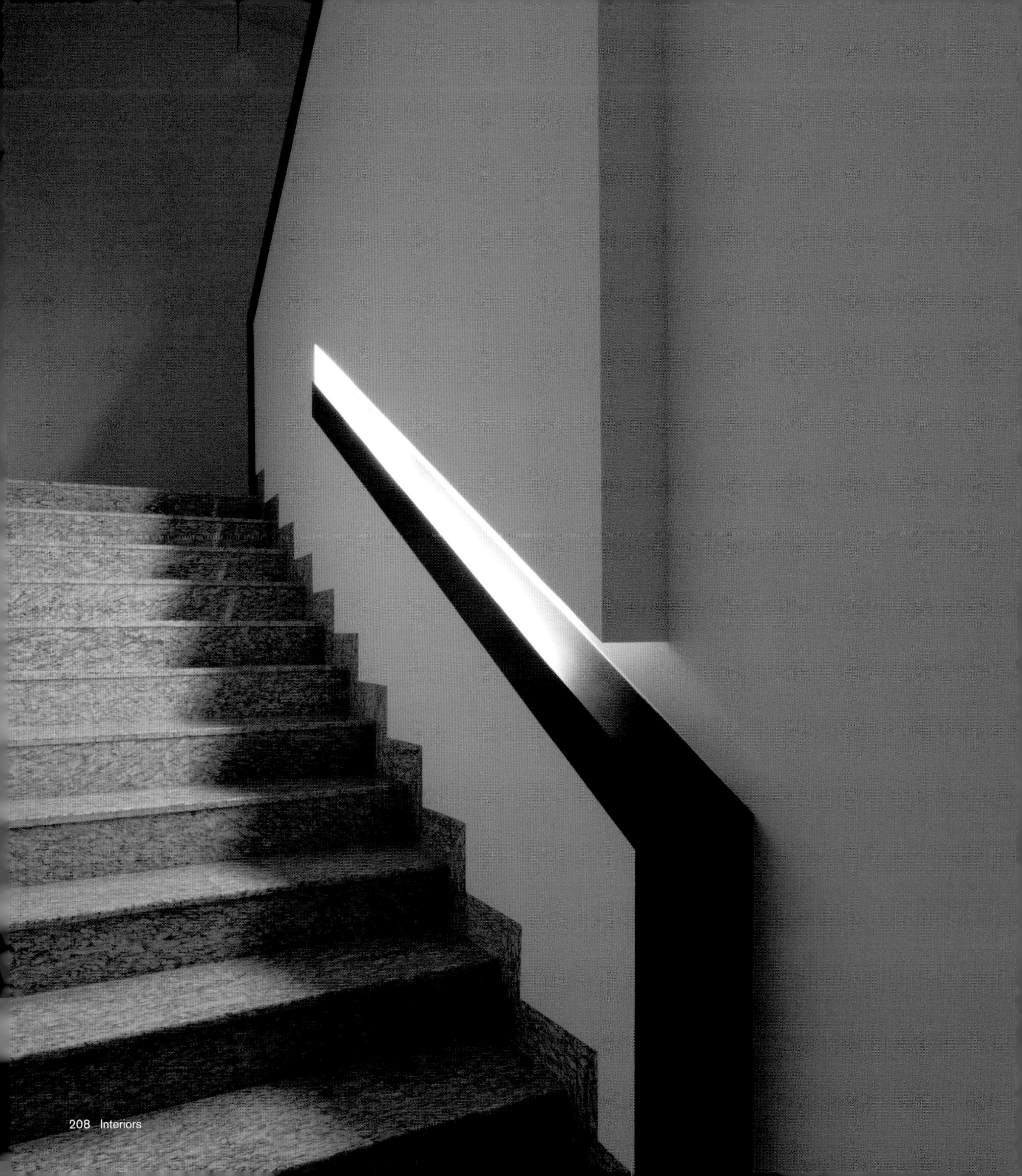

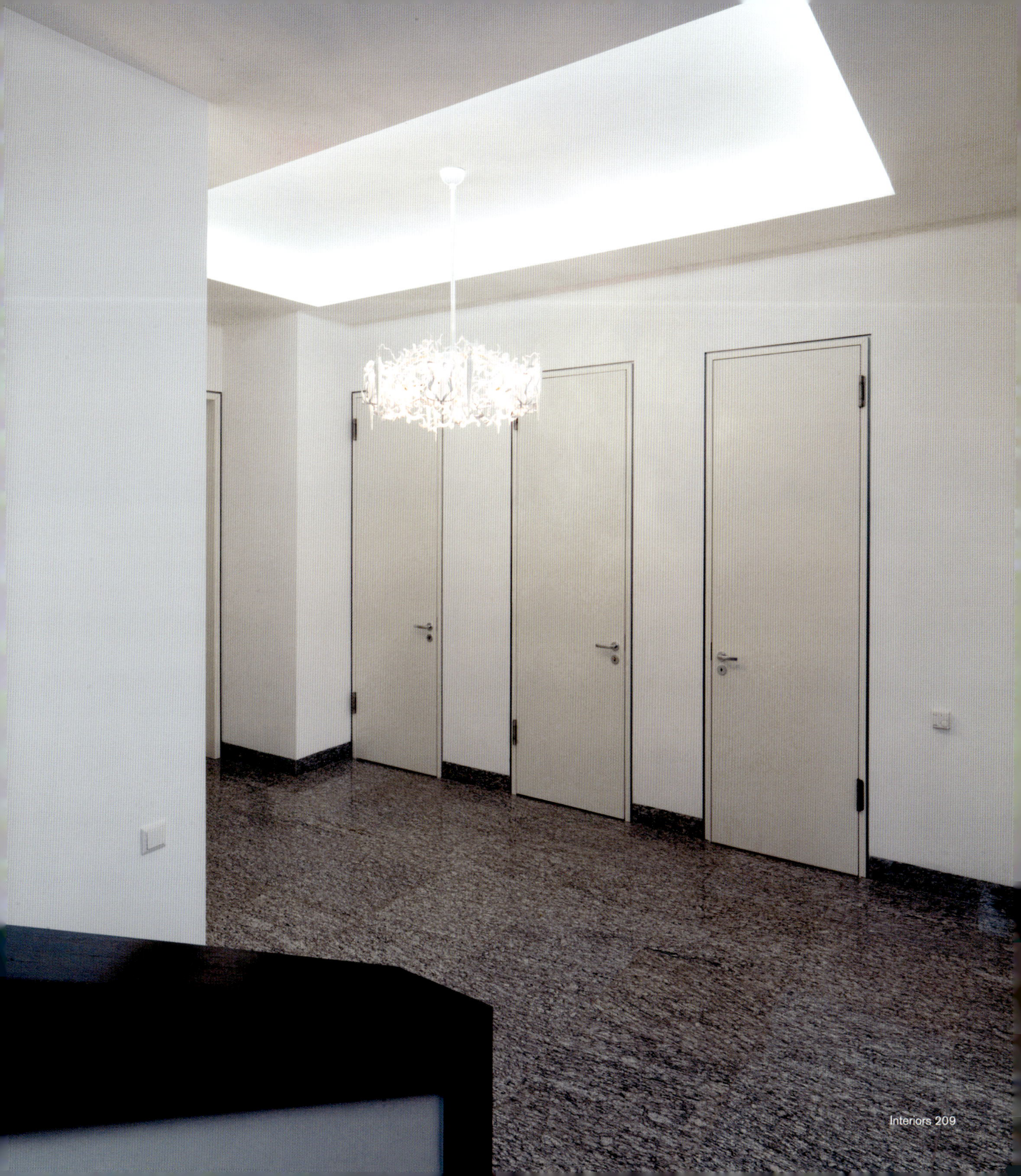

ORIGINS
CODE: LE011-Big bag
1carton: 48 pcs X 4 boxes
TOTAL: 192 PCS
Made in china
INTERFOOD
FRAGILE

Interiors 211

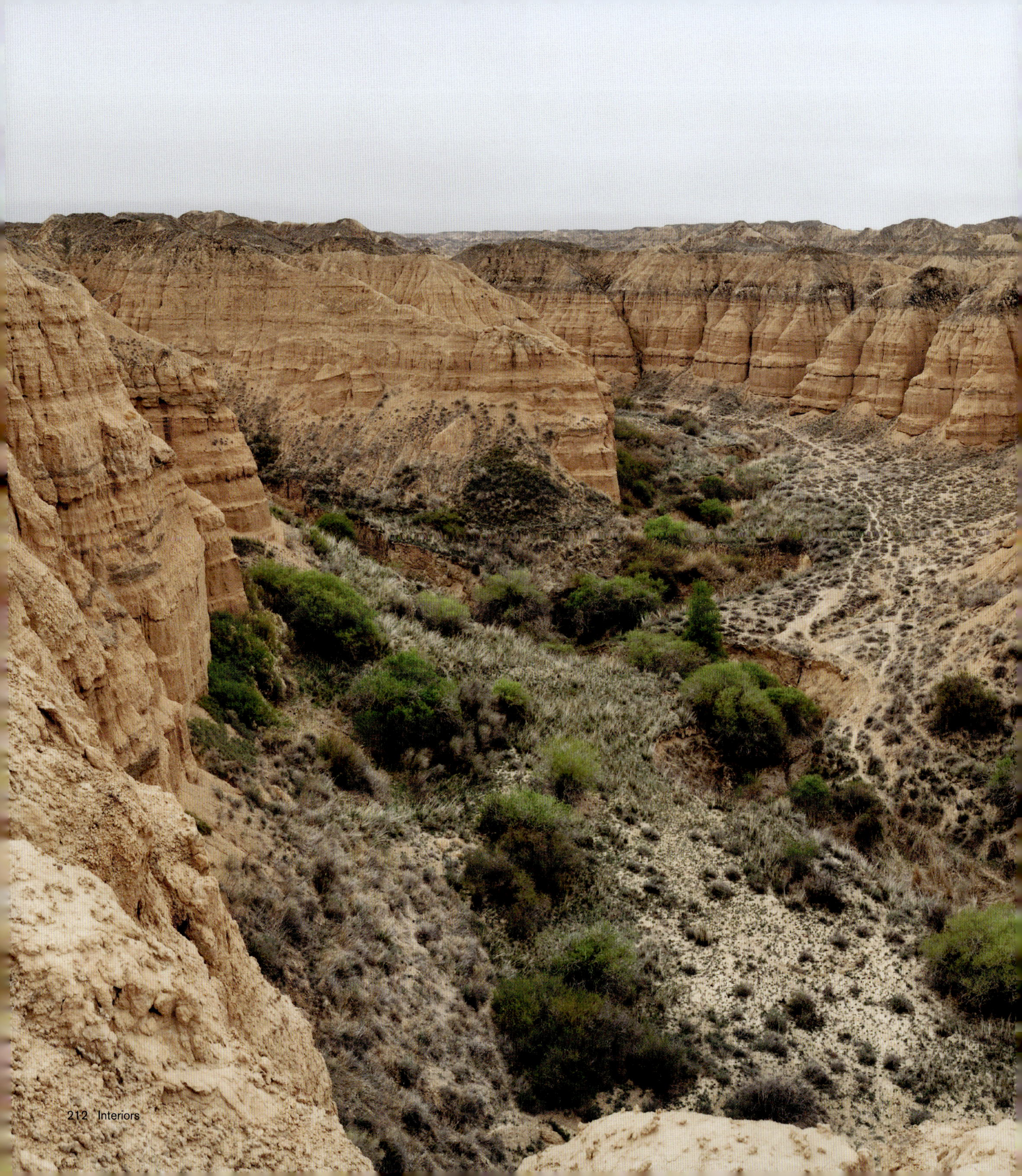

ALA

ALMATY DIE TSCHARYN-SCHLUCHT, 80 KILOMETER VON ALMATY ENTFERNT, IST EINE DER BEEINDRUCKENDSTEN SEHENSWÜRDIGKEITEN KASACHSTANS.

ALMATY THE CHARYN GORGE, 80 KILOMETRES FROM ALMATY, IS ONE OF KAZAKHSTAN'S MOST IMPRESSIVE SIGHTS.

Maisonette in Dongguan
Pearl River Maisonette
Dongguan

Nutzfläche
300 Quadratmeter

Neubau
2004–2005

Dort, wo der Perlenfluss in einem breiten Delta in das chinesische Meer bei Hongkong mündet, gab es vor 30 Jahren ein paar verstreute Siedlungen inmitten einer unverbauten Landschaft. Erst 1985 wurde Dongguan, ein kleines Kaff am Hafen Humen, zur Stadt erklärt. Was dann passierte, entzieht sich dem an westliche Gemächlichkeit gewöhnten Vorstellungsvermögen. Das unbedeutende Städtchen wuchs über seine Grenzen, verschlang benachbarte Dörfer und entwickelte sich binnen weniger Jahre zum globalen Zentrum der Leichtindustrie. Wer heute Schuhe kauft, einen Fön oder einen Fernseher, der erwirbt mit an Sicherheit grenzender Wahrscheinlichkeit ein Produkt, das in einer der unzähligen Fabriken Dongguans am Fließband gefertigt wurde. Diese High-Speed-Urbanisierung ging nicht nur zu Lasten der Umwelt im Süden der Provinz Kanton; auch die Lebensqualität der hier wohnenden Menschen wird durch die hohe Bevölkerungsdichte, die Verkehrsbelastung und die hemmungslose Ausbeutung der räumlichen und natürlichen Ressourcen stark beeinträchtigt. In einer solchen Umgebung wirkt die neue Maisonette eines aus Hongkong stammenden Unternehmers fast surreal: Er benötigte eine Wohnung in der Nähe seiner Fabrik.

The Pearl River Delta near Hong Kong was virtually uninhabited until, in 1985, one of its villages was raised to the status of a town. What followed is inconceivable to sluggish Western minds. In a burst of high-speed urbanization the place turned itself into a global centre of light industry. But the sudden boom in population and traffic as well as the unbridled exploitation of natural resources exact a heavy toll from the environment and the people who live here. In these surroundings the new maisonette of an entrepreneur from Hong Kong seems almost surreal. He needed a place near his factory.

Interiors 215

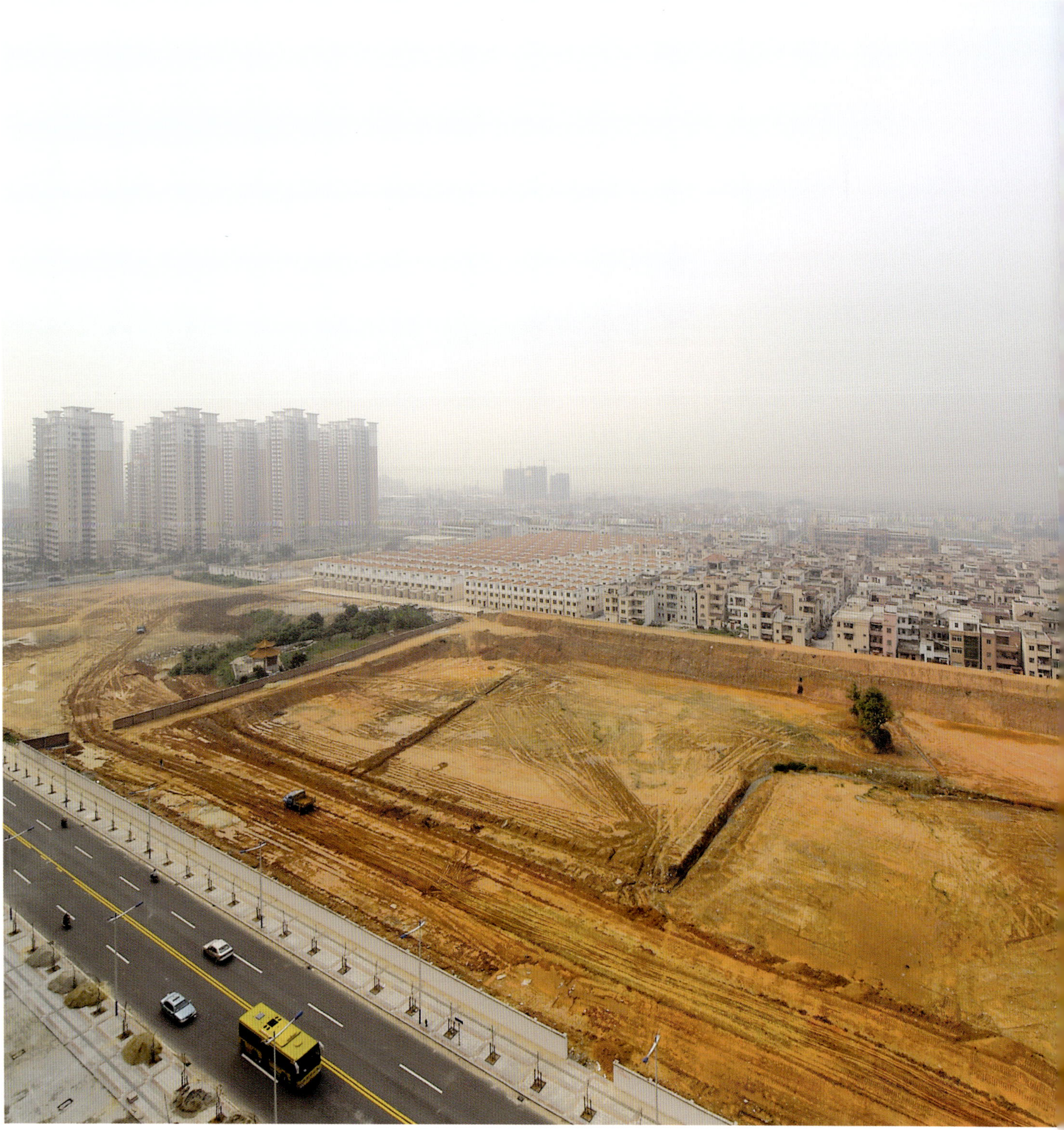

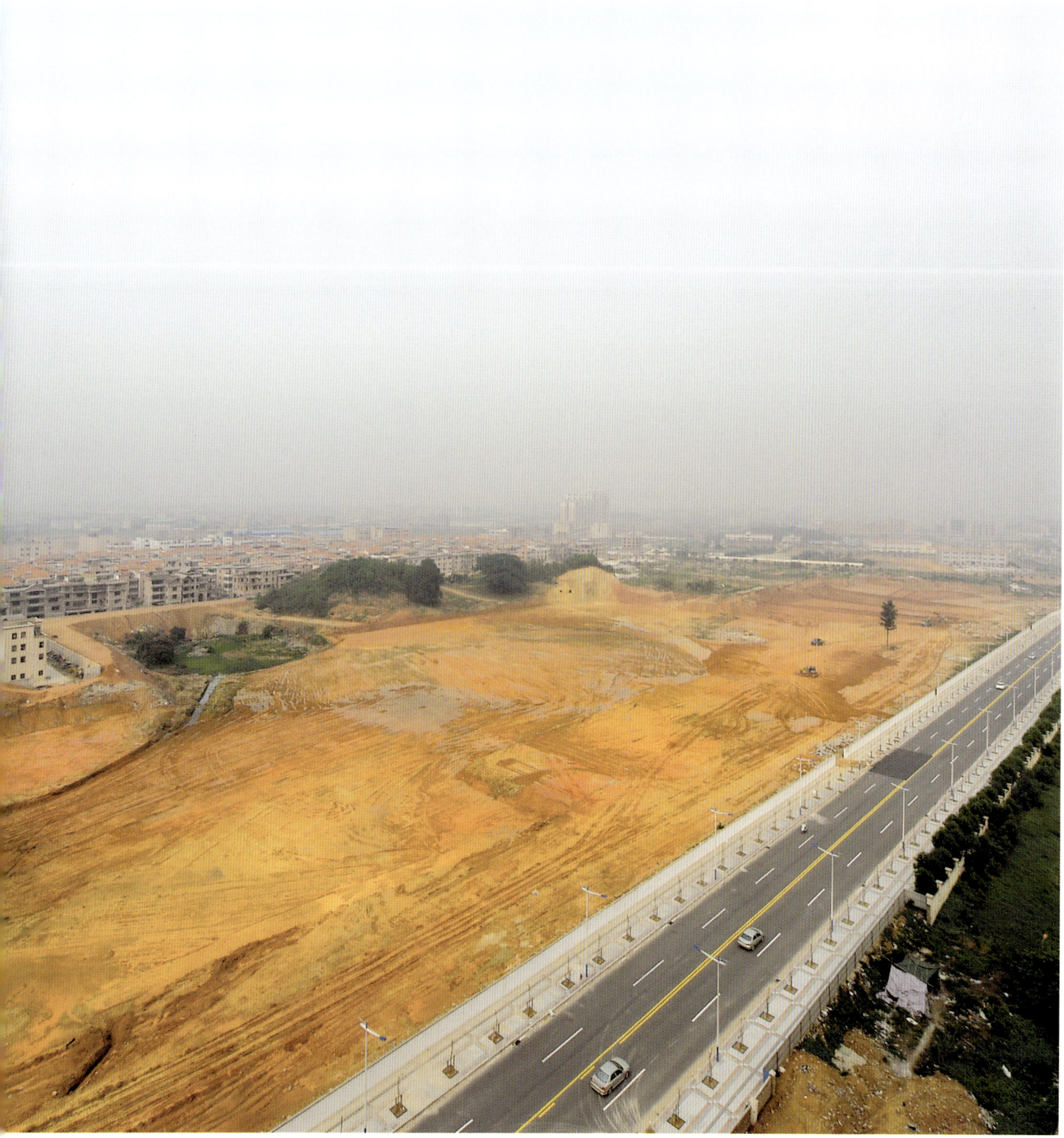

218 Interiors

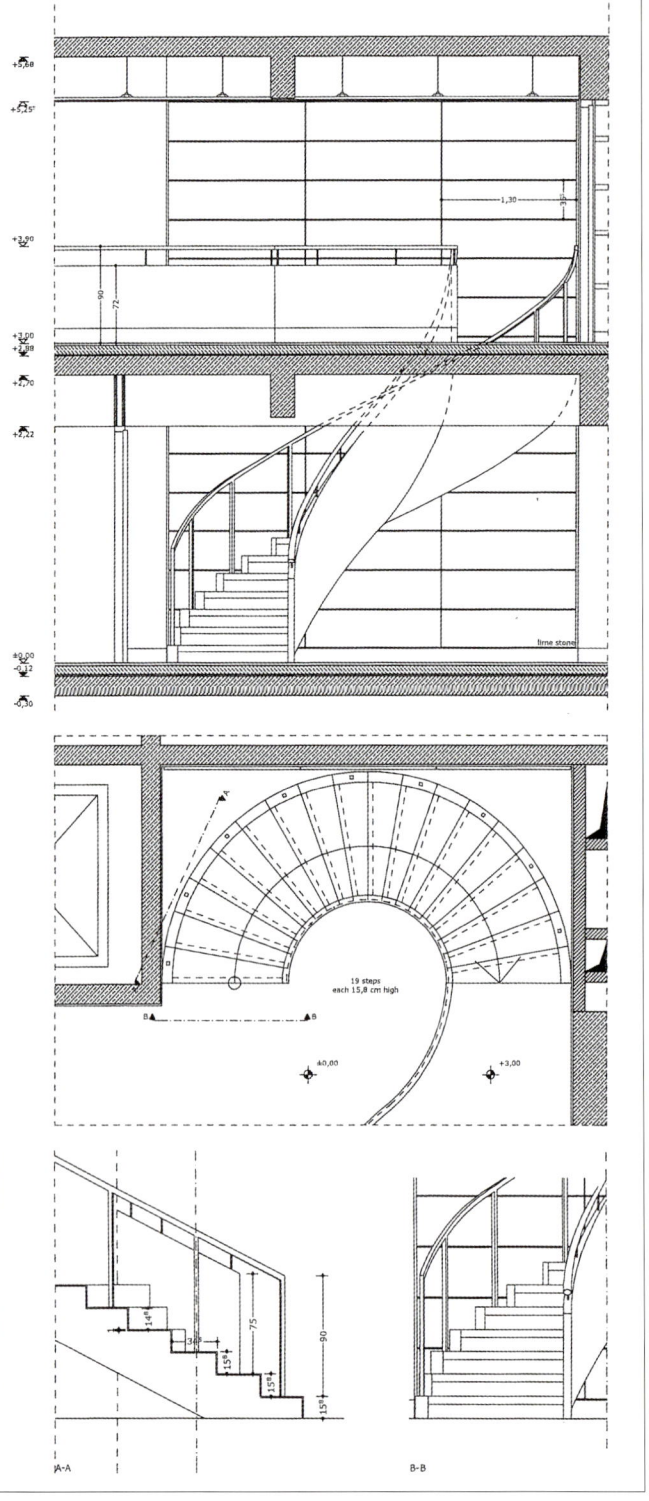

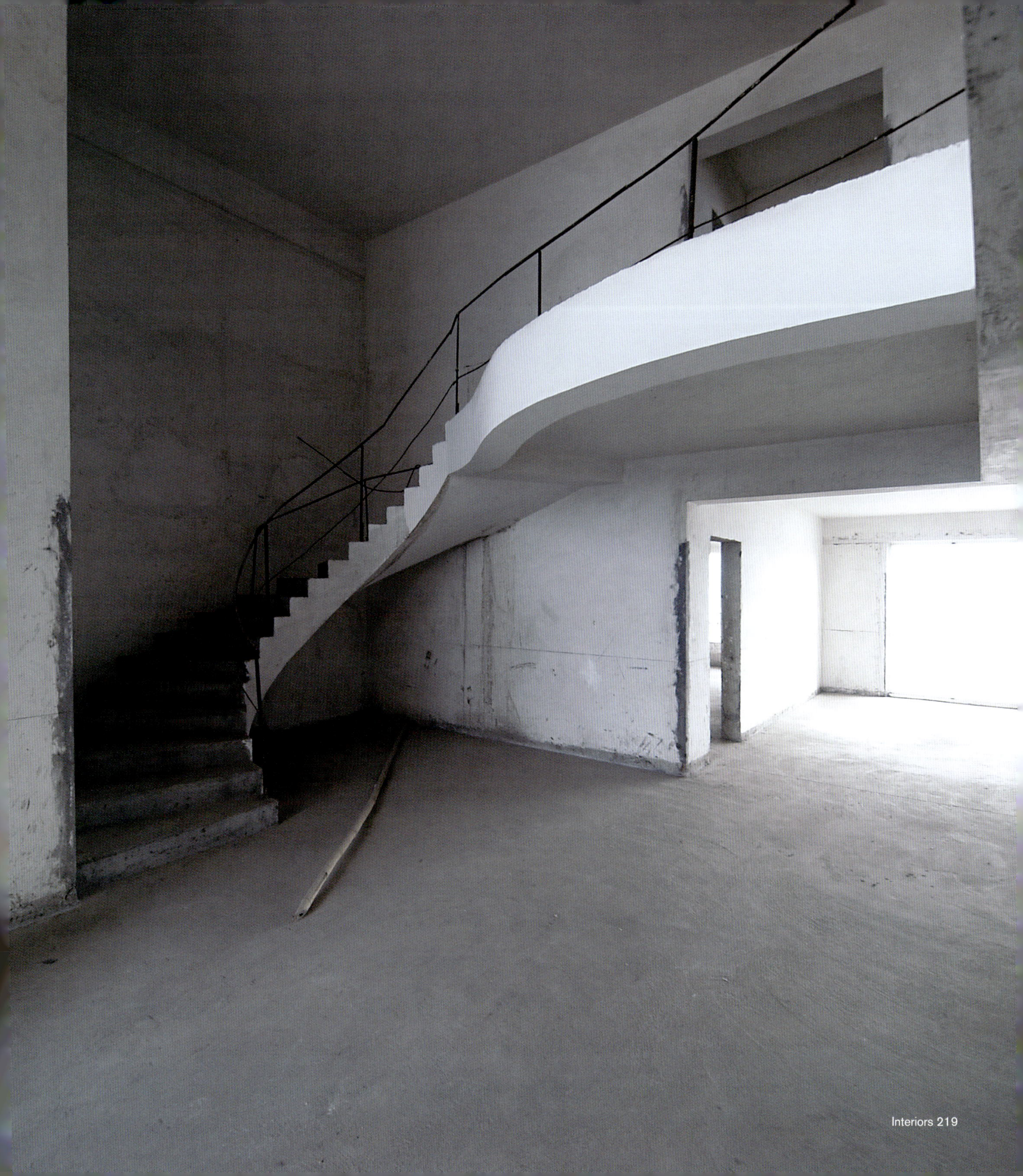

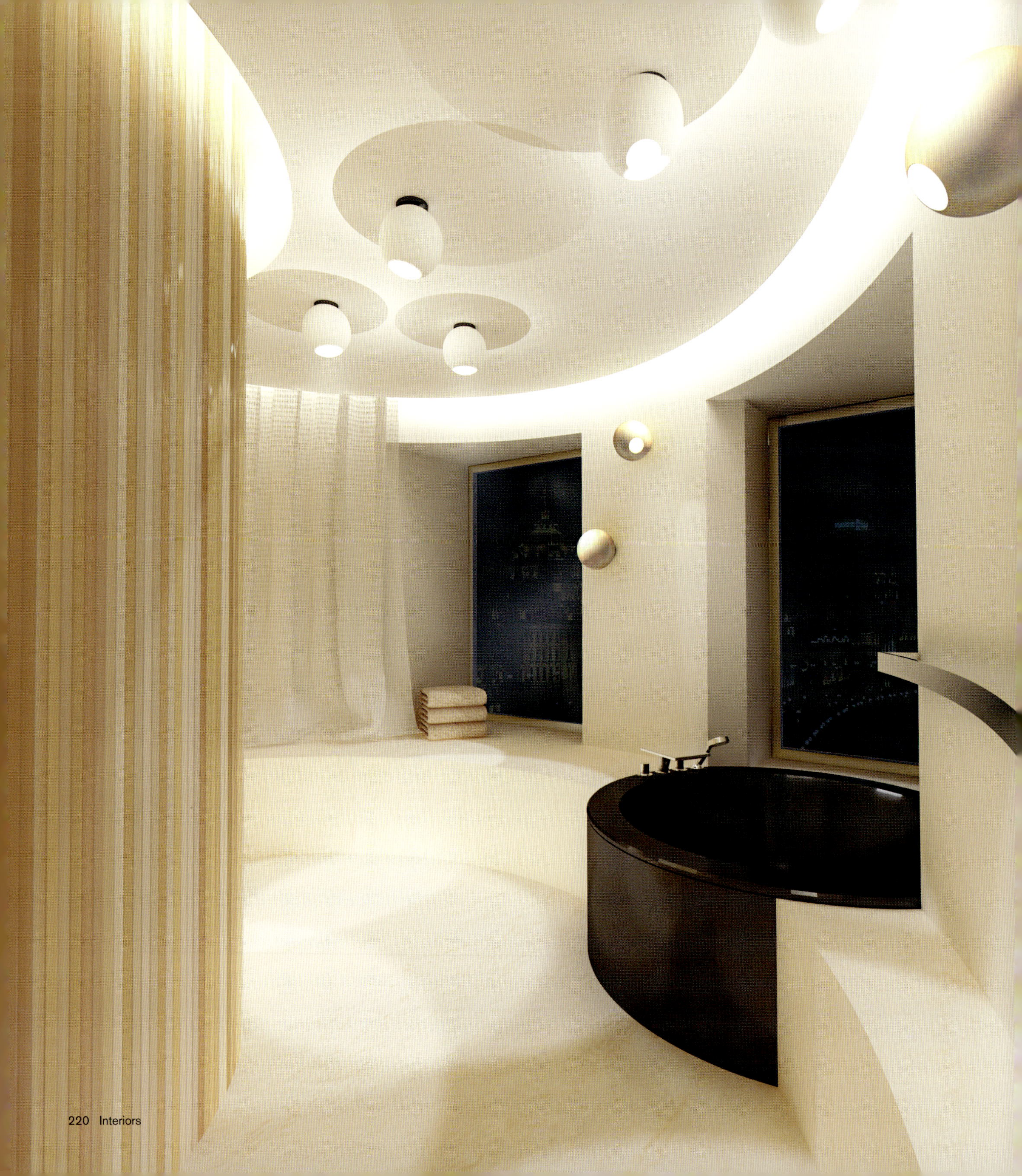

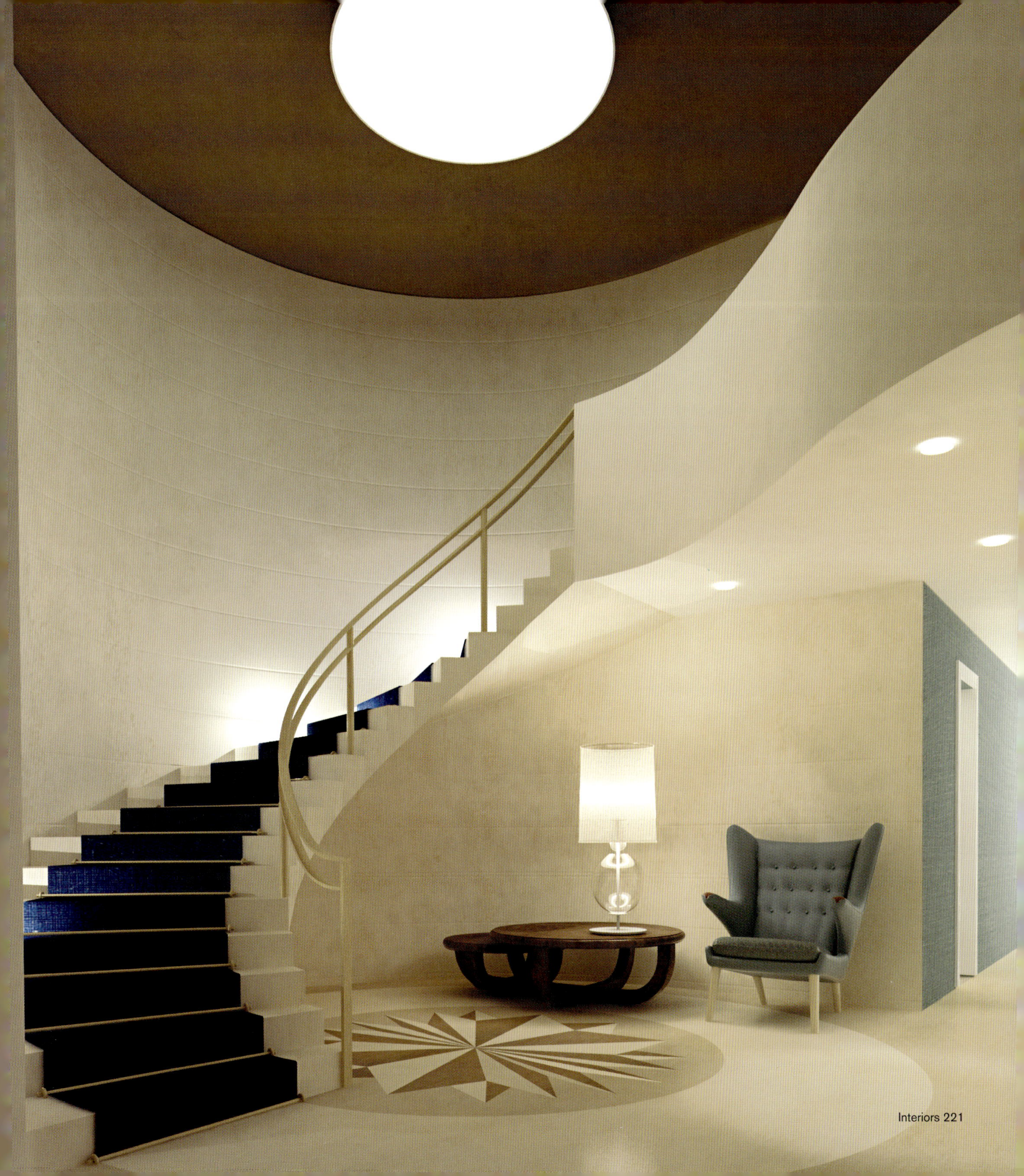

1997

SXZ

SHENZHEN DIE SÜDCHINESI-
SCHE BOOMTOWN HAT SICH
SEIT DEN NEUNZIGERJAHREN
GANZE DÖRFER UND KÜSTEN-
ABSCHNITTE EINVERLEIBT.

SHENZHEN SINCE THE
1990S THE BOOM TOWN IN
SOUTHERN CHINA HAS
BEEN DEVOURING WHOLE
VILLAGES AND STRETCHES
OF COASTLINE.

Anhang
Annex

Natascha Meuser
Curriculum

Jahrgang 1967, Dipl.-Ing. Architektin BDA (AK Berlin 08182). Geschäftsführerin der Meuser Architekten GmbH.

1987 bis 1991 Studium der Innenarchitektur an der Fachhochschule Rosenheim (Abschluss: Diplom). 1991 bis 1993 Studium der Architektur am Illinois Institute of Technology in Chicago (Abschluss: Master of Architecture). Studienbegleitende Arbeitsaufenthalte und Stipendien in Griechenland (Bühnenbild) und Italien (Malerei). 1993 Auszeichnung durch das Art Institute of Chicago mit dem Harold Schiff Fellowship. 1994 Umzug nach Berlin und bis 1996 Mitarbeit bei Krier/Kohl Architekten sowie Thomas Baumann.

Ab 1995 eigene Architekturprojekte. 1999 bis 2002 Autorin der Tageszeitung *Der Tagesspiegel* mit der eigenen Kolumne *Berliner Zimmer*. 2000 Berufung in den Bund Deutscher Architekten BDA.

2000 bis 2005 wissenschaftliche Mitarbeiterin an der Technischen Universität Berlin im Lehrgebiet Baurecht und Bauverwaltungslehre. Koordination und Durchführung internationaler Studentenworkshops im Rahmen des UIA 2002 in Berlin sowie an der American University of Sharjah (2004).

Seit 2004 internationale Planungs- und Bauprojekte mit Schwerpunkt Osteuropa und Asien. Realisierung von zahlreichen Botschaftsprojekten, u. a. für die deutsche, britische, französische, schweizerische und kanadische Botschaft in Astana/Kasachstan. 2005 bis 2006 Generalplaner für das Theater in der Spielbank Berlin. Planung und Realisierung von exklusiven Appartements und Villen in Deutschland und Russland. Seit 2008 verschiedene Bauvorhaben für den Spielzeughersteller Schleich, u. a. Erweiterung der Hauptverwaltung sowie die weltweite Umsetzung des Corporate Design in *Schleich Shops*.

2008 Beauftragung als Generalplaner für die Deutsche Botschaft Sarajewo/Bosnien und Herzegowina. 2009 Beauftragung als Generalplaner für die Deutsche Botschaft New Delhi/Indien, ein von der Bundesregierung ausgewähltes Pilotprojekt zur Kohlendioxid-Reduzierung bei Bundesbauten.

Regelmäßige Vorträge in Unternehmernetzwerken sowie zahlreiche Publikationen mit Schwerpunkt Innenarchitektur.

Born in 1967, Natascha holds a Dipl.-Ing. degree in architecture and is a member of the German architects' association BDA. She is co-manager of Meuser Architekten GmbH.

From 1987 to 1991 Natascha studied interior design at the Fachhochschule Rosenheim. After taking her degree in 1991 she moved to Chicago to study architecture at the Illinois Institute of Technology, where she took a Master of Architecture in 1993. Alongside her academic studies she held placements and scholarships in Greece (set design) and Italy (painting). In 1993 she won the Art Institute of Chicago's Harold Schiff Fellowship. In 1994 she moved to Berlin where until 1996 she worked with Krier/Kohl Architekten and Thomas Baumann.

Natascha has been managing her own architecture projects since 1995. From 1999 to 2002 she wrote the column *Berliner Zimmer* for *Der Tagesspiegel*, one of Berlin's major daily newspapers. In the year 2000 she was invited to join the German architects' association, Bund Deutscher Architekten BDA.

From 2000 to 2005 Natascha taught classes on Building Law and Building Administration at the Berlin University of Technology. She also organized and coordinated international student workshops at the UIA 2002 in Berlin and at the American University of Sharjah (2004).

Since 2004 her planning and building projects have increasingly been focussed in eastern Europe and Asia, where she was responsible for numerous embassy buildings, including the Swiss, German, British, French, and Canadian embassies in Astana/Kazakhstan. From 2005 to 2006 she held the position of general planner for the Theater in der Spielbank Berlin. Natascha has planned and realized exclusive apartments and villas in Germany and Russia. Since 2008 she has also realized a number of projects for toy manufacturer Schleich, including an annexe to the central administration and the implementation of the Schleich corporate design in Schleich shops around the world.

In 2008 Meuser Architekten won the contract for general planning for the German embassy in Sarajevo/Bosnia and Herzegovina, and in 2009, for the German embassy in New Delhi/India. This project is part of a pilot project for CO_2 reductions in German government buildings.

Philipp Meuser
Curriculum

Jahrgang 1969, Dipl.-Ing. Architekt BDA (AK Berlin 09110). Geschäftsführer der Meuser Architekten GmbH.

1991 bis 1995 Studium der Architektur an der Technischen Universität Berlin und Stipendiat der Konrad-Adenauer-Stiftung (Journalistische Nachwuchsförderung). Praktikum beim *Westdeutschen Rundfunk* in Köln und bei der *Bauwelt*. Von 1995 bis 1996 redaktionelle Tätigkeit im Feuilleton der *Neuen Zürcher Zeitung,* begleitendes Nachdiplomstudium Geschichte und Theorie der Architektur an der Eidgenössischen Technischen Hochschule Zürich (Abschluss 1997).

1996 bis 2001 Politikberater des Senators für Stadtentwicklung im Rahmen des *Stadtforums Berlin*. 2000 Berufung in den Bund Deutscher Architekten BDA. Seit 2001 verschiedene Projekte als Kurator für Goethe-Institute in der ehemaligen Sowjetunion, u. a. Begleitung einer Architekturausstellung im *Deutsch-Russischen Kulturjahr 2003/2004* entlang der transsibirischen Eisenbahn. 2002 bis 2005 Leitung von Meisterklassen in Russland, Kasachstan und Usbekistan. 2004 Lehrauftrag an der *Habitat Unit* der Technischen Universität Berlin.

Seit 2004 internationale Planungs- und Bauprojekte mit Schwerpunkt Osteuropa und Asien. Realisierung von zahlreichen Botschaftsprojekten, u. a. für die deutsche, britische, französische, schweizerische und kanadische Botschaft in Astana/Kasachstan. 2005 bis 2006 Generalplaner für das Theater in der Spielbank Berlin. Planung und Realisierung von exklusiven Appartements und Villen in Deutschland und Russland. Seit 2008 verschiedene Bauvorhaben für den Spielzeughersteller Schleich, u. a. Erweiterung der Hauptverwaltung sowie die weltweite Umsetzung des Corporate Design in *Schleich Shops.*

2008 Beauftragung als Generalplaner für die Deutsche Botschaft Sarajewo/Bosnien und Herzegowina. 2009 Beauftragung als Generalplaner für die Deutsche Botschaft New Delhi/Indien, ein von der Bundesregierung ausgewähltes Pilotprojekt zur Kohlendioxid-Reduzierung bei Bundesbauten. Kuratorentätigkeit für die Stadt Köln im Rahmen der *Regionale 2010*.

Regelmäßige Vorträge im In- und Ausland sowie zahlreiche Publikationen mit den Schwerpunkten *Gesundheitsbauten* und *Architekturgeschichte der Sowjetunion.*

Born in 1969, Philipp holds a Dipl.-Ing. degree in architecture and is a member of the German architects' association BDA. He is co-manager of Meuser Architekten GmbH.

From 1991 to 1995 Philipp studied architecture at the Berlin University of Technology. He won a scholarship for young journalists from the Konrad-Adenauer-Stiftung and held placements with Cologne-based broadcaster *Westdeutscher Rundfunk* and with the architectural journal *Bauwelt*. From 1995 to 1996 he worked in the editorial department of the major Swiss daily, *Neue Zürcher Zeitung,* while following a postgraduate course on History and Theory of Architecture at the Swiss Federal Institute of Technology in Zurich, which he completed in 1997.

From 1996 to 2001 Philipp held a consulting position within the *Stadtforum Berlin* as an advisor to the Senator of Urban Development. In the year 2000 Philipp was invited to join the German architects' association, Bund Deutscher Architekten BDA. Since 2001 he has curated various projects for Goethe Institutes in the former Soviet Union, including an architecture exhibition travelling along the route of the Trans-Siberian Railway in the German-Russian Year of Culture in 2003/04. From 2002 to 2005 he taught master classes in Russia, Kazakhstan, and Uzbekistan, and in 2004 he held a teaching appointment in the *Habitat Unit* of the Berlin University of Technology.

Since 2004 his planning and building projects have increasingly been focussed in eastern Europe and Asia, where he was responsible for numerous embassy buildings, including the German, British, French, Swiss, and Canadian embassies in Astana/Kazakhstan. From 2005 to 2006 he held the position of general planner for the *Theater in der Spielbank Berlin*. Philipp has planned and realized exclusive apartments and villas in Germany and Russia. Since 2008 he has also realized a number of projects for toy manufacturer Schleich, including an annexe to the central administration and the implementation of the Schleich corporate design in Schleich shops around the world.

In 2008 Meuser Architekten won the contract for general planning for the German embassy in Sarajevo/Bosnia and Herzegovina, and in 2009, for the German embassy in New Delhi/India. The project in New Delhi is part of a pilot project for CO_2 reductions in German government buildings.

Veröffentlichungen
Publications

Natascha Meuser (Auswahl)

Salons der Diplomatie. Zu Gast bei Berliner Exzellenzen.
Berlin 2008 (mit Kirsten Baumann)

Ambassadors' Residences.
Berlin 2008 (mit Kirsten Baumann)

Decorating Flowers.
Berlin 2008

Decorating Home.
Berlin 2008

Making of Belle et Fou. Das Theater der Sinne.
Berlin 2006

Monatliche Illustrationen für die Kolumne *Machträume* in der Zeitschrift *CICERO – Magazin für politische Kultur.*
Zeitraum: 2004–2007

Sechsteilige Serie *Berliner Residenzen* für die Tageszeitung *Der Tagesspiegel.* 2003

Berliner Residenzen. Zu Gast bei den Botschaftern der Welt.
Berlin 2002 (mit Kirsten Baumann)

Zehn Highlights der Museumsinsel. In: Carola Wedel (Hg.): *Die neue Museumsinsel. Der Mythos. Der Plan. Die Vision.*
Berlin 2002

Wöchentliche Kolumne *Berliner Zimmer* für die Tageszeitung *Der Tagesspiegel.* (100 Teile)
Zeitraum: 2000–2002

Philipp Meuser (Auswahl)

Zeitgenössische Architektur

Kasachstan – Architektonisches Versuchslabor in der Steppe. In: *Simone Voigt: Contemporary Architecture in Eurasia. Bauten und Projekte in Russland und Kasachstan.* Berlin 2009

Russia Now. Modernes Russland. Architektur und Design der Gegenwart. Berlin 2008 (mit Bart Goldhoorn)

Lust auf Raum. Neue Innenarchitektur in Russland. Berlin 2007 (mit Bart Goldhoorn)

Stadt und Haus. Berlinische Architektur im 21. Jahrhundert. Berlin 2007 (mit Fried Nielsen)

Schlossplatz Eins. European School of Management and Technology. Berlin 2006[1]/2009[2]

Capitalist Realism. Neue Architektur in Russland. Berlin 2006 (mit Bart Goldhoorn)

Neue Krankenhausbauten in Deutschland. Berlin 2006 (mit Christoph Schirmer)

Raumzeichen. Architektur und Kommunikations-Design. Berlin 2005 (mit Daniela Pogade)

Pläne Projekte Bauten. Architektur und Städtebau in Leipzig 2000 bis 2015. Berlin 2005 (mit Engelbert Lütke-Daldrup und Daniela Pogade)

Berlin im Fluss. Ein Architekturführer entlang der Spree. Floating Berlin. New Architecture along the Waterfront. Berlin 2004

Projekte, Pläne, Bauten. Architektur und Städtebau in Köln 2000–2010. Berlin 2003 (mit Klaus Otto Fruhner und Andrea Platena)

Vom Plan zum Bauwerk. Bauten und Projekte in der Berliner Innenstadt seit 2000. Berlin 2002 (mit Hans Stimmann)

Neue Gartenkunst in Berlin. New Garden Design in Berlin. Berlin 2001 (mit Hans Stimmann und Erik-Jan Ouwerkerk)

Architekturgeschichte

Zwischen Stalin und Glasnost. Sowjetische Architektur 1960–1990. Berlin 2009 (mit Jörn Börner und Caroline Uhlig)

Experiments with Convention. European Urban Planning from Camillo Sitte to New Urbanism. In: Krier, Rob: *Town Spaces. Contemporary Interpretations in Traditional Urbanism.* Basel/Berlin/Boston 2003

Berlin. Der Architekturführer. Berlin 2001[1] (mit Markus S. Braun, Rainer Haubrich und Hans Wolfgang Hoffmann)

Vom Fliegerfeld zum Wiesenmeer. Flughafen Berlin-Tempelhof. Berlin 2000

Geschichte der Architektur des 20. Jahrhunderts. Köln 1998 (mit Hans Wolfgang Hoffmann und Jürgen Tietz)

Handbuch und Planungshilfe

Handbuch und Planungshilfe: Arztpraxen. Berlin 2010

Handbuch und Planungshilfe: Signaletik und Piktogramme. Berlin 2010 (mit Daniela Pogade)

Handbuch und Planungshilfe: Apotheken. Berlin 2009 (mit Dörte Becker †)

Handbuch und Planungshilfe: Barrierefreie Architektur. Berlin 2009 (mit Joachim Fischer)

Sonstige Themen

Sehnsucht nach Europa. Urbane Skizzen aus Afrika, Amerika und Asien. Berlin 2003

Rückkehr nach Kabul. Eine fotografische Zeitreise. Berlin 2003. (mit Gerd Ruge und Georg W. Gross)

Unsichtbarer Städtebau. Die Modernisierung der Berliner Stadttechnik. In: Berliner Festspiele/AK Berlin (Hg.): *Berlin: Offene Stadt. Die Erneueuerung seit 1989.* Berlin 1999

Zeitschriften und Tageszeitungen (Auswahl)

Der Tagesspiegel

Der Senkrechtstarter. Dominique Perrault, Architekt.
20. November 1993

Bauen nach Bildern. Christopher Alexander vertritt neue Entwurfsmethoden der Architektur. 16. Juli 1994

Statt Urlaub Stadturlaub. Spaßbäder überflügeln Stadtbäder.
14. August 1994

Das Eisenbahnkreuz und die Europolis. Die nordfranzösische Stadt Lille wird Verkehrsknotenpunkt der europäischen Hochgeschwindigkeitszüge. 21. September 1994

Marzahner Mischung. Die größte deutsche Plattenbausiedlung wird bislang nur kosmetisch behandelt. 29. Dezember 1994

Auf dem Weg zu neuen Ufern. Fünf Jahre nach der Unabhängigkeit sucht Lettland ein Profil für seine Hauptstadt Riga.
8. Februar 1995

Die bestellte Hauptstadt. Kasachstan ist ein junger Staat. Und der Präsident hat sich dafür ein neues Zentrum gewünscht.
13. Januar 2002

Nächster Halt: Kabul. Termez war eine verbotene Stadt an der Grenze zu Afghanistan. Kein Fremder durfte sie betreten.
24. Februar 2002

Zwischen Koran und Coca-Cola. Städtebauer und Architekten diskutieren über den Wiederaufbau von Kabul.
27. Dezember 2002

Frankfurter Rundschau

Verfall einer Idee. Das architektonische DDR-Erbe in Eisenhüttenstadt. 6. August 1994.

Ein ganzer Stadtteil für die Medien. Der Mediapark nahe des Kölner Hauptbahnhofs liegt im Trend neuer Gewerbesiedlungen.
25. August 1994

Marzahner Mischung. Die städtebaulichen Probleme in Deutschlands größter Retortensiedlung. 26. November 1994

Gestern Kohlerevier – morgen Europolis. Die Stadt der Zukunft: Lille als europäische Verkehrsmetropole. 3. Januar 1995

Abschied von Scharoun. Zur Entscheidung im Wettbewerb für das Berliner Kulturforum. 3. März 1998

Bilderflut und Farbenpracht. Eine postsozialistische Musterstadt: das Kirchsteigfeld in Potsdam. 6. März 1998

Das Ende der Utopie. Berliner Stadtbaukunst zwischen Erneuerung und Umbau. 9./10. April 1998

Unvollendete Utopien. Wie zukunftsfähig sind die Wohnmaschinen der Moderne? Ein deutsches Tabu. 5. August 1998

Der Müll der Stadt. Plädoyer für eine Ästhetik des öffentlichen Raums. 8. Dezember 1998

Vom Anwalt zum Manager. Berliner Beispiele für ein neues Selbstverständnis der Denkmalpflege. 29. Oktober 1999

Glaubensfragen. Lob der Platte: Das industrielle Bauen in Taschkent bietet Überraschungen. 24. April 2001

Neue Zürcher Zeitung

Funktionsmischung an der Peripherie. Integration der Plattenbausiedlungen in Berlins Osten. 4. Februar 1995

Der steinerne Koloss auf dem Eiland. Hans Kollhoffs Wohnungsüberbauung im Amsterdamer Hafen. 3. März 1995

Die Ästhetisierung des Unfertigen. Berliner Architektur zwischen Werden und Vergehen. 23. Mai 1995

Simulierte Architektur. Zum Werk des Japaners Toyo Ito.
7./8. Oktober 1995

Understatement und Visionen. Der niederländische Architekt Ben van Berkel. 2. Februar 1996

Stadt als Ressource. Zur Architektur von Matthias Sauerbruch und Louisa Hutton. 25. November 1996

Generatoren für theoretische Ideen. Ein Gespräch mit den New Yorker Architekten Williams & Tsien. 12. Januar 1998

Schauplatz Warschau. Distanz zur Stadt. Urbanistische Entwicklung im Schatten des Kulturpalastes. 17. März 1998

Mentale Mobilität. Alternativen zur autogerechten Planung der Moderne. 12. April 1999

Eine orientalische Burg. Das Parlamentsgebäude von Louis I. Kahn in Dhaka. 17./18. Februar 2001

Schauplatz Kasachstan: Öko-Stadt zwischen Steppe und Sumpf. Kisho Kurokawas Masterplan für die Hauptstadt Astana. 21. Dezember 2001

Der Wiederaufbau von Kabul. Ein neuer Masterplan für die afghanische Hauptstadt. 31. Januar 2003

Stars und Lokalmatadoren. Wettbewerb zur Erweiterung des Mariinsky-Theaters. 17. März 2003

Wo Lenin noch nach Moskau blickt. Neue Architektur in Kirgistans Hauptstadt Bischkek. 2. Mai 2003

Berliner Zeitung
Al-Capone-Time zwischen Tallinn und Sofia. Metropolen in Osteuropa entdecken ihre Zentren wieder. 28. April 1998

Revolution im Knast. Ein spektakulärer Gefängnis-Neubau in Gelsenkirchen. 3. Juni 1998

District Six lebt nicht mehr. Wie ein zerstörtes Quartier in Kapstadt zum Gradmesser einer neuen Politik wird. 27./28. Juni 1998

Untergang einer Utopie. Soziale Stadtentwicklung in den USA: Chicago reißt seine Armutsviertel ab. 15./16. Mai 1999

Von Greenpeace lernen. Wenn Konservatoren zu Managern werden, kann auch Denkmalschutz ein Geschäft sein. 11./12. September 1999

Manifeste für eine kleine Ewigkeit. Die eigensinnige Architektur des Schweizer Kantons Graubünden. 1./2. April 2000

Wo die Menschheit fliegen lernte. Verlassene innerstädtische Flughäfen, die neue Nutzungen brauchen. 6./7. Mai 2000

Archithese
Blechkisten im Versteck. Wettbewerb Regionaltheater Neuenburg. Heft 1/1996

Kunstform als Konstruktionsform. Steinerne Fassaden und schwerelose Kisten in der Mitte Berlins. Heft 5/1996

Wiener Vertikale. Architektonische Wolkenstürmerei an den Ufern der Donau. Heft 6/1999

Körper und Kleid. Von der Vorhangfassade zum Siedlungsteppich: Textile Architektur als semantisches und baukünstlerisches Phänomen. Heft 2/2000

Hybrid sucht Anschluss. Der Potsdamer Platz in Berlin: ein autarker, aber erfolgreicher Stadtbaustein. Heft 3/2000

Deutsches Architektenblatt
Mobile Immobilien. Was die Architektur mit dem Begriff der Bewegung verbindet. Heft 6/2000

Die Festung von Dhaka. Zum 100. Geburtstag von Louis I. Kahn (1901–1974). Heft 2/2001

Architekt ohne Grenzen. Deutsche Architekten im Ausland. Teil 8: Russland, Kasachstan und Usbekistan. Heft 6/2002

Jenseits von Kommunismus und Kapitalismus. Russische Architektur orientiert sich an historischen Vorbildern. Heft 8/2006

Architekt ohne Grenzen. Deutsche Architekten im Ausland. Teil 33: Russland. Heft 8/2006

Komfort für alle. Barrierefreies Bauen ist kein Randgruppenthema, sondern dient der ganzen Gesellschaft. Heft 9/2009

Projektverzeichnis
Chronology

1995
Fotografenwohnung in Berlin-Charlottenburg
(Umbau)

Mercedes Showroom in Berlin-Mitte
(Umbau, nicht realisiert)

1996
Stadtforum Berlin
(Koordination von ca. 25 Sitzungen bis 2001)

1997
Veranstaltungsreihe *StadtProjekte*
(Koordination von ca. 20 Veranstaltungen bis 1999)

Architektenwohnung in Berlin-Charlottenburg
(Umbau)

Fotostudio in den Hackeschen Höfen in Berlin-Mitte
(Umbau)

Haus des Deutschen Beamtenbundes in Berlin-Mitte
(Wettbewerb, 2. Preis)

1998
Schauspielerwohnung in Berlin-Charlottenburg
(Umbau)

Diplomaten-Villa in Berlin-Pankow
(Umbau)

Reihenhaus in Berlin-Westend
(Anbau)

Ausstellung im *Quartier Schützenstraße* in Berlin-Mitte
(Temporäre Installation)

Commerz- und Privat-Bank (Sparkassenhaus) in Berlin-Mitte
(Bauhistorische Dokumentation)

Haus des Deutschen Beamtenbundes in Berlin-Mitte
(Bauhistorische Dokumentation)

1999
ZDF Merchandising Shop in Berlin-Mitte
(Umbau)

Veranstaltungsreihe *Architekturgespräche*
(Koordination von ca. 20 Veranstaltungen bis 2001)

2000
Juweliergeschäft *Schmuckräume* in Berlin-Charlottenburg
(Bauleitung)

Stadthäuser am Fischerkiez in Berlin-Mitte
(Studie)

2001
Landhaus in Berlin-Friedrichshagen
(Umbau)

Penthouse in Berlin-Prenzlauer Berg
(Umbau)

Ausstellung in der Messehalle in Taschkent/Usbekistan
(Temporäre Installation)

Ausstellung in der *Otto-Nagel-Galerie* in Berlin-Wedding
(Temporäre Installation)

2002
Meisterklasse *Sanierung von Plattenbauten* in St. Petersburg
(Koordination)

Summer School im Rahmen des *UIA 2002 Berlin*
(Koordination)

Informations-, Leit- und Orientierungssystem für die staatlichen Schlösser, Burgen und Altertümer im Land Rheinland-Pfalz
(Wettbewerb, 1. Preis)

2003
Villa am Finnischen Meerbusen bei St. Petersburg/Russland
(Wettbewerb 1. Preis, nicht realisiert)

Penthouse an der Eremitage in St. Petersburg/Russland
(Neubau)

Ausstellung in der *ifa-Galerie* in Berlin und Stuttgart
(Temporäre Installation)

Ausstellung im *Zentralen Haus der Künstler* in Moskau/Russland
(Temporäre Installation)

Ausstellung in der American University in Sharjah/VAE
(Temporäre Installation)

Meisterklasse *Zukunft der Stadt Atyrau/Kasachstan*
(Koordination)

2004
Deutsche Botschaft in Astana/Kasachstan
(Herrichtung einer Büroetage)

Stadthaus am Friedrichswerder
(Neubau)

Touristisches Leitsystem für die Altstadt Naumburg/Saale
(Stadtmöblierung)

Maisonette in Dongguan/China
(Neubau, nicht realisiert)

Mini-Hotel in Berlin-Charlottenburg
(Umbau)

Wohnung *Sybelstraße* in Berlin-Carlottenburg
(Umbau)

Ausstellung im Architekturmuseum in Moskau/Russland
(Temporäre Installation)

Spring School an der American University in Sharjah/VAE
(Koordination)

Meisterklasse *Sanierung von Plattenbauten* in Taschkent/Usbekistan (Koordination)

2005

Schloss Stolzenfels bei Koblenz
(Denkmalgerechter Umbau zur Verbesserung der Barrierefreiheit)

Theater in der Spielbank Berlin
(Umbau)

Britische Botschaft in Astana/Kasachstan
(Herrichtung einer Büroetage)

Hachette Filipacchi Shkulev Media in Moskau/Russland
(Umbau der Lobby und der Vorstandsetage)

Konferenzzentrum in der Französischen Botschaft in Moskau
(Umbau, nicht realisiert)

Meisterklasse *Wohnen am Wasser* in Nischni Nowgorod
(Koordination)

2006

Deutsches Generalkonsulat in Kaliningrad/Russland
(Neubau der Visastelle)

Französische Botschaft in Astana/Kasachstan
(Herrichtung einer Büroetage)

Lufthansa Airport Office in Astana/Kasachstan
(Umbau)

Villa Zhailjau in Almaty/Kasachstan
(Neubau/Innenarchitektur)

Vorderes Klausengebäude in Koblenz
(Denkmalgerechter Umbau)

Produzentenwohnung in Berlin-Charlottenburg
(Umbau)

2007

Stadtvilla in Nürnberg-Erlenstegen
(Erweiterung)

Deutsches Generalkonsulat in Almaty/Kasachstan
(Herrichtung eines Bestandsgebäudes)

Hauptverwaltung Schleich in Schwäbisch Gmünd
(Erweiterung)

Schleich Shop Design
(Umsetzung des Corporate Branding an bislang 75 Standorten)

Lufthansa City Center in Kasachstan
(Umsetzung des Corporate Branding an sieben Standorten)

Lufthansa City Center in Kirgistan
(Umsetzung des Corporate Branding am Standort Bischkek)

ABN AMRO Bank Kazakhstan, Consumer Banking
(Umsetzung des Corporate Branding an vier Standorten)

Vorstandsetage im *Almaty Financial District* in Kasachstan
(Neubau/Innenarchitektur, nicht realisiert)

Außenstelle der Französischen Botschaft in Almaty/Kasachstan
(Denkmalgerechter Umbau)

Wohnung auf den Sperlingshügeln in Moskau/Russland
(Neubau/Innenarchitektur)

Feriensiedlung im Altai-Gebirge/Kasachstan
(Neubau, nicht realisiert)

Penthouse *Jägerstraße* in Berlin-Mitte
(Neubau, nicht realisiert)

Vertretung der Europäischen Kommission in Astana/Kasachstan
(Konzept zur Verbesserung der materiellen Sicherheit)

Ausstellung in der *ifa-Galerie* in Berlin und Stuttgart
(Temporäre Installation)

2008

Deutsche Botschaft Sarajewo/Bosnien-Herzegowina
(Generalsanierung)

Deutsche Botschaft in New Delhi/Indien
(Fassadengestaltung)

Kanadische Botschaft in Astana/Kasachstan
(Project Management)

Schweizerische Botschaft in Astana/Kasachstan
(Herrichtung einer Büroetage)

ABN AMRO Bank Kazakhstan, Preferred Banking Almaty
(Umbau)

Typenentwurf für eine Schule in Tscheboksary/Russland
(Neubau, nicht realisiert)

Typenentwurf für einen Kindergarten in Tscheboksary/Russland
(Neubau, nicht realisiert)

Villa an der Rubljowka in Moskau/Russland
(Umbau)

Maschinenhalle in Iggingen
(Neubau)

Park Residence Monbijou in Berlin-Mitte
(Konzeptstudie)

Landhaus in Neufundland/Kanada
(Neubau, nicht realisiert)

L'Institut Français d'Etudes sur l'Asie Centrale in Taschkent
(Neubau, nicht realisiert)

Ausstellung im *Tuwaiq Palace* in Riad/Saudi-Arabien
(Temporäre Installation)

Ausstellung in der Abflughalle des Flughafens Tempelhof
(Temporäre Installation)

2009
Deutsche Botschaft in New Delhi/Indien
(Generalsanierung)

Deutsche Botschaft Taschkent/Usbekistan
(Machbarkeitsstudie für einen Neubau)

Deutsche Botschaft Peking/China
(Umbau zur Verbesserung der Barrierefreiheit)

Deutsche Botschaft Tokio/Japan
(Umbau zur Verbesserung der materiellen Sicherheit)

Deutsches Generalkonsulat in Jekaterinburg/Russland
(Wettbewerb)

Ägyptische Residenz in Berlin-Mitte
(Gutachten)

Schweizerische Residenz in Astana/Kasachstan
(Quality Management)

Goethe-Institut in Almaty/Kasachstan
(Machbarkeitsstudie)

St. Petri-Kirche in Berlin-Mitte
(Neubau, nicht realisiert)

Evangelisches Johannesstift in Berlin-Spandau
(Neubau, Wettbewerb 2. Preis)

Ida-Simon-Haus in Berlin-Mitte
(Denkmalgerechtes Umbaukonzept)

Hotelresidenz und Spa in Kühlungsborn
(Neubau/Innenarchitektur)

Villa in Berlin-Grunewald
(Neubau/Innenarchitektur)

Ausstellung im Rahmen der *Regionale 2010* in Köln
(Temporäre Installation)

2010
Theaterplatz Naumburg/Saale
(Freiraumgestaltung)

Quartier an den Kronprinzengärten in Berlin
(Neubau, Wettbewerb)

Schweizerische Botschaft in Warschau/Polen
(Bestandsanalyse)

Informations- und Orientierungssystem für die Staatlichen
Schlösser, Burgen und Gärten Sachsen
(Wettbewerb)

Die Zeitangaben beziehen sich auf den Projektbeginn.

Mitarbeiter seit 1995
Staff since 1995

Architekten
Bächter, Michael
Bagrikova, Inna
Bormann, Nicola
Boyko, Elena
Festag, Daniel
Heßler, Doreen
Jahn, Wera
Kurek, Monika
Meuser, Florian
Schillaci, Fabio
Schirmer, Christoph
Spielau, Martin
Tobolla, Jennifer
Tsubokura, Takashi
Weber, Miriam
Zhang, Choco Heng

Projektassistenz
Chernishova, Sofia
Jaikbayeva, Juma
Kim, Galina
Nurgaleyeva, Gulnara
Uralov, Bolatbek

Grafikdesigner
Brohl, Gitte
Dafova, Marina
Donadei, Daniela
Mattausch, Heiko
Stier, Yuko
Wolbergs, Benjamin
Wolf, Nicole

Verlag
Hofmann, Sabine
Kasek, Mandy
Keil, Uta
Petermann, Ralph
Ring, Martin
Scheublein, Walter

Redakteure
Becker, Dörte †
Dörries, Cornelia
Hahn-Melcher, Brigitta
Hartmann, Anja
Hoffmann, Hans Wolfgang
Maempel, Vivian
Oswald, Ansgar
Pogade, Daniela
Schöneberg, Gesa
Voigt, Simone

Volontariat
Deubel, Jette
Kukla, Juliane

Praktikanten
Chestakow, Lev
Egermann, Kristin
Esau, Xenia
Göse, Julia
Götzen, Christiane
Jeska, Simone
Klaus, Robert
Kim, Anja
Krusemark, Anne
Mitra, Mayukh
Mogensen, Sophia
Urscheler, Kathrin
Wegener, Gerrit

Anhang 239

Die Deutsche Bibliothek verzeichnet diesen Titel in der *Deutschen Nationalbibliografie.* Detaillierte bibliografische Daten sind im Internet über *http://dnd.ddb.de* abrufbar.

The Deutsche Bibliothek *lists this publication in the* Deutsche Nationalbibliografie; *detailed bibliographic data is available on the internet* http://dnb.ddb.de.

© 2011 by *DOM publishers*
www.dom-publishers.com

ISBN 978-3-86922-152-6 (Vol. 2)
ISBN 978-3-86922-150-2 (Gesamtausgabe)

A DOM publishers

Dieses Werk ist urheberrechtlich geschützt. Jede Verwertung außerhalb der Grenzen des Urheberrechtsgesetzes ist ohne Zustimmung des Verlags unzulässig und strafbar. Dies gilt insbesondere für Vervielfältigung, Übersetzungen, Mikroverfilmungen sowie die Einspeicherung und Verarbeitung in elektronischen Systemen. Die Nennung der Quellen und Urheber erfolgt nach bestem Wissen und Gewissen.

This work is subject to copyright. All rights are reserved, whether the whole or part of the material is concerned, specifically the rights of translation, reprinting, broadcasting, reproduction on microfilms or in other ways, and storage or processing in data bases. We have identified any third party copyright material to our best knowledge.

Projekttexte *Text Editor*
Cornelia Dörries

Endlektorat *Proofreading*
Uta Keil

Übersetzung *Translation*
Nina Hausmann

Titelgestaltung *Cover Design*
Gitte Brohl

Abbildungen *Photo Credits*
Anikiew, Wladislaw: 190/191; Archiv für Kunst und Geschichte/akg-images: 16, 17; Bagatza: 74 r; Barelko, Roma: 200/201; Bildarchiv Preußischer Kulturbesitz/bpk: 13 (Ute Zscharnt); Broneske, Matthias: 36-38, 40-43; Gribanow, Oleg: 180/181; Heywood, Graham: 74 l; Hoch, Eberhard: 28, 32/33, 227; Huthmacher, Werner: 26/27, 30/31, 144-149; Jahn, Wera: 68, 69, 154 u-159 u; Kim, Eduard: 212/213; Marcato, Maurizio: 77; Mercedes-Benz-Museum: 79; Meuser, Florian: 73; Meuser, Natascha: 29, 70/71, 229; Meuser, Philipp: 18/19, 21, 23-25, 35, 48, 66/67, 76, 81, 92/93, 95, 100/101, 103, 105-109, 113 u, 114/115, 122-125, 136-138, 140/141, 160/161, 167, 184/185, 188/189, 199/200, 204-210, 216/217, 219; Mordvintsev, Dmitry: 54/55, 162/163; Naroditski, Alexei: 45, 46, 50-53; NASA: 222, 223; Ouwerkerk, Erik-Jan: 139 r; Savorelli, Pietro: 118/119; Schleich GmbH: 88, 89; Stradtmann, Ralf-C.: 128-133; Wang, Yang: 84